秘録決定版

誰も書けなかった 日本の黒幕

昭和・平成・令和「政官財暴」地下水脈の興亡史

森功　伊藤博敏　岩瀬達哉　高橋篤史
黒井文太郎　児玉博　西岡研介
ほか

島社

まえがき

昭和・平成の黒幕が照らしだす令和日本の現在地

本書は、昭和の田中角栄黄金期から平成・令和まで〝現代史〟を塗り替えた〝黒幕〟の所業を発掘するノンフィクションである。首領《ドン》、カリスマ、フィクサー、政商、裏の顔を持つ政治家……彼ら〝怪物〟は昭和・平成の大型疑獄事件や経済事件に暗躍してきた。ロッキード事件後、闇将軍化した田中角栄。角栄の巨大利権の瓦解を狙って、外圧を盾にした規制緩和で国鉄や電電公社など公の事業を民営化していった中曽根康弘。その中曽根を傀儡のように操った読売帝国の渡邉恒雄。中曽根の規制緩和はバブル経済の着火点ともなり、大物経済ヤクザや虚業家の台頭を招いた。経済をあぶく銭で覆い尽くして日本人を狂わせた。バブル崩壊後、角栄的な政官財の癒着構造は自壊、新自由主義経済が本流化するなか、利権のつけかえが大胆に進む。天下はベンチャー三銃士のものになり、オリックスの宮内義彦、竹中平蔵が裏で糸を引いた。それにしても令和の日本にはなぜ閉塞感が漂っているのか。利権・癒着の経済波及効果で、国民皆を食べさせる角栄的な共和制国家・日本は潰えた。歴史を動かしてきた〝怪物〟たちの秘話・秘録を通して、令和日本の現在地に輪郭を与えることができれば幸いである。

＊本文中の肩書・組織名は一部を除き当時のままとした。

CONTENTS

誰も書けなかった日本の黒幕｜目次

CONTENTS

第5章 政界の怪物

第6章
政商の怪物

■イラスト――ナカニシリョウ
■アートディレクション+デザイン+図表作成――HOLON
■写真提供――朝日新聞+共同通信+時事通信+真弓準
■本文DTP――G-clef
■企画・編集――井野良介

第1章

日本の伏魔殿

巻頭特別座談会

田中角栄以降の「構造大転換」から
令和ニッポン〝劣化〟の内幕まで

日本の権力とカネの地下水脈

森功―ノンフィクション作家
西岡研介―ノンフィクションライター
岩瀬達哉―ジャーナリスト
児玉博―ノンフィクション作家
構成＝金賢

1985年、戦後日本の利権政治を完成させた田中角栄が病に倒れ、日本は「大転換」の口火を切った。国民皆が分かち合う「共和制国家」は、バブル敗戦・護送船団解体を経て、格差と規制緩和の強欲新自由主義に。カネと権力構造「大転換」の裏面史を秘話で明かす。

インドネシアの石油利権で総理に上りつめた田中角栄

編集部 昨年末に裏金問題が自民党で発覚し、政権が揺れる事件になりましたが、政治と裏金と言えば、戦後その仕組みを完成させたのは田中角栄ではないでしょうか。角栄の時代に動いていた裏金の規模に比べれば、安倍派がやっていた政治資金パーティー券収入のキックバックは姑息なスケールで、角栄時代の残滓《ざんし》のようにも見えます。

角栄と言えば、「政治は数であり、数は力、力はカネだ」という言葉が有名ですが、そもそも角栄のカネの源泉はどこにあって、誰かキーパースンがいたんでしょうか。

児玉 代表的なのが、角栄の腹心で地元の新潟を仕切っていた入内島金一ですね。田中金脈の中核企業のひとつ日本電建にも役員として入っていた。日本電建は1950年代に一時、住宅月賦販売の国内トップだった会社ですが、お家騒動を経て角栄が買収（61年）してからは、土地と株の買収にカネをつぎ込んだ。経営が傾いてからは、角栄の盟友である小佐野賢治（国際興業創業者）が発行済み株式の額面の3倍超となる18億円で買い取ったのですが、これは実質的な政治献金だったと言えるでしょう。

森 小佐野は旧日本軍の隠退蔵物資をさばくなどして、30歳になるまでに巨額のカネを手にしていた。角栄が政治家になった初期には、彼が財布になっていたように見えます。ただ、角栄が総理にまでのし上がっていくなかで、もっと大きな事業のパートナーになったのは、旧日本興業銀行（興銀）の頭取だった中山素平《そへい》でした。この2人は戦後間もない頃からの付き合いです。

角栄は16歳のとき、理化学研究所（理研）の所長だった大河内正敏のところで書生として住み込みで働きたいと考え、初めて上京した。それは実現しなかったのですが、後に田中土建工業を興してからは、理研グループから大きな仕事を受注している。これも実は、中山の口利きによるものだった。

さらに、彼らが手がけたインドネシアの石油利権が特に大きくて、そこで資金を作って、角栄は総理に上りつめたんです。ちなみに、インドネシアの石油利権には戦後、右翼として政財界の裏で暗躍した田中清玄もからんでいた。彼は大統領のスカルノと親しく、両国の橋渡し役をしていた。

西岡 インドネシアと言えば、角栄のライバルだった福田赳夫の印象が強いですね。早くから初代大統領のスカルノや次のスハルトらと人脈を築いていたし、息子の福田康夫元総理も日本インドネシア協会の会長を務めている。インドネシアは角栄と福田赳夫の激突の地でもあったわけですか。

森　そう見ています。実際、角栄が1972年7月の自民党総裁選で福田を破ることができた要因のひとつは、福田支持の中曽根康弘を寝返らせたことでした。そのための〝原資〟が、インドネシア利権から出ている。具体的に言うと、中山は71年頃、トヨタグループに呼びかけてインドネシアの石油事業を動かし始めます。それを当時、佐藤栄作内閣の通産大臣だった角栄が政策面でバックアップした。そして、このビジネスの中で、興銀が発行した300億円の利付債が、売買されているんです。

編集部　無記名で保有できる利付債は、資産隠しや政治の裏金として使われた歴史がありますね。

立花隆「田中角栄研究」に福田赳夫の〝仕掛け〟はあったか？

岩瀬　角栄と福田の暗闘は、ほかでも見られます。田中金脈の典型例とされている、信濃川河川敷の錬金術が暴露された件もそうです。

編集部　頻繁に氾濫して利用価値の低かった河川敷の土地を、角栄のファミリー企業が5500万円で買収し、その後の堤防改修で値上がりして86億円の値が付いたという件ですね。

岩瀬　そうです。この件はジャーナリストの立花隆も、1974年10月に月刊誌『文藝春秋』で発表した「田中角栄研究 その金脈と人脈」で詳しく追っているんですが、実はその前に「新勢力社」という右翼団体が機関誌で暴露して、攻撃を始めていた。それがちょうど総裁選を控えていた頃のことで、福田派の働きかけを受けて始めたのだと、団体関係者から聞きました。

児玉　田中金脈を立花隆よりも先に暴いた人たちがいた、というのは聞いたことのある話だけど、その人たちのことですか。

岩瀬　そうです。新勢力社を主宰していたのは、毛呂清輝と言って、閣僚や元老などの政界要人を暗殺するなどして皇族中心の国家改造を行おうとした戦前の「神兵隊事件」に連座した人です。彼から影響を受けた一水会の鈴木邦男は、毛呂は「戦後の右翼運動の源流」と言っています。いわゆる正統右翼の人で、「右翼は自民党の院外団的性格から脱皮しろ」というのが持論だった。

西岡　それが福田派とつながっていたと……ちなみに、『文藝春秋』で「田中角栄研究」の取材チームにいた人から聞いた話なんですが、当時、田中関連の会社や土地の登記簿を取るだけで、200万円はかかったと言ってましたが。

岩瀬　先ほど話に出た信濃川河川敷の登記簿謄本なども、新勢力社は上げていて、そうした情報も福田側から出ていたと言われていますね。角栄の金権政治はけしからん、というところでつながったんでしょう。それで『文藝春秋』が1969年12月の総選挙前に角栄の金脈を追及しようとするんだけど、後藤田正晴が当時の編集長に電話をかけてきて、「言論の自由があるものの、今報じれば選挙妨害になりますよ」と言って、いったん潰すんです。

児玉　後藤田が警察庁を退官する、少し前のことですね。その後、『文藝春秋』は立花隆を立てて、改めて「田中角栄研究」をやるんだけど、やっぱり政治の圧力で書籍化はできなかった。あれを本にしたのは講談社ですから。

西岡　一方で、官僚をうまく使うという点では、角栄はやっぱり天才的だったと思います。政治家として、官僚を使って国造りをする。その過程で利権が生まれる。角栄が議員立法で作った道路三法（道路法、ガソリン税法、有料道路法）が典型的ですが、新しい徴税の仕組みも作って日本全国の高速道路網を整備する。結果、国の隅々まで目を配るなかで、利権が大きくなった。でもその一方で、田舎の人たちまで食えるようになる。もともと地方の土建屋だっただけに、そういうところまで視野に入っていたんじゃないかと思うんです。

森　角栄のすごいところは、土建関係に限らず、全省庁の官僚を従えていたことです。大蔵も郵政も通産も農水も、全部押さえていた。つまりは官庁を動かす族議員たちの、さらに上の大ボスだったわけです。

岩瀬　『日本列島改造論』は、角栄が総裁選を控えて出版した政策綱領集ですが、これを取りまとめたのは通産官僚で、角栄の通産相から総理の時代にかけて秘書官を務めた小長啓一です。その内容は高速道路と新幹線、本州四国連絡橋などの高速交通網を全国に整備し、地方の工業化を促そうというものでしたが、結果的にこれが、利権の教科書みたいになっていく。

ただその一方で、角栄はカネの力で派閥を大きく育て、法律を作り、官僚たちに存分に仕事をさせて、この国をマネジメントしていく姿勢を持っていた。

児玉　『日本列島改造論』が出たとき、「これは角さんが俺たちのためにやってくれているんだ」と喜んでいたのが、佐川急便の創業者・佐川清です。高速道路で日本列島がつながれば、運輸業、すなわち会社は伸びる、と。それで角栄の新潟の自宅に年2回、ロールスロイスを自分で運転して、5億円を詰めたジュラルミンケースを持って訪ねていたそうです。

岩瀬　佐川は新潟出身で、もともと鳶《とび》の親方だったんですよね。

児玉　そうです。田中土建工業の下請けもやっていました。だから土建屋の目線も持っていて、角栄の打ち出した政策が、よく響いたんだと思います。角栄の時代には、こんなふうに「みんなを食わせる」という、ある種の共和制みたいなところがあったわけですが、その後はどんどん「格差があって当たり前」という世の中に変わっていった。

中曽根の民営化政策と大物経済ヤクザの台頭

森　転機になったのは、中曽根康弘政権（1982年11月〜87年11月）の行政改革でしょうね。具体的には三公社五現業の民営化政策です。三公社は大蔵省所管の「日本専売公社」、郵政省所管の「日本電信電話公社」、運輸省所管の「国鉄」、五現業は郵政省による「郵政事業」、大蔵省による「造幣事業」と「印刷事業」、林野庁による「国有林野事業」、通商産業省による「アルコール専売事業」です。

編集部　角栄が脳梗塞で倒れたのが85年の2月です。奇しくも同じ年の4月、行革の目玉のひとつである電電公社（現・NTT）の民営化が実現しました。

森　竹下登と金丸信、小沢一郎らが田中派を割る形で創政会を立ち上げたのがその年の2月7日です。激昂した角栄はそれからわずか20日後に倒れました。そこから、中曽根は行政改革にいっそうドライブをかけます。

中曽根の行政改革は英米から始まった新自由主義と歩調を合わせたものだったのですが、角栄は規制にあぐらをかく族議員の大ボスとして、これに反対していました。また、国鉄労働組合（国労）は左翼の巨大な牙城《がじょう》でしたが、ここには旧陸軍時代に角栄の上官だった細井宗一がいた。ともに新潟出身で生まれた年も同じという2人の仲は格別で、そういう関係もあって国鉄の分割民営化論は封じ込められていた。

ところが、田中派の内部で造反が起き、ショックで角栄が倒れたことで潮目が変わった。これは、日本にとって大きな転機になったと思います。

西岡　竹下や金丸が角栄から離れていったのは、やはりロッキード事件で角栄が逮捕（76年7月）されて以降なんでしょうね。

岩瀬　そうですね。角栄はロッキード事件で逮捕されても議員バッジを外さず、裁判所に圧力をかけるために田中派をどんどん広げていった。それでもやっぱり、裁判を抱えていたことで権力機構の中心からは外れていった。そういう中で竹下と金丸は「これじゃダメだ」ということで、派閥を割っていく流れがあったんです。角栄が自分の権力維持のために、自派閥から総裁候補を出そうとしなかったせいでもあった。

児玉　金丸らが派閥を割ったのは、自分たちの利権拡大のためでもあったと思います。実際、金丸は建設族のドンになり、大手ゼネコンから巨額の裏金を吸い上げた。地元の山梨県では、リニアモーターカー実験線の誘致をはじめ大型公共工事をめぐって政治力を振るい、建設業界を丸ごと金脈化していました。県建設業界と表裏一体となった「建信会」という金丸の政治団体が窓口となり、「上納金」「コーヒー代」「まんじゅう代」などとして、年間数億円を徴収した。金丸が93年に逮捕された際に明らかになった不正蓄財は、70億円に達していました。また、竹下は「きさらぎ会」、小沢は「陸山会」という団体を通じて、同じような利権構造を持っていた。

編集部　全盛期の角栄の資金力は数百億円に達していたと言われていますから、金丸らはその縮小版とも言えそうですね。

岩瀬　ちなみに、竹下らのクーデター後、右翼団体の日本皇民党が、執拗に「日本一金儲けの上手い竹下さんを総理にしましょう」と街宣する「ほめ殺し」を行います。世に言う日本皇民党事件（87年）です。これを裏で仕掛けたのが、角栄のスポンサーの1人である佐川清でした。皇民党は街宣を止める条件として、カネではなく竹下が田中邸に謝罪にいくことを要求した。一説には7億円もの申し出を蹴ったと言われていますが、カネは佐川から潤沢に出ていたわけです。なにしろボロ家だった皇民党の本部が、立派なビルに建て替わっていたというくらいですから。

そうまでした佐川清は、竹下が田中邸前で頭を下げる映像をテレビで見ながら「あのバカが」と言って、やっと溜飲を下げたそうです。

編集部　この事件では、円形脱毛症になるほど悩む竹下を見かねた金丸が、東京佐川急便の渡辺広康社長を通じて、稲川会会長の石井進（隆匡《たかまさ》）に解決を依頼したわけですよね。皇民党も、大物ヤクザが出てきたら話し合いに応じざるを得なかった。それにしても石井という人物は、当時のヤクザの中で異彩を放っていたと思います。

西岡　東急電鉄株を2900万株も買い占めて、個人筆頭株主になったくらいですからね。同じく経済ヤクザで、武闘派としても知られた元後藤組組長の後藤忠政が、憧れていたくらいです。

児玉　元宅見組組長の宅見勝も、石井には甘えていました。宅見が石井と電話で話すのを聞いたことがあるんですが、「親分、だからこれをこうしてほしい。ああしてほしい」と、頼み事をする感じだった。

西岡　でも、経済ヤクザとしていちばん大きく儲けたのは、宅見だったと思いますね。金持ちのヤクザはいっぱいいますが、ほとんどは言わば「商売人」なんですよ。それに対して宅見は関西国際空港などの大型事業と絡んで、利権を差配した手数料が「チャリンチャリン」と入ってくる仕組みを持っていた。政治家でもないのにそんな金脈を作ることができたのは、宅見ぐらいだったんじゃないでしょうか。

森　石井が経済ヤクザとして幅を利かせていたのは、山口組が東京に本格進出する前だったからかもしれない。

利権構造の大転換点と重なった江副浩正「リクルート事件」

編集部　ところで、やはり稲川会の石井が登場した平和相互銀行事件も85年頃の出来事でした。

西岡　プラザ合意がその年の9月だから、バブル前夜の出来事だったと言えるんじゃないですか。大阪発祥の住友銀行（現・三井住友銀行）が、東京へ攻め上るために平和相銀を食ったわけですが、これもまた、規制緩和が背景にあった。

児玉　金融の自由化ですね。それまでは金利から店舗の数まで、すべてを大蔵省の指導に従っていた体制が見直され、銀行間の競争が激しくなった。それで住友が、東京に100店を超える店舗網を持っていた平和相銀に食指を伸ばしたわけです。

西岡　山口組が本格的に東京に進出したのは、90年の八王子戦争以降でしょう。宅見組と二率会《にびき》の衝突による抗争事件で、山口組からは後藤組などが東京に進出するきっかけになった。

編集部　きっかけになったのは、乱脈経営を続けていた創業者一族の小宮山家と経営陣の対立でした。石井の役回りはどういったものだったのでしょう。

西岡　追いつめられた小宮山家が住友への身売りを決めたのですが、経営陣は自力での経営再建に固執していた。石井は双方とつながりがあって、どちらにつくかわからなかった。仮に石井が経営陣につき、右翼などを動員して住友銀行を攻撃していたら、吸収合併はなかったかもしれない。しかし結局、石井は事態を静観した。これで住友銀行による吸収合併の流れが決まったという見方があります。

ちなみに、小宮山家は住友への身売りの前段として、旧川崎財閥の資産管理会社・川崎定徳《ていとく》社長の佐藤茂に平和相銀の持ち株を約80億円で売却するのですが、この資金を提供したのが住友銀行の関連会社だったイトマンファイナンスであり、これをやらせたのは住友の天皇と言われた磯田一郎会長です。非常に威勢がよく見えるけれど、イトマンも磯田も、後に戦後最大の経済事件と言われた「イトマン事件」で、いわゆる闇の勢力によってさんざん食い物にされることになる。

岩瀬　平和相銀を吸収した時点で、すでにつけ入られていますからね。石井は平和相銀の件にからんで、莫大な利益を得ています。平和相銀の関係企業が開発していた茨城県のゴルフ場・岩間カントリークラブが、佐藤茂と東京佐川急便を経由して、石井の手に渡っている。そして時期的には、このあたりからバブルが本格的に幕を開ける。

　土地・株・ゴルフ会員権が「バブルの三種の神器」なんて言われますが、石井は岩間カントリークラブの「会員資格保証金預かり証」という、何の価値もない紙切れを証券会社などに大量に押し付けて、そうして引き出したカネで東急株を買い占めたわけです。

西岡　さらにつけ加えると、石井は東京佐川から融資と債務保証などで１２００億円を超える利益供与を受けるわけですが、その背景には皇民党事件で、渡辺が石井と金丸をつないだ経緯があった。こうして見ると、皇民党事件と佐川急便事件、そして平和相銀事件とイトマン事件は、カネの流れと人脈でそれぞれつながっていたわけです。

編集部　石井があそこまで大きな勝負ができた理由はなんだったんでしょうか……。

森　当時は、金融自由化という規制緩和とバブルが相まって、企業から引き出せるカネが、段違いに大きくなっていたんでしょうね。

児玉　昔、竹下登の側近が言っていました。「児玉ちゃん、考えてみてよ。談合をさんざん仕切って貯まるのは、せいぜい50億、60億のカネだよ。でも（規制緩和の進んでいる）今じゃ、株式上場するだけで一夜にして数百億が手に入るんだ」と。

　その点で注目すべき事件が、リクルート事件なんです。リクルート創業者の江副浩正は１９８４年12月から85年４月にかけて、値上がり確実な不動産子会社・リクルートコスモスの未公開株を、政官財界にバラ撒《ま》いた。なかでも本命と言われたのがＮＴＴルートで、未公開株を受け取った当時の真藤恒《ひさし》ＮＴＴ社長が有罪判決を受けています。

森　真藤は電電公社の最後の総裁で、ＮＴＴの初代社長ですね。郵政官僚ＯＢを据えたかった角栄は反対していたんだけど、金丸は推していた。時代の転換を象徴する人事のひとつです。

児玉　一方の江副は新興勢力の筆頭で、就職情報誌とマンション事業に続いて、自由化された通信事業への進出を目論んでいた。具体的に言うと通信回線のリセール（小口売り）で、このビジネスのために高性能・超大型のスーパーコンピュータ（スパコン）の導入を決めます。

　そして、ＮＴＴはリクルートへの転売を前提に米国製のスパコンを購入したのですが、これは米国から貿易黒字の縮小を要求されていた中曽根政権に協力した面もあった。つまり江副は、政官財界にワイロをバラ撒くと同時に、規制緩和と国策に乗じて、通信事業という日本経済の本流に近いところで位置を占めようとしていたわけです。

森　リクルート事件が発生したのはバブル前夜のことですが、弾けたのはバブル絶頂期の１９８８年から89年にかけてのことです。これはちょうど、総合保養地域整備法、いわゆるリゾート法の施行（87年）直後のことです。

西岡　中曽根民活の最大の失敗とも言われる悪法ですよね。東京や大阪、神奈川などを除く地方のリゾート計画に税制や政府系融資の優遇措置を与え、全国的な地価暴騰の火をつけた。推進された計画は失敗続きで、指定第1号で2000億円をかけて作られた宮崎シーガイアは、3261億円の負債を抱えて経営破たんした。

森　そんな法律が動き出したタイミングで、江副が不動産会社の未公開株をワイロとして配っていた事実が露見したわけです。検察の捜査には「バブル退治」としての性格もあったと思います。それと同時に、規制緩和に乗じた新たな利権構造をけん制した面もあったかもしれない。

接待汚職で大蔵省は自壊、宮内義彦やベンチャー三銃士の天下に

編集部　とは言え、その後も規制緩和はどんどん進んでいくわけですよね。

森　中曽根行革に続いて重要なポイントになったのは、橋本龍太郎内閣だと思います。あそこから規制緩和路線が本格化した。同内閣で規制緩和小委員会の座長に就いたオリックスの宮内義彦社長（当時）は、その後、第一次安倍内閣まで同様のポストに留まりました。また橋龍内閣では、後に安倍晋三総理の秘書官になる今井尚哉ら、経済産業省の官僚たちが規制緩和の政策作りに携わった。この流れもまた、後の小泉純一郎内閣や安倍内閣に引き継がれ、今に至っています。

岩瀬　規制がきつかった時代には予算を配分する大蔵省がキングだったけれども、規制緩和の中では産業界に寄り添う経産省が力を持ったわけですね。

児玉　規制緩和と時を同じくして、大蔵省は1998年の接待汚職問題でコテンパンにされちゃいましたからね。いわゆる「ノーパンしゃぶしゃぶ」問題です。当時、国の財政と金融行政を一手に仕切っていた大蔵省に対し、銀行や証券各社は「MOF担」という担当者を置いて接待攻勢をかけていた。そして、検察がこれを汚職と見なして事件化したことで「財金分離」が叫ばれ、大蔵省は財務省と金融監督庁（現・金融庁）に再編されてしまった。

編集部　昔の大蔵官僚は銀行を通じて産業界にもにらみを利かせていたけれど、そういうわけにはいかなくなってしまったんですね。

森　しかし大蔵省に限らず、官僚は接待慣れしていますよ。検察なんてひどいと思う、女好きで。

児玉　いや、検察は本当にひどいです

ね。住友銀行は80年代に元検事総長の安原美穂を顧問弁護士に迎えた頃から、検察の現役幹部との親睦会を行っていたんですが、接待場所となった大阪の料亭の名前から「花月会」と呼ばれていた。どの金融機関も検察や警察と関係を築いていますが、住友銀行のそれは他行を圧倒していましたね。平和相銀の吸収合併を巡る根回しもここで行われていた。検察に対し、吸収合併に反対する平和相銀経営陣を「早く逮捕してくれ」と言わんばかりにせっついたりもしていた。

編集部　橋本内閣では金融制度改革、いわゆる「日本版金融ビッグバン」(96年)も仕掛けました。それで東証マザーズにナスダック・ジャパン(後に大証ヘラクレスに改称)、札証アンビシャス、名証セントレックス、福証Q－BOARDと、新興株式市場が雨後のタケノコのように生まれるんですが、反社会的勢力や仕手絡みの事件が多発して惨憺《さんたん》たるあり様でした。

西岡　バブル崩壊で痛み切っていた証券業界が、復活を期して人為的に大相場を作り出したのが、いわゆるITベンチャーバブルだったと思うんですよ。相場が暴走しないよう監督すべき大蔵官僚から検察までが金融機関に接待漬けにされてきたら、ブレーキなんてなかなか踏めないでしょう。

森　それでも、ベンチャーの時代が来たという意味では、この頃の規制緩和が画期をなしましたね。

西岡　ソフトバンクの孫正義、エイチ・アイ・エスの澤田秀雄、パソナグループの南部靖之がベンチャー三銃士と呼ばれて注目を集めた。孫は金融制度改革のおかげで企業買収を大々的に行い、世界的な投資会社を育て上げた。澤田の作ったスカイマークは経営破たんしたけれども、観光業界で大手になれたのはやはり規制緩和のおかげでしょう。そして人材派遣のパソナこそは、規制緩和の申し子です。

森　たしかに、数ある規制緩和の中でも、日本社会に特に影響を与えたのが製造業における労働者派遣事業の解禁だと思います。その答申を出したのも、宮内が議長を務めた小泉内閣の総合規制改革会議だった。

パソナが儲かり竹中平蔵が儲かり……内輪だけで利益を配分する令和

編集部　宮内は、規制緩和の流れの中でずっと大きな存在でした。

森　オリックスの前身のオリエント・リースは、バブル崩壊で負った傷が浅かったんだと思います。競合相手がどんどんダメになっていく中で、逆にオリックスは業容を拡大した。創業は古いけれど、ベンチャー的な体質のある

田中角栄以降の日本

権力と利権「大転換」の略年譜

角栄の時代

年（西暦）■主な出来事

1972 ■日本列島改造論
■田中角栄内閣（角福戦争）
1974 ■田中角栄研究／立花隆（文藝春秋）
■三木武夫内閣
1976 ■ロッキード事件（田中角栄逮捕）
■福田赳夫内閣
1978 ■大平正芳内閣
1980 ■鈴木善行内閣
■中曽根康弘が行政管理庁長官就任（土光第二次臨調）

中曽根の逆襲

1982 ■中曽根康弘内閣
1983 ■アーバンルネッサンス構想（建築規制緩和、公共用地放出）
■ロンヤス会談（中曽根、レーガン米国大統領首脳会談）
1985 ■創政会結成（竹下登、金丸信、小沢一郎）
■田中角栄が脳梗塞に倒れる（闇将軍の終焉）
■日本電信電話公社民営化（NTT誕生）
■プラザ合意（ドル高是正、米国貿易収支改善）

宮内・竹中の台頭

年（西暦）■主な出来事

■住専問題（6・2兆円の損失発覚）
1996 ■橋本龍太郎内閣
■オリックス・宮内義彦「規制緩和小委員会」座長就任
■金融ビッグバン（株取引手数料自由化、ネット売買解禁）
1997 ■四大証券・第一勧銀総会屋事件（小池隆一事件）
1998 ■大蔵省接待汚職問題（大蔵・日銀官僚の大量処分）
■小渕恵三内閣（自自、自自公、自公保連立）
■竹中平蔵が「経営戦略会議」委員就任
1999 ■ITバブル（〜2000年11月）
■東証マザーズ開設
2000 ■JR東海・葛西敬之「四季の会」発足
■森喜朗内閣（自公保連立）
■ナスダック・ジャパン（大証で取引開始）
2001 ■小泉純一郎内閣（自公保、自公連立）
■小泉構造改革発進（規制改革、

会社なんですよ。大きくなるためには金融や不動産などで、財閥系などの既得権益に分け入っていく必要があった。

児玉　問題は、なんでも効率重視でやってきた宮内らが進める、規制緩和の方向性にありますね。ある地方から政府に対し、「ここにも電気を通してほしい」「道路を付けてほしい」と要望が出たときに、「そんなのは効率が悪い。そういうところに住みたかったら、自分たちの出した税金でやってくれ」と、そういう答えだった。ここへ至って、角栄的な共和制は潰えたんだな、と思いましたね。

西岡　角栄の時代まで遡《さかのぼ》らなくても、たとえば野中広務とか二階俊博を取材していると、彼らの利権の仕組みはある種の社会主義なんだ、と思うこともありましたね。公共事業であらかじめ「チャンピオン（落札候補者）」を決めて、それを順番で回して分け合う。そのための予算を取ってくる政治家に皆で献金する。こういうシステムは角栄

バブル狂乱

1986 ■前川レポート（規制緩和、内需拡大、民活、金融緩和提言）
■平和相互銀行事件（住友銀行が平和相銀を吸収合併）
1987 ■日本皇民党事件
■国鉄民営化（JR新7社誕生）
■リゾート法施行（総合保養地域整備法）
■**竹下登内閣**
1988 ■リクルート事件
1989 ■稲川会会長の石井進が東急電鉄株買い占め開始
■日米構造協議（貯蓄から投資へ、談合・系列の是正）
■日経平均終値3万8915円

バブル・護送船団崩壊

1990 ■総量規制（土地関連融資の抑制）
1991 ■バブル経済崩壊
■四大証券損失補填事件（野村、大和、日興、山一）
■イトマン事件
1992 ■東京佐川急便事件
1993 ■**細川護熙内閣**（非自民、非共産連立）
■田中角栄死去
1994 ■小選挙区比例代表並立制導入
■ソフトバンクが株式店頭公開（東証・大証2部）
1995 ■大蔵省田谷・中島問題（EIE高橋治則との癒着）

新自由主義へ

公的事業に競争原理）
2002 ■派遣労働の拡大答申
2003 ■パソナが東証1部上場
2004 ■規制改革・民間開放推進会議議長に宮内義彦就任
■改正労働者派遣法（製造業派遣労働解禁）
■日歯連闇献金事件（旧田中派の終焉）
■竹中平蔵が郵政民営化大臣就任
2005 ■郵政解散総選挙
2006 ■**第一次安倍晋三内閣**（自公連立）
■日本郵政グループ誕生
■リーマンショック（世界金融危機）
2009 ■民主党政権

忖度の時代

2012 ■**第二次安倍晋三内閣**（自公連立）
2013 ■アベノミクス発進（量的金融緩和による株高政策）
■楽天が東証1部上場
2014 ■内閣人事局設置（官邸主導政治）
2017 ■森友・加計学園問題
2020 ■**菅義偉内閣**（自公連立）
2021 ■**岸田文雄内閣**（自公連立）

迷走

2022 ■安倍晋三暗殺
2023 ■自民党安倍派に裏金問題発覚

の時代からずっと自民党で受け継がれていて、今も完全になくなったわけじゃない。
　しかし、「そういう慣習は参入障壁だ」というアメリカの主張に乗って、仕組みを変えながら新しい利権構造を作ってきた勢力には、いちばん目障りなものだったんでしょう。
岩瀬　自己責任を言い訳にした新しい仕組みということなら、労働者派遣がその究極形でしょう。首を切られても、自己責任なんだと。社会保険料を会社に負担してもらえなくても、それは能力がないから仕方ないんだという論理です。
森　そして、そういった仕組みの中でパソナが儲かり、パソナの会長になった竹中平蔵が儲かった。竹中は小渕内閣の経済戦略会議の委員に任命されて以来、経済政策の理論的支柱となり、小泉政権では経済財政相や総務相も歴任した。そういう人物が人材派遣会社のトップに座るとは、あからさまな利権構造のようにしか見えない。

西岡　竹中なんかはそういうことをしていて、悪いことをしているという意識はないんだろうか。

岩瀬　彼らにも、大義はあるわけですよ。今の日本経済には雇用の規制緩和が必要で、そのために自分たち専門家が役割を果たしているんだと。しかし本音の部分で、国民のためにどれだけ役に立っているかという意識は、まるでないと思う。どこからどれだけ吸い上げて、インナーサークルの中でどうやって分け前を配分するか。そういうことしか考えてないと思います。しかも、企業の人間だけではなくて、官僚の頭の中もそういうふうになってきている。

児玉　そしてインナーサークルに入った企業が、補助金などの形で公金――つまりは税金を食っている構図があります。

岩瀬　国の基金事業を受託しているパソナなんかその典型でしょう。

森　オリックスもコンセッションと言って、空港や道路などの公共インフラを国や地方自治体が所有したまま、その運営権を一定期間、民間企業が買い取る事業にも力を入れています。こうした事業にも、補助金が投下されれば、企業が利益を上げやすくなる構図があるわけです。

編集部　ただ、利権を食いにかかるという点では、土建を通じた昔の利権構造と共通する部分もありますよね。

西岡　昔は田舎の土建屋のおっちゃんまで利益が行き渡るような、波及効果があったわけですよ。今はそうなっていなくて、インナーサークルの連中が分け合ってそこでオシマイなわけです。

それから、今はまず税金で基金を作り、そこからバラ撒く構図になっている。そうすることで、どう無駄遣いされているかがわかりにくくなっている。

紅麹サプリから大阪万博まで〝インナーサークル〟のミニ黒幕

森　コロナ禍の真っただ中で、和製ワクチンの登場かと言われながら、不発に終わった大阪のアンジェスという創薬ベンチャーがあります。大阪府知事の吉村洋文や前大阪市長の松井一郎がさんざん期待を煽ってきたので覚えている人も少なくないでしょう。この会社には75億円もの補助金が、内閣府などが所管する「日本医療研究開発機構（AMED）」という独立行政法人から出ているんです。開発の失敗で補助金がパーになるのは仕方ないと思うかもしれませんが、問題は同社の背景です。設立者の森下竜一大阪大学大学院教授は安倍晋三元首相の「お友達」で、日本維新の会とも関係が深い。同社の開発した新薬が認可された過程には不透明な部分があり、森下がなぜか大阪万博の総合プロデューサーに収まっているのも不自然なんです。

編集部　そう言えば、万博のプレミアムスポンサーでもある小林製薬が機能性表示食品として販売したサプリメント「紅麹コレステヘルプ」の健康被害が大問題になりました。

森　機能性表示食品制度の創設を主導したのは、第二次安倍政権下の「規制改革会議」で委員を務めた森下でした。また、小林製薬は安倍晋三と麻生太郎の両議員に政治献金してきたことが、報道でも明らかになっています。

西岡　絵に描いたようなインナーサークルですね。しかし、こうやって一部の政治家、一部の官僚、一部の財界人だけが潤う構図が支配的になってきたので、フィクサーと呼ばれる人物が出てこなくなっている。フィクサーというのは幅広く利害調整をして、自分の利益にはならないこともする人間ですから、時代と合わなくなっているのかもしれない。ロッキード事件では、児玉誉士夫が20億円以上の工作資金をロッキード社から受け取っていたとも言われるけれど、彼は入ってくる以上のカネを使っていて、あまり儲かっていなかった。

それから元山口組で「殺しの柳川」として知られた柳川次郎（梁元錫《ヤンウォンソク》）は、ヤクザ引退後に日韓をつなぐ「顔役」として暗躍していましたが、彼なんかも、「10件の相談があったらカネになるのはひとつだけ。あとは単なる愚痴の類だった」と言っていましたよ。

岩瀬　能登半島地震などで被災地の復興が進まないのは、フィクサーがいなくなったからだと言われています。誰かが先頭に立って、難しい話をまとめていかなきゃならないのに、誰も責任を取りたがらない。阪神大震災のときはまだそういう存在がいたから、復興の進み方は速かったですよ。

森　近年で、フィクサーとして大物と言えたのは、元JR東海会長の葛西敬之です。第一次安倍政権誕生の仕掛け人で、安倍に「美しい国」というコンセプトを授けたのも葛西です。彼はもともと、東大法学部で同期の与謝野馨を総理にしようと、「四季の会」というメンバー非公開の財界人の集まりを作っていたのですが、ここに与謝野が官房副長官時代の安倍晋三を連れてきたのをきっかけに、安倍応援団に転じた。さらに、国鉄の分割民営化というのは、国労や左翼セクトの牙城《がじょう》となっていた過激労組を切り崩すためのものでもあった。彼は、分割民営化を推進するなかでできた警察官僚とのパイプを足掛かりに官僚人脈も築き、息のかかった人材を安倍官邸に送り込むことまでしていたんです。

そして、安倍がいったん総理を辞めた後には、「美しいだけじゃダメだから」ということで、「強い国」のコンセプトを第二次政権で掲げさせた。それに沿って、主要官庁にいるブレーンたちを巧みに動かした。最後のフィクサーですよ。

国民みんなを食べさせる利権の〝経済波及効果〟は潰えた

岩瀬　ここ10年で国会議員の劣化はかなり進んでいる。その大きな要因は第二次安倍政権の下でスタートした内閣人事局にあるのではないでしょうか。内閣人事局は、建て前上、各省庁の幹部人事を一元的に管理することになっていますが、上級幹部については官房長官がチェックしている。たいていの人事案は、原案どおり了承するものの、時折、官僚の名前を鉛筆で消すことがある。そして、別の官僚の名前をあげて、彼の方がいいと思うと、ひと言添えることはあっても、承認しない理由を説明したりはしない。

そのため、各省庁の官僚たちは、なぜ拒否されたのかとあれこれ詮索する。あの時の対応が悪かったからじゃないか。いや、この前の指示に忠実ではなかったからではないかなど、疑心暗鬼にとらわれ、官邸に睨《にら》まれないよう常日頃から忠誠を尽くすようになるわけです。

そうなると官邸は、意のままに官僚を動かせる。政策の決定権はあくまでも政権が保有しているのであって、官僚はその下僕として働くという支配関係を霞が関全体に浸透させたのがこの制度でした。だからこそ、野党議員が資料請求しても、政権が困るような資料は出さないし、抽象的な説明で誤魔化すのが常になった。これでは、国民目線でまっとうな論戦ができない。劣化はこれからも、さらに進んでいくはずです。

児玉　私は、小泉政権が中曽根以来の規制緩和にドライブをかけるのを見ながら、これは田中派に数で抑え込まれた福田赳夫の復讐をしているんだと感じていました。そこにゴールドマン・サックスなんかが乗っかって、強欲資本主義が後戻りできないところまできてしまった。角栄らが作った、みんなに食わせる共和制なんか完全に過去のものになった。

しかし中選挙区時代の派閥政治の全盛期には、地元への利益誘導は田中派の専売特許ではなかったんですよね。政治家は多かれ少なかれ、利権の経済波及効果を全国津々浦々まで広げながら、その反射利益で当選を重ねていた。そういう意味では角栄だけでなく福田だって、こんなインナーサークルの独占利権なんか想定していなかったんじゃないでしょうか。

編集部　果たして今、角栄や福田がこの現実を見たら、どんなことを思うでしょうか……。

（敬称略）

第2章

裏社会の怪物

五代目山口組若頭のヤクザマネー秘話

宅見勝

西城秀樹の実姉が陰で支えた〝巨大金脈〟の内幕

五代目山口組を陰で牛耳った宅見は、日本航空が担当重役を置くほど多彩な企業人脈を築いた。BtoBの社交場は年会費500万円の高級クラブ。ママは組長の内妻にして西城秀樹の実姉だった。

森功▼ノンフィクション作家

写真前列中央＝宅見勝

1980年代後半から90年代初頭のバブル経済最盛期の暴力団社会には、「東の石井隆匡《たかまさ》、西の宅見勝の両横綱」という表現があった。石井は本名を進という。関東の指定暴力団である稲川会会長で、宅見は関西の山口組若頭だった。稲川会には総裁の稲川聖城、山口組には五代目組長の渡辺芳則というそれぞれの親分がいる。そのため組織の序列で言えば、どちらもナンバー2である。それでいて2人は事実上、肥大化したバブル時代の組織を統率してきた。

　暴力団組織は政党のそれに似ている。自民党幹事長は組織上、総裁に次ぐナンバー2だが、カネと人事を動かす実力者だ。一方、日本最大の暴力団組織に君臨した宅見は大金持ちの経済ヤクザとして知られ、斯界《しかい》で最も力のある極道だった。

　宅見が根城にした大阪・ミナミのネオン街の一角に古いテナントビルがある。双葉商事という不動産デベロッパーが1987（昭和62）年10月に竣工した。地下1階地上11階建てのビルには、今もスナックやクラブが犇《ひし》めく。

　その会員制クラブはかつてビルの3階にあった。店の名を「ル・ペール・グレコ」、ママの源氏名はゆかりと言った。

「グレコは3階ワンフロアの超高級会員制クラブでしたわ。出入りするんは、ヤクザやのうてもっぱらゼネコンや不動産会社やらのお偉いさん。年会費は人によって違《ちご》うたんでしょうけど、1社あたり500万円くらいやった思います。ビルのオーナーである双葉商事の会長が倉本組長の舎弟分やったんで、会長の愛人もビルの中で『フタバ』いうスナックを出してました。フタバのママが倉本組長の奥さんのお姉さんいう関係でした。そやから、あのビルにチンピラは近づけへん。それは流行っていました」

　3階にある「グレコ」のゆかりママが、宅見勝の2番目の妻だった。歌手、西城秀樹の実姉だ。登記簿謄本で確認すると、3階ワンフロアは234・53平米の広さがある。グレコは床面積が70坪を超える大箱の高級クラブだった。

　ビルのオーナーと関係の深い倉本組組長の倉本広文は、もともと宅見組の副組長だったので、宅見夫人がそこで店を構えたのであろう。倉本組は84年6月、四代目山口組組長時代に直系二次団体となり、89年5月には五代目山口組執行部の若頭補佐に格上げされた。最盛期2000人の組員を擁した大組織でもあった。

　宅見は企業との商談でグレコを利用し、大阪の企業が宅見夫人に気を使って年会費を納める。そんなシステムができあがっていた。年会費は1社あたり500万円として50社で2億5000万円、100社なら5億円の実入りとなる。もとより飲食代は別だから、1年の売上げはもっと多かったに違いない。ビルの店子が言った。

「阪神淡路大震災のあった95年1月に

は、ビル全体が雨漏りして大変でした。けど、あのときは宅見組の人たちに助けられました。水漏れのお詫びいうんで、ヘネシー1箱（12本分）持ってきてくれて、壁紙まで貼り替えてもらいました」

水商売から稼業入りし、山本健一若頭に認められる

宅見勝は1936（昭和11）年6月、神戸市加納町に生まれた。父親の宅見春一が宅見洋裁店を営み、本人は2人の兄と姉、妹のあいだの5人きょうだいの三男として幼少期を送っている。地元の北野国民小学校に通った。だが、母親が幼い子供たちを残して腹膜炎で亡くなり、父親もそのあとを追うように他界する。

人生の転機はやはり戦争だった。終戦時わずか9歳だった宅見は親戚中をたらいまわしにされた末、戦災孤児となって焦土と化した大阪の焼け野原に放り出された。必然的に不良少年となる。和歌山市内の飲食街「ぶらくり丁」にあるバーのマネージャーを経て、23歳だった59年、大阪の土井組系川北組組長の川北辰次郎の子分となり、暴力団の世界に入った。明くる60年には、川北組若頭となるから、やはりヤクザとしての才覚があったのであろう。

半面、川北組は62年8月に大阪市内の他の組織との抗争に敗れて解散し、宅見は和歌山を縄張りにする山口組直系南道会傘下の福井組へ移籍した。宅見の親分にあたる福井組組長は福井英夫といい、大阪工業大学を卒業したインテリヤクザだ。福井は山口組直系南道会会長の藤村唯夫の弟分で、「南道会8人衆」筆頭の舎弟として鳴らし、終戦後にミナミの不良韓国・朝鮮人や中国人相手に暴れまわった。なかでも在日韓国人の姜昌興が率いた大阪の明友会とパチンコ屋やキャバレーの利権を巡り、抗争を繰り返した。それは「明友会抗争」として斯界で知られる。そこで活躍した福井は62年12月、三代目山口組組長だった田岡一雄直系の若衆となった。

日本社会が終戦時の混乱から復興期を経て、高度経済成長期に入っていた頃である。終戦後、三代目組長に就いた田岡は、暴力団世界における全国制覇を目論んだ。それまで暴力団の鎬《しのぎ》の中心だった繁華街のみかじめ料や賭博のアガリより、むしろ港湾開発、荷役事業と芸能興行を収益の柱に定めた。芸能分野で言えば、田岡の設立した「神戸芸能社」が有名だが、直系若衆となった福井もまた田岡の方針に従って芸能興行に鎬を求め、64年5月に「西日本芸能社」を設立している。さらに67年2月には興行主を集めて「大阪芸能協会」までつくった。

そして宅見もまた、親分の福井に倣《なら》った。65年頃にはミナミ千日前の銭湯の2階に「南地芸能社」を立ち上げている。おかげで66年には福井組若頭補佐、70年には若頭となり、南地芸能社内に宅見事務所の看板を掲げた。

三代目山口組では組長の田岡の下、71年、本家のある神戸に拠点を置く山健組の山本健一が若頭に就任する。山健組は隆盛を極め、田岡の後継者と目された。機を見るに敏な宅見は、若頭の山本に近づいた。

宅見は78年1月、組長の田岡から正式に親子の固めの盃《さかずき》を受け、直系若衆に昇格する。このときの推薦人が本家山口組若頭の山本だった。おかげで山口組直系二次団体となった宅見組は、組織の序列上、福井組と同格となる。なにより山本の後ろ盾を得た宅見は、ここから山口組内で幅を利かせていくようになる。

大阪戦争で未遂に終わったラジコンヘリ〝空爆〟計画

宅見勝と言えば、もっぱらその資金力がクローズアップされてきた。しかし、それだけでは暴力団社会では認められない。宅見自身、終戦間もない混乱期に少年時代を過ごしただけに、資金力を支える知力とともにヤクザの凶暴性を備えていた。宅見のそれを世に見せつけたのが、大阪戦争と呼ばれる抗争事件である。

大阪戦争はその名称通り、大阪で山口組と敵対してきた松田組とその傘下の大日本正義団との2度にわたる抗争事件を指す。第一次大阪戦争が75年7月だ。大阪・キタ新地にあった賭博場におけるトラブルが原因で、松田組系の組員が豊中市内の喫茶店「ジュテーム」で山口組系佐々木組の3人を射殺したことが引き金となって抗争に発展した。佐々木組は反撃に転じ、大日本正義団会長の吉田芳弘を撃ち殺した。もっとも第一次大阪戦争は、佐々木組と大日本正義団との抗争の色合いが強く、山口組本家は慎重で松田組の壊滅にはいたらなかった。

そしてその遺恨が第二次大阪戦争に持ち込まれる。親分の命を取られた大日本正義団会長の運転手だった鳴海清が78年7月、京都三条駅前のクラブ「ベラミ」で山口組組長の田岡を襲ったのである。首の右側をピストルの弾で抜かれた田岡は一命をとりとめたが、組長を襲われた山口組としてはメンツが立たない。ここから第二次大阪戦争の幕が開いた。宅見にとってベラミ事件は、田岡から親子の盃をもらって半年後の出来事である。手柄を立てようと懸命だったのであろう。

「第二次大阪戦争のときは宅見の凶暴性と知略の両面を垣間見た思いですわ」

そう説明してくれたのは、ある大阪府警OBである。

「宅見は組員に松田組の相談役である重鎮の杉田組組長、杉田（寛一）を襲わせ、仕留めています。そこから松田組組長の樫忠義宅を狙った。恐れをなした樫が自宅にこもったままになった。すると宅見はそこへダイナマイトを積んだラジコンヘリを突っ込ませようとしたんですわ。今ならドローンとかいろいろ手がありまっけど、まさかヤクザがラジコンを使うとは、思うてもみいひんかった。驚きました」

もっともラジコンヘリを使った襲撃は大阪府警が事前に察知して事件を防ぎ、計画は失敗に終わった。宅見組の組員が殺人予備罪などで逮捕される。だが、むしろその宣伝効果は絶大だった。

大阪戦争は山口組の一方的な勝利に終わり、78年9月には神戸六甲山中の瑞宝寺谷でミイラのようにガムテープに巻かれた無残な鳴海の死体が発見される。大阪府警は山口組の報復を恐れた松田組系忠成会組員のヒットマンによる殺害として、5人を逮捕した。立件された罪は逮捕監禁のみで、殺人は無罪となって真相は闇に葬られたが、宅見がこの大阪戦争で一挙に名をあげたのは言うまでもない。

「山一戦争」で増した存在感、山口組組長代行ポストを要求

その後山口組では、日本のドンと謳《うた》われた三代目組長の田岡が81年7月に急性心不全で物故し、翌82年2月には四代目継承が確実と見られた山本も、収監中の大阪医療刑務所で肝硬変が悪化して死亡した。急きょ、若頭補佐だった山本広が組長代行に就き、竹中正久を若頭に据《す》えたが、そこから組織が迷走する。山本と竹中が四代目の跡目を争った末、田岡未亡人であるフミ子の裁定により84年6月、若頭の竹中が四代目組長を襲名した。それが禍根を残した。

四代目山口組組長の座を逃した山本広はその直後、新たに「一和会」を結成し、暴力団史上最大の抗争事件とされる「山一戦争」の幕が開く。この年の8月に山口組による一和会組員刺殺事件が起きると、その5カ月後の85年1月、四代目組長の竹中が吹田市内の愛人宅で射殺される。言うまでもなく仕掛けたのは一和会だ。

山口組側は非常事態態勢を敷いた。三代目山口組の若頭だった山本健一の跡目を継いで山健組組長になっていた渡辺がこの年の2月、本家の若頭補佐から若頭に就く。山一戦争は4年半続き、89（平成元）年3月に終結して一和会が解散したが、その間、山口組の組長は不在のままとなる。

宅見勝はそんな山一戦争の混乱のさなか、山口組内で存在感を増した。宅見の戦略は渡辺の五代目組長擁立だったとされる。宅見は古参の山口組幹部に根回しし、渡辺が89年の4月、山口組舎弟会で五代目に推挙された。宅見は若頭補佐から若頭に格上げされた。

36年生まれの宅見は、41年1月生まれの渡辺より4歳以上も上だ。疑似家族で構成される暴力団組織の親分子分の関係において、組長は父親、若頭は息子たちを代表する長男と位置付けられる。したがって、これでは親分と子分の年齢が逆転することになる。そのため宅見ははじめ若頭ではなく、「組長代行」ポストを要求したが、古参幹部から反対の声が上がって断念し、若頭に落ち着いたという。

イトマン事件3000億はどこに？宅見が漏らした思わぬ言葉

宅見には企業との付き合いも多かった。たとえば2010年11月に経営破たんして役員が総入れ替えとなった破たん前の日本航空（JAL）には、宅見担当の重役がいた。一時は社長候補と呼び声が高かったその重役本人から「宅見さんが飛行機で上京するときは、必ず出向かなければならなかった」と聞かされたこともある。

また、住友銀行系の老舗繊維商社「イトマン」が食い物にされた特別背任事件でも、その存在が取り沙汰されてきた。イトマン事件では、在日韓国人実業家の許永中や不動産開発業者の伊藤寿永光《すえみつ》（当時、イトマン常務）、イトマン社長の河村良彦らが91年7月、大阪地検特捜部に逮捕された。3000億円が闇に消えたと言われる史上最大の経済事件である。

そのイトマン事件の前哨戦が東京・目黒の老舗「雅叙園観光ホテル」の手形乱発事件だった。元山口組系組長の仕手筋「コスモポリタングループ」総帥の池田保次《やすじ》がホテルの株を買い占め、700億円もの商業手形を乱発した挙げ句、失踪してしまう。池田の失踪後、手形の回収にあたっていたのが許や伊藤たちだ。大阪で行われた債権者会議には、宅見も姿を現して言った。

「伊藤君を中心にホテルを再建してください」

彼らはイトマンに資金繰りを頼んだ。イトマンの社長だった河村は、伊藤に連れられて宅見本人と会っている。場所は大阪のミナミのネオン街だ。

「わざわざ足を運んでもろうて、申し

五代目山口組組織図

（警察庁調べ 平成9年8月）

＊宅見勝暗殺時の組織図

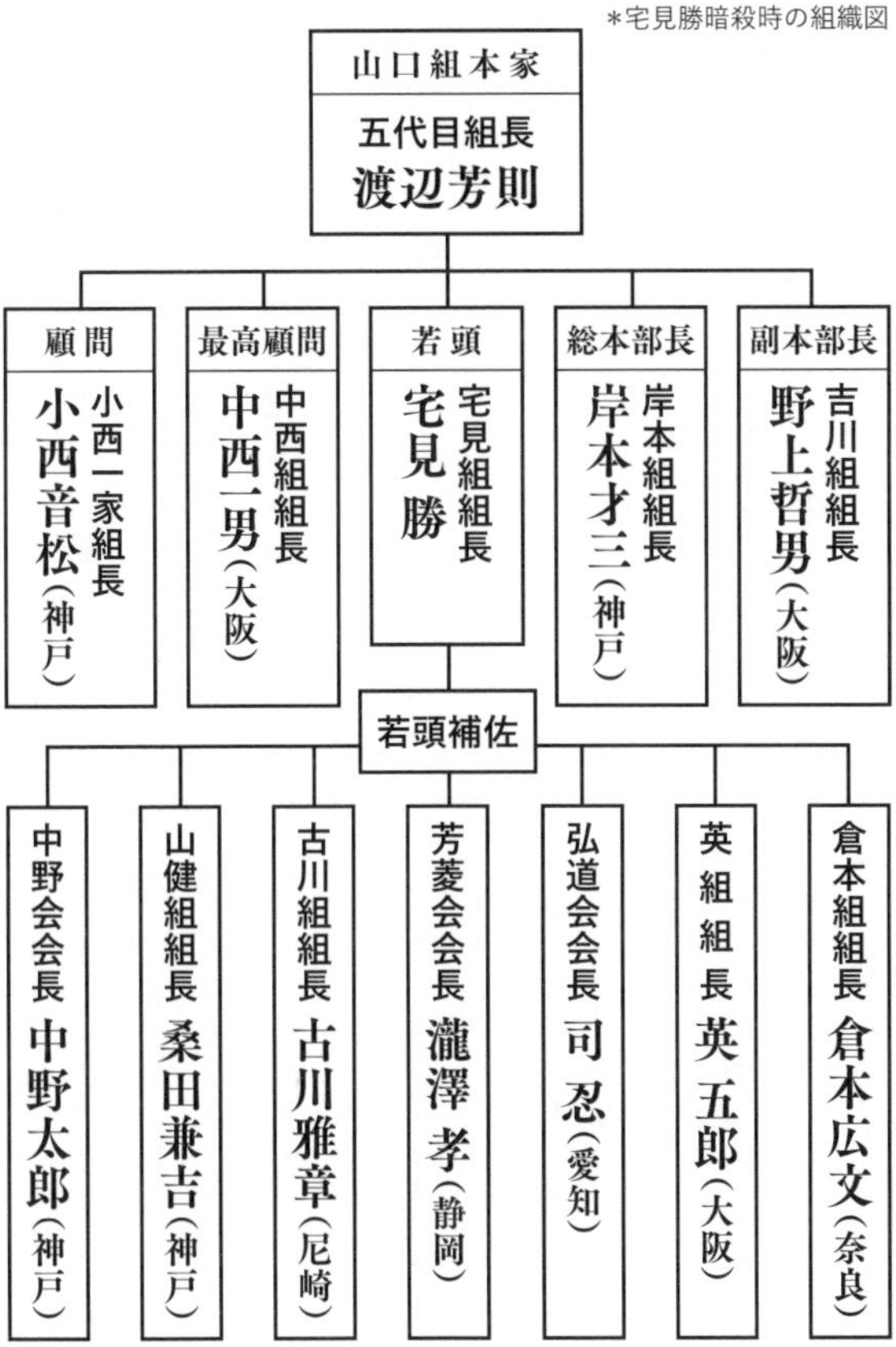

訳ありませんでした。私が宅見です。伊藤君からどうしても会って欲しい、と頼まれましてね。彼にはいろいろと世話になっていますので……」

宅見は驚くほど紳士的で穏やかな話し方だったが、やはり凄味はあったという。河村自身がかつて私に次のように話した。

「なんでも伊藤君は、自分自身が運営している結婚式場のトラブルで、以前に宅見組長に大変世話になったと話していました。それで、一度宅見組長と会ってくれないか、と持ちかけられたのです」

こう言葉を継いだ。

「宅見さんとの会話はほとんど覚えていません。ただ、最後に宅見さんが口にした言葉は、今も耳に残っています。『我々はこんな稼業をやってますから、いろいろ気を使うことも多いんです。チンピラも養っていかんな、なりませんから、大変なんですわ』と。要するに、自分は紳士だけど、命知らずの乱暴者を大勢面倒みているという意味でしょう。言葉は柔らかい。しかし、なかば脅しのようにもとれました。その言葉だけは忘れられません」

河村は「伊藤君に連れていかれただけなので会った正確な場所はわからない」と言いながらも、「そこは個人のサロン風のオフィスだった」と話した。ひょっとすると、会談の場はゆかりママの経営する「ル・ペール・グレコ」だったのかもしれない。

「いったいイトマン事件は何だったのか。誰が儲けたのか」

大阪地検が91年7月にイトマン事件に着手したあと、宅見は保釈されたばかりの伊藤寿永光たちにそう問うてきた。となれば、宅見自身は事件でうまい汁を吸ったわけではないようにも感じる。

バブルで膨らんだ資金力、五代目をないがしろに

宅見をよく知るある実業家によれば、子分たちには暴力団そのものの粗暴な振る舞いをして乱暴な話し方をするという。が、世間的にはインテリヤクザとして通っている。宅見はかつての親分である福井のように『朝日』や『日経』などの新聞を毎朝欠かさず読み、エミール・ガレの蒐集家でもあった。

半面、刺青のある多くのヤクザと同じように肝臓疾患に悩んできた。92年にはフランスで肝臓を治療しようとした。かつて私は宅見組の顧問弁護士でもあったヤメ検弁護士の田中森一からも、その話を聞いた。

「日本の外事警察からフランス政府に連絡が行き、宅見さんはパリのシャルル・ドゴール空港で足止めを食らいました。入国を拒否され、そのまま日本にとんぼ返りしたわけです。それであとから『田中先生、あとにも先にもフランスに日帰りしたのは私くらいじゃないでしょうか』と笑っていました」

92年8月19日のことだ。このときに使った飛行機が宅見担当重役のいるJ

AL便である。もっともこの話には後日談がある。宅見は渡仏に先立つ7月30日、大阪府警により外為法違反容疑などで逮捕されていた。大阪拘置所の勾留のせいで肝臓疾患が悪化したのでフランスで治療を受けたい、と大阪地裁に申し出て認められていたのである。なぜ地裁が渡仏を認めたのか。ひょっとするとヤメ検の田中森一の工作だろうか。おまけにもう一つ秘話がある。

渡仏について宅見は、肝臓治療のためと称していたが、本当の目的はそうではなかったという。23年12月に出版された元国家安全保障局長の北村滋著『外事警察秘録』(文藝春秋)は渡仏の目的についてこう明かしている。

〈「実は、渡辺芳則と宅見勝はフランスへ入国した後、ミラノへ転じ、イタリアのマフィアと会議を持つ予定になっているのです」

　知らなかった。GN(仏国家憲兵隊)の情報を加えると本件は全く違う構図になる。日伊のマフィアが、イタリアでサミットを計画していた。山口組は、フランスをサミットの中継地として利用しようとしていたのだ〉

　同書には渡辺にも渡仏計画があったとあるが、結局、フランスにも入国できず、計画を断念したという漫画のような話である。ただし、これもあながち根拠がないわけではない。この頃、山口組をはじめとした日本の指定暴力団は、暴力団対策法の施行に頭を痛めていた。そこで、取締まり先進国である本場イタリアマフィアの助言を仰ごうとしたというのである。

五代目山口組の若頭・宅見勝を殺害した中野会の会長・中野太郎(撮影：真弓準)

「ヤクザは貧乏で、中古の外車に乗るのが夢だった」

　若い頃そう語ってきた宅見は、バブル期に莫大な資産を築いた。それは間違いない。その資金力を背景に山口組を統《す》べ、組長の渡辺をないがしろにしてきたという山口組元幹部も少なくない。97年8月の暗殺事件の原因がそこにある、というのが定説になってきた。

宅見は山陽新幹線新神戸駅前にある新神戸オリエンタルホテルのティーラウンジで談笑しているところを襲われた。渡辺の出身母体である山健組の舎弟頭だった京都・中野会会長の中野太郎の下、若頭補佐の吉野和利が犯行を指揮したとされ、組員の財津晴敏が16年間の逃走を経て13年6月、兵庫県警に逮捕された。

　宅見と中野は犬猿の仲だったと言われる。会長の中野が事件前の96年7月、京都の理髪店で敵対する会津小鉄会系組員に銃撃され、宅見が中野の意を無視して手打ちにした。それが宅見暗殺の遠因だともされた。事件により中野は山口組を絶縁され、宅見組は中野会若頭の山下重夫、副会長の弘田憲二を暗殺した。中野会は05年8月、大阪府警に解散届を出した。

同じ場所に並んでいた宅見勝と西城秀樹の墓

宅見勝には二つの墓がある。一つは数多くの国宝を所蔵する四天王寺（大阪市天王寺区）の広大な墓地にあるそれだ。その墓石には、「宅見恵美子建之」と刻まれている。大阪ミナミの「ル・ペール・グレコ」のゆかりママだ。宅見の2番目の妻と前述したが、正確には内縁の妻である（この春に他界）。

その宅見家の墓の隣には、同じ大きさのよく似ている墓が建っていた。墓石の背には、木本瀧雄の文字が白地で彫られている。18年5月に亡くなった西城秀樹の本名だ。ここには西城の父母も眠っている。つまり宅見勝と西城秀樹の墓が左右対称に隣り合わせで、どちらも「平成十（一九九八）年三月吉日」に建立されているのである。墓の建立は山口組の内部抗争の末、宅見が射殺された明くる年にあたる。宅見家の墓標には、「天心院直相英勝居士　平成九年八月二十八日寂　俗名宅見勝　行年六十一才」と明記されていた。

46年生まれの宅見恵美子は西城秀樹の9歳上だ。ステージママならぬステージシスターのような存在だった。芸能界や贔屓《ひいき》筋の建設会社幹部から「宅見ママ」と慕われてきた。高級クラブのほか、自宅ビルの2階でステーキハウス「瀬里奈」を経営し、そこへ芸能関係者を招いてきた。先に書いたように夫の宅見自身、芸能興行を生業《なりわい》にしてきた時代があったことから、宅見ママも弟のコンサートチケットを売り、とりわけ大阪のコンサートは常に満員になった。宅見恵美子は西城秀樹という大スターを生み出した最大の支援者であり、その生涯を語るうえで、欠かせない存在と言える。そもそも秀樹が高校の途中で郷里の広島から上京して歌手デビューできたのも、姉のおかげと言っても過言ではない。

恵美子も秀樹と同じく、高校時代に家出し、大阪のネオン街でクラブホステスを始めた。そこで宅見と知り合い、愛人となる。2人の出会いは彼女がホステスとして勤めていた大阪ミナミのクラブ「朱雀」だという。ミナミを歩くと、恵美子の話題に事欠かない。ネオン街の住人たちは、恵美子のことを「ゆかりママ」「宅見姐さん」などと親しみを込めて呼ぶ。いわゆる大物組長の姐さんである。ミナミにある古手のクラブママが解説してくれた。

「宅見の親分がゆかりママと知り合《お》うたんは、福井組若頭の頃ですわ。朱雀でははじめ福井組の組長が宅見ママのことを気に入って通っていたみたいです。それがいつしか宅見親分の係（担当）になって、ああなったんやね。朱雀を辞めさせ、店を持たせました」

別のクラブ経営者が恵美子の歩みについて教えてくれた。

「朱雀を辞めたあとの宅見ママは、十《じゅう》三《そう》のナポレオンというクラブのオーナーに店を任されていた時期もありました。そこでも宅見親分関係の客が多かったですが、そのうちオーナーママとして、クラブ西城いう店を出して繁盛しました」

クラブ西城は言うまでもなく、弟の芸名から名付けられた。秀樹の元プロデューサーは店のオープン前に恵美子から連絡があった、と打ち明けた。

「お姉さんがわざわざ『店に西城を使っていいかしら』と聞いてきたのです。もちろん構わないと伝えました。やっぱりお姉さんはあの世界に通じているだけあって、義理堅いのですよ」

ゆかりママは72年3月に秀樹が歌手デビューする前にマネージャーに50万円の現金を届けた。現在価値に換算すると200万円の大金だ。また、弟が83年1月に大手プロダクション「芸映」から離れ、84年3月、新宿に「アースコーポレーション」という芸能事務所を立ち上げたときも尽力している。

ほとんど知られていないが、この秀樹には、もう一つマネジメント会社があった。それが大阪の「ファインズ・コーポレーション」である。この会社の事実上のオーナーが宅見恵美子だ。その後代表を退いたが、会社の所在地はかつて「宅見ビル」と看板を掲げていた大阪ミナミの彼女の住まいになっていた。西城秀樹は芸映から独立し、アイドルから脱皮した。それをバックアップしてきたのが、姉のゆかりママにほかならない。

南地芸能社と同期に設立された西城秀樹のマネジメント会社

内縁の夫である宅見が、70年に南道会傘下の福井組の若頭となり、和歌山から活動拠点をミナミに移した。このとき南地芸能社内に宅見事務所を置いたことは前述したが、ファインズ・コーポレーションの設立もほぼ同時期だ。ミナミに来た翌71年「大阪屋商事」と称して設立された。当初の役員には、宅見勝も名を連ねている。今で言うフロント企業という位置づけになる。秀樹の姉・恵美子が宅見と出会い、関係を深めていったのであろう。奇しくも、宅見が斯界で成り上がっていった時期と秀樹が歌手デビューを目指した頃が重なり合うのである。

南地芸能社や大阪屋商事は宅見が大阪で経済活動を始めるにあたり、設立された。わけても大阪屋商事は「ロータリーユニオン」、「ファインズ・コーポレーション」と商号変更され、85年には宅見恵美子が代表取締役に就任している。恵美子には結婚歴があり、別れた前夫とのあいだには娘が1人いた。ファインズ・コーポレーションには、宅見姓を名乗るその〝連れ娘〟も役員として名を連ね、代表になっていた時期もある。

ちなみに宅見と恵美子のあいだにも宅見将典という1人息子がいる。将典は、秀樹のバックでギター演奏をし、秀樹の所属事務所であるアースコーポレーションの役員を務めてきた。2023年2月に米国グラミー賞の最優秀グローバル・ミュージック・アルバム賞を受けたミュージシャンと言ったほうが通りがいいかもしれない。

ゆかりママこと恵美子が経営してきた先のステーキハウス瀬里奈は、優に50人くらいの客が入れる大きな店だった。恵美子の誕生日になると、そこへ芸能人だけでなく、ゼネコン幹部や政治家、大学教授にいたるまで、さまざまな著名人が招かれてきた。大物組長の姐さんだけあって、人脈は幅広い。大阪芸術大学教授の壺井勘也も恵美子と親しい。こう話した。

「僕は堅気なので、宅見組長とは一度もお会いしたことはありません。お姉さんはその線をはっきりされていました。だから、家族的な付き合いはないのですが、ステーキハウスには何度か行きました。西城秀樹さんのリサイタル後の打ち上げで、当人とお会いしたこともあります。僕はロータリークラブの幹事をしているので、そういう関係からコンサートのチケットをまとめて50枚ほど買ったこともありました。お姉さんはいつも『あの子は宝物なの』とおっしゃっていました。お姉さんにとってそれほど秀樹さんはかけがえのない存在なのでしょうね」

むろんチケットは押しつけられているわけではないという。が、ある芸能プロダクションの社長は手厳しい。

「西城秀樹は全国的に人気があるかもしれないけど、関西ではイマイチ。桑名正博ややしきたかじんに比べると、コンサートチケットを捌《さば》きづらい。だから宅見姐さんの営業は大きいでしょう」

先の壺井はこうも語った。

「もともとお姉さんとは、亡くなった四天王寺管長の瀧藤(尊教)猊下《げいか》に縁日のときに紹介されて知り合ったのです。猊下もよくステーキハウスにいらっしゃっているようで、親しかった。そんな縁から、あそこにお墓を建てられたのではないでしょうか」

宅見勝が射殺されたあとに建てられたその墓には、月命日や法要の度に山口組関係者が列をなして墓参に訪れ、大阪府警はそれをマークしてきた。

恵美子と内縁関係になってからの宅見勝は、枚方に住む本妻の家とミナミの恵美子宅を往復してきたという。大半を恵美子宅で過ごしたが、週のうち1日は本妻の待つ家に戻っていたそうだ。実は、四天王寺の墓に遅れること半年、本妻の娘が建てた宅見勝の墓がもう一つある。その墓は京都龍谷山本願寺に建立された。

宅見家の二つの墓には、山口組関係者や芸能人がたまに墓参にやって来るという。

(敬称略)

政財官暴の交差点になった「闇の帝王」最後のミステリー

許永中
2年の逃亡劇と〝泥カメ〟亀井静香の暗躍秘話

森功▼ノンフィクション作家

表と裏の人脈交差点を自在に泳ぎ、3000億円が闇に消えたイトマン事件で悪名を轟かせた在日フィクサーは逮捕後、忽然と姿を消した。莫大な逃亡資金の金主を巡る謎。

「ワシをはじめ大林監督、映画の制作会社、みんなすっかり亀井静香や許永中の周りに騙《だま》されとった。それで金を出したんやで」

福岡市内のオフィスで会った大田勝は2001（平成13）年3月、いきなり衝撃的な裏話から切り出した。新興化粧品販売「ヴァーナル」の創業社長である。ヴァーナルは、1980年代後半から90年代にかけて人気絶頂だった米女優のシャロン・ストーンをテレビコマーシャルに起用し、爆発的に売上げを伸ばしていた。社長の大田が口にした「映画」とは、99年7月に公開された日本映画『あの、夏の日　とんでろ　じいちゃん』である。

映画は尾道市政100周年を記念して制作された。『ふたり』、『あした』に続く巨匠、大林宣彦監督による新尾道3部作の最終作に位置づけられた青春群像劇だ。奇しくも新興化粧品会社のヴァーナルが、この映画のスポンサーになる。そこには、許永中と密接なかかわりがあった。

イトマンや石橋産業といった日本の名だたる一流企業を舞台に数々の経済事件を引き起こした許は、刑事被告人の身でありながら97年10月、唐突に消息を絶った。そのまま2年あまりも行方知れずになり、99年11月、東京・台場で発見されて警視庁に逮捕された。許永中は逃亡中、どこで何をしていたのか、不明のままだった。

許が発見されてからさらに1年5カ月ほど経過したそんな01年春のことだ。私は福岡にいるヴァーナルの大田を訪ねた。先の言葉はそのときの会話である。

　大田は大林映画への資金提供を頼まれていた。そこで「騙された」と告白した。その理由は、スポンサー料名目の資金が許永中の逃走資金に化けていたからだ。許に渡った金は商業手形で支払った、と次のように関西弁で告白したのである。

「1億8000万円の手形や。受け取りにきたんは、弁護士の大和田（義益）やった。大和田が『亀井先生に映画の資金を受け取って来るように頼まれた』言うもんやから、てっきり映画の制作会社が亀井さんの息のかかっている会社や思い込んどったんよ。頼まれたその日に『手形を振り出してくれ』言うんで、よほど亀井さんは映画制作で金に困っとるんやなと。しかし、そのあとに大林監督と会うたら、ブスッとして挨拶もせえへんやないか。金を出したのに、礼の一つもないとは、どないなっとんねん、て頭にきたで。けれど、当の大林監督本人や映画の制作会社は、ワシのところから金が出たことすら知らんかったんやな。映画のために出したはずのワシの金が、ぜんぶ逃亡中の許永中に流れとったんやから」

　ことの顛末《てんまつ》はのちに詳述するとして、ヴァーナル社長の大田は89年末、亀井事務所からの依頼により、大林の監督した映画の制作会社と3億円のスポンサー契約に合意した。実際、制作会社に1億2000万円ほど振り込みがあり、残り1億8000万円は額面6000万円の手形を3枚振り出している。しかし、合計1億8000万円が映画制作側に渡ることなく、闇に消える。この間、ヴァーナルは亀井側の要請に従い、広告代理店まで設立し、そこにも資金を出していく。不透明な資金がどこに消えたのか。それが失踪した許永中に渡っていたというのである。

許がつくった大阪国際フェリーの第一便には高倉健の姿も

　許永中は政財官を裏から操る黒幕と呼ばれた。黒幕の異名は3000億円が闇に消えたとされるイトマン事件以降に定着したと言える。そこから石橋産業の手形詐取をはじめとした数々の経済事件において、許の並外れた政財官ネットワークが浮かんだ。裏と表の社会の交差点を自在に泳ぎ、想像もつかない人脈を打ち広げた。

　許は終戦から1年半ほど経た1947（昭和22）年2月24日、現在の大阪市北区に当たる旧大淀区の中津に生まれた。かつて私に語った許自身の言葉を借りれば、「中津全体が一つの差別、疎外された人間達の凝縮された底辺社会」だったという。在日韓国人だ。

　終戦後、東京や大阪、京都、福岡など大都市の郊外には、日本社会から朝鮮部落と呼ばれて蔑視された居住地域が点在してきた。関西ではとりわけ大阪の生野区などが有名である。許の生まれ育った中津はJR大阪駅の裏手にあたる。そこは在日韓国・朝鮮人だけではなく、近隣の同和地区に生まれて越してきた住民も多くいた。ある種、特別な地域だった。現在は再開発され、かつての暗さはほとんど感じないが、許が生まれた終戦間もないころの中津は、差別と迫害を受けながら自らを守るために身を寄せ合ってきたスラムであり、大物暴力団組長も住んでいた。

　父親の名前は許正樅《きょせいしょう》といった。戦前、釜山から日本へわたってきた在日朝鮮人の1世だ。1940年に日本政府の植民地占領政策で強いられた創氏改名により、湖山正夫の日本名を名乗った。

　母親は裵外生《はいがいせい》だ。韓国社会では夫婦別姓がふつうで、たいてい子供たちは父方の籍に入って父親の姓を名乗る。許自身は戸籍上6人きょうだいの4番目にあたる。父・正樅が韓国に残してきた許百中という腹違いの長兄がおり、2人はのちに韓国でいっしょに事業をすることになるが、許は結婚するまで湖山姓を使ってきた。

　生家は2階建ての16軒棟割長屋だった。1階が炊事場と6畳間、2階が4畳半と3畳間の狭くるしい借家である。長兄をのぞき、そこで両親と5人のきょうだいの7人家族がひしめき合うように暮らした。1階は両親の仕事場として使われていたため、生活の場は2階の4畳半と3畳間しかない。戦後の在日韓国・朝鮮人の暮らし向きはどこも貧しかった。

　もっとも許の一家は、まだましなほうだったと言える。日本人でも幼稚園に通えない子供が少なくない時代、在日韓国人2世が幼稚園に通うようなケースはまれだったが、本人はひと一倍教育熱心だった両親のお陰で、3年保育で幼稚園に通わせてもらっている。地元の大阪市立小中学校と府立高校を卒業すると、私立の大阪工業大学に進学したが、ほどなく中退した。

　許は高校時代から不良の道に入り、愚連隊を率いて、いっときは中津にある暴力団「酒梅組」傘下の暴力団組員となる。そこを抜けて建設業「大淀建設」を始めた。部落解放同盟大阪府連合会支部長だった岡田繁治や飛鳥支部長の小西邦彦の知遇を得て、解放同盟大阪府連の「支部長付き」なる肩書を使うようになり、同和対策事業に加わった。

　その一方で山口組系古川組の顧問となり、裏社会をバックにしながら、地上げの世界でのし上がっていった。許は同胞の柳川組組長の柳川次郎こと梁《ヤン》元錫《ウォンソク》とも懇意で、暴力団社会から引退した後の柳川は、許の所有する有恒ビルに事務所を置いた。

　そんな許の名が野村栄中こと許永中として日本全国に知られたのは、83（昭和58）年10月のことだ。許は韓国の釜山と大阪を結ぶ船舶会社「大阪国際フェリー」を設立した。88年のソウル五輪を睨み、86年3月31日に大阪・釜山間の就航を果たす。初代社長には元防衛庁長官の久間章生《きゅうまふみお》が就き、大阪国際ホテルで開かれた就航記念パーティーには、自民党代議士だった亀井静香をはじめ、浜田幸一や中山正暉《まさあき》、参議院議員の鴻池祥肇《よしただ》、大阪府知事の岸昌《さかえ》らが招待された。そこには柳川組組長の柳川次郎の顔もあり、ホテルの周囲に大阪府警の捜査員が張り込んだ。

そこから許は、日韓両国で知る人ぞ知る在日韓国人の大物ロビイスト扱いされ、彼の後ろ盾は当時の全斗煥元大統領だと評判が立った。

ここからイトマン事件、さらに石橋産業事件にいたる時期、許永中は裏社会だけでなく、表の政財官界や芸能・スポーツ界にいたるまで広く太い人的なネットワークを見せつけた。釜山から出航した大阪国際フェリーの第一便には、あの高倉健が小田剛一の本名で乗船した。「日韓の懸け橋となれ」と励まして会社の資本金の1割を負担したのが、名門保険会社「東邦生命」創業家の太田清蔵だ。さらに東邦生命の総代理店を経営してきた野村周史が、許に政界の道案内をした。野村は元蔵相の渡辺美智雄の後援者で、許に野村姓を名乗らせるほど寵愛し、太田と野村の2人は許が最初に手を出した日本レースの手形乱発事件でも、尻ぬぐいをした。

許永中神社の石碑には竹下登、亀井静香の名前も

一連の事件に登場する許の政財官界人脈を挙げれば紙幅が足りない。ことと政界で言えば、とりわけ大きな足跡を残した人物が2人いる。1人は冒頭に描いた亀井静香で、もう1人が竹下登である。2人との関係は80年代から続いた。ことに住友銀行事件とも称されるイトマン事件では竹下の影が見え隠れした。事件の遠因は4人組と称された銀行幹部たちが摘発された平和相互銀行の特別背任事件にさかのぼる。

大阪発祥の住銀は86（昭和61）年10月、平和相銀の合併吸収により首都圏進出の足掛かりを得るが、その間、合併の裏工作や不良債権処理に四苦八苦した。その裏工作を一手に引き受けたのが、住銀グループの老舗商社であるイトマンだった。挙げ句、イトマンの抱えた負の遺産が許や地上げのプロと呼ばれた「協和綜合開発研究所」代表の伊藤寿永光《すえみつ》らに付け入る隙を与えた。

住銀による平和相銀合併の折、大蔵大臣だったのがほかならぬ竹下登である。竹下は79年11月から80年7月までの大平正芳内閣に続き、82年11月から86年7月までの中曽根康弘内閣で4期も大蔵大臣を務め、自民党きっての大蔵族議員となる。まさに住銀の平和相銀との合併を認めた蔵相だ。いきおい86年7月の平和相銀事件の捜査でも、その影がちらついた。東京地検特捜部で事件の捜査をした田中森一は私にこう悔やんだ。

「捜査の渦中、合併の裏工作に関与してきた『八重洲画廊』真部俊生社長のメモが見つかり、竹下事務所の青木伊

イトマン事件で逮捕(1991年7月23日)される直前の許永中

平秘書のかかわりも浮かんだのです。とうぜん特捜部は盛り上がった。けれど、結局、竹下には触れられなかったんです」

平和相銀の経営陣は、いったん住銀側に渡った平和相銀株の買い戻し工作を竹下周辺に働きかけた。このとき画商の真部は、「平和相銀が八重洲画廊にある5億円の金屏風を40億円で買い取れば、合併をご破算にできる」と誘い込んだ。その話し合いの場には、竹下の金庫番である青木と画廊「フジ・インターナショナルアート」社長の福本邦雄が同席していたと伝えられている。

この平和相銀経営陣に対抗した住友側の実行部隊が、イトマン社長の河村良彦であり、旧川崎財閥の資産管理会社「川崎定徳」社長で、住銀にも近いフィクサーの佐藤茂だった。対抗策の司令塔は住銀の磯田一郎だ。磯田は竹下とも懇意とされた。結果、平和相銀を手中にした住銀の磯田はバブル全盛期、誰もが認める住銀の天皇として君臨していった。

そして、大阪国際フェリーで売り出した許永中にもイトマンとの取引が持ち上がる。磯田の知遇を得た伊藤寿永光を通じて絵画取引やゴルフ場の開発プロジェクトに乗り出す。その傍《かたわ》ら、許は自らの人脈づくりに地道をあげた。

「ここが勝負どこや思うてまんねん。そやさかい金に糸目をつけんと福本さんのところの絵を買っていますねん」

許は事業パートナーだった京都新聞グループの近畿放送「KBS京都」副社長の内田和隆にそう言い、フジ・インターナショナルアート社長の福本に近づいた。戦前の日本共産党指導者、福本和夫の長男である福本は、この時期、竹下の「登会」「竹下会」をはじめ、中曽根康弘の「南山会」、宮澤喜一の「俯仰会」、安倍晋太郎の「晋樹会」、渡辺美智雄の「轟会」、中川一郎の「中一会」といった後援会を主宰し、自民党議員の後ろ盾となる。古くは大平正芳の「大雄会」、比較的に新しいところでは古賀誠の「早蕨会」や谷垣禎一の「蕩蕩会」なども福本が世話をしてきた。文字通りの政界のフィクサーである。

許がその福本を、自ら経営に乗り出したKBS京都の社長に据え、さらに竹下の次女・まる子の婿《むこ》である内藤武宣を常務に迎えたのはいまやすっかり知られている。内藤はタレントのDAIGOの父親だ。

竹下や福本に対する許の気遣いはそれだけでない。空手の「極真会館」館長の松井章圭を福本の運転手兼ボディーガードに付けた。松井とは私も会ったことがあるが、同胞の許にいたく心酔していた。一連の事件当時は、大阪・中崎町にあった許の豪邸に極真会館の練習生が住み込んで本人を守ってきた。

参考までに言えば、許はバブル経済事件の走りとなったリクルートの不動産会社「リクルートコスモス」から自宅の不動産を購入している。先の元KBS京都副社長の内田が明かした。

「永中さんはリクルートコスモスの重田（里志）社長と組んで中崎町にコリアンタウンをつくろうとしていたんです。それで重田さんと親しくなり、あの屋敷を建てた。その前の池田市にあった永中さんの家をリクルートへ売って、あそこを建てたはずです」

通称、迎賓館と呼ばれる数奇屋づくりの許の邸宅は、敷地面積1000坪はあろうかと思えるほどの豪邸だった。塀のいたるところにテレビカメラが設置され、さながら要塞のように思えたものである。その中崎町の自宅前には西向不動尊という小さな神社があり、地元の住人は「許永中神社」と呼んだ。許は神社の敷地に御影石の石碑を建て、懇意にしていた人物の名前を刻んだ。

太田清蔵、磯田一郎、河村良彦、田中森一、田中英壽《ひでとし》、境川尚、そして竹下登、亀井静香――。

田中英壽は日大相撲部の監督、境川は相撲協会の理事長だった。この時期の許は大阪五輪の誘致を働きかけ、相撲を競技に加えようと本気で考えていたようである。竹下と亀井はイトマンの特別背任と石橋産業の手形詐取という許の引き起こした二大事件とも頻繁に登場した。事件の詳細は私自身何度も報じてきたので割愛する。

亀井静香と許永中と仕手集団、株でつながった〝因縁〟の闇

許と亀井の因縁は古い。それは山口組系組長から転じて仕手集団「コスモポリタングループ」を率いた池田保次《やすじ》が結んだ。池田は80年代後半、東証一部上場の中堅ゼネコン「東海興業」株を買い占め、大阪・北浜最強の仕手集団と恐れられていた。その株式争奪戦は、リクルートグループの不動産会社

リクルートコスモスの未公開株がばら撒《ま》かれた86年6月から翌87年春にかけた時期にあたり、政財官界でも密かに話題を呼んだ。東海興業の仕手戦とリクルート汚職という二つの事件には、奇妙な接点がある。

東海興業株の仕手戦に臨んだ池田は、手にした株を準大手ゼネコン「青木建設（現・青木あすなろ建設）」に売りつけようとした。言うまでもなく、青木建設は元海軍中佐の青木益次が終戦後に創業し、その前身を「ブルドーザー工事」と言った。その長男の青木宏悦が大蔵官僚だったことから、大蔵族議員の竹下登と親しくなる。宏悦は73年5月に二代目社長に就くと、政財官のパイプを駆使して業績を拡大させていった。とりわけ竹下とは太い絆で結ばれ、永田町や兜町では竹下のタニマチとも、竹下銘柄とも呼ばれた。

政治とカネの問題は今も昔もさほど変わらない。かつて自民党議員たちは株取引で裏金を捻出してきた。株取引が裏金づくりにうってつけだったからである。株式投資は現物主義だ。仮に名義上の所有者が違っても売買して儲けたら、現物所有者の利益となる。また株は発行済み株式の5％以上大量保有すれば報告義務が生じるが、それ未満なら所有を隠すこともできる。株取引に政治家が仲介するケースは珍しくなかった。

一方、野心旺盛な青木宏悦はコスモポリタンの池田が仕掛けた東海興業株の仕手戦に乗じ、同社を呑み込もうとする。青木建設は87年3月、池田の買い占めた東海興業の２０００万株を１株あたり１８００円、合計３６０億円で買い取った。おかげで池田は１００億円以上を荒稼ぎしたと伝えられる。この元山口組系組長の仕手筋が仕組んだ竹下銘柄の準大手ゼネコンとの取引には、複数の自民党国会議員たちが関与していた。

青木建設による東海興業の合併計画は、東海側労働組合の反発を食らって行き詰まった。この年の6月には東海側が５００万株を買い戻し、青木側が大株主に留まって東海を支えることで折り合いをつけた。揉《も》め事のさなか、両社の交渉において仲裁役を果たしたのが自民党議員であり、その中心人物が亀井静香にほかならない。おまけに亀井は池田の薦める自動車内装部品メーカー「シロキ工業」20万株や紡績会社「オーミケンシ」18万株を買い上げた。挙げ句、当時の相場で3億４０００万円だったそれらの株を5億円で池田に買い取らせていたことまで判明する。

許永中はこの池田のことを「池ちゃん」と呼ぶほど、親しかった。いわば池田は許を株の世界に引きずり込んだ指南役と言えよう。許は池田とともに京都銀行株や新井組株を買い占め、仕手戦で勇名を轟《とどろ》かせた。やがて亀井との関係も知られるようになる。

そんな許、池田、亀井の3人組のうち、池田だけが姿を消した。東海興業の株争奪戦から2年ほど経ったのちのことだ。池田が東京・目黒の雅叙園観光ホテル株を買い占め、経営に乗り出した直後である。池田は88年8月、「1人で東京に行く」と秘書に言い残し、新大阪駅から新幹線に乗り込んでそのまま行方をくらませた。

イトマン事件の着火点、雅叙園観光ホテルの手形回収

そして許がその事後処理を引き受けた。のちにイトマン事件を引き起こして大阪地検特捜部に逮捕された許は、取り調べ検事にこう供述している。

〈私は、昭和六十三（1988）年二月ごろから、債権者仲間から推されて、雅叙園観光（ホテル）株式会社の経営に関与するようになりました〉（91年8月8日取り調べの検察官面前調書より抜粋）

池田は雅叙園観光ホテル最大の債権者であり、その失踪は前年の87年10月に起きた世界同時株安、ブラックマンデーにより、仕手株が軒並み暴落したせいだとされる。池田は資金繰りのため、雅叙園観光ホテルの手形を乱発した。すると、株価はさらに下がり、ますます窮地に陥っていった。池田をはじめとする仕手筋にとって、ブラックマンデーによる株価の暴落はたしかに大きな痛手であったろう。88年には、「北浜の御三家」と呼ばれた大阪の大物相場師が証券界から消えた。順を追って言えば、1月に「コスモ・リサーチ」の見学和雄が殺害され、のちにコンクリート詰めの遺体になって貸倉庫で発見され、8月にはコスモポリタンの池田が失踪、10月になると木本一馬の経営する「日本土地」が倒産し、木本は3年後に豊中市の自宅で自殺した。

ただし池田の失踪は、株の暴落だけが理由だとも思えない。許をはじめ他の仕手筋やバブル紳士たちの多くは、ここからバブル景気を謳歌し、絶頂期を迎えていく。それだけに池田の失踪については、いまだ謎めいた語らい種《ぐさ》となっている。

池田の失踪後、東海興業と青木建設の株取引やシロキ株やオーミケンシ株の売買における池田と亀井との関係が浮かんだ。当時の亀井事務所では、新聞等の取材記者に対し「他の政治家に頼まれて窓口になっただけで、利益は得ていない」と言い訳した。それでいて、亀井にはコスモポリタンからの5000万円授受疑惑まで浮上する。互いに持ちつ持たれつの関係だったのは間違いない。

許永中は雅叙園観光ホテルの手形乱発を受け、その回収にあたった。ホテルの債権者として、協和綜合開発研究所の伊藤や大阪府民信用組合理事長の南野洋たちが集い、初回の打ち合わせには山口組若頭の宅見勝も加わった。「許が宅見組長を呼んだ」とのちに伊藤は私に語っている。

そしてイトマン社長の河村もまた、雅叙園観光ホテルの資金繰りにひと役買い、そこからイトマン事件へと飛び

火するのである。

許はイトマンと組んでさまざまな不動産開発をしてきたが、その一つには亀井の地元広島県の開発計画もあった。イトマンは庄原《しょうばら》市にサーキットレース場の建設を計画し、三次《みよし》市の工業団地には薬品メーカー「ガラニン製薬」を誘致した。会社には許と亀井の関係者が役員として名を連ねた。

だが、イトマンの経営は行き詰まり、大阪地検特捜部が摘発に乗り出す。91年7月、許をはじめ伊藤と河村などを逮捕し、9月には南野も捕らえた。許はいったん保釈されるが、97年9月には石橋産業側から手形の詐取で告発され、東京地検特捜部が捜査に乗り出した。許本人の失踪はそんな矢先の10月のことだったのである。

許とは昵懇の間柄だったとされる亀井静香

「亀井先生が興銀による30億円の融資を斡旋してくださいます」

亀井静香には逃亡中の許と接点があった。それを明かしたのが大林監督映画の『あの、夏の日 とんでろ じいちゃん』のスポンサーとなったヴァーナル社長の大田勝である。98年8月に関連会社から振り出した1億8000万円分の手形が、大田の知らぬ間に許の関係者へ渡っていたという。一連の手形取引の窓口になったのが、亀井事務所の金庫番である秘書の高橋志郎だ。

私はヴァーナル社長の大田と会う前、ある音声テープを入手した。99年11月に許が警視庁に身柄を拘束された直後の大田とヴァーナルの取引業者との会話である。許の逃亡資金となった問題の1億8000万円分の手形について、大田がこう口火を切った。

「俺にはいろんな奴との付き合いがあるからな。（政治家なら）自由党の元代議士とも面識があるから」

すると、業者が突っ込む。

「いったい誰に頼まれて手形を振り出したのですか」

「大林監督の『あの、夏の日』の分やな。あれは、お前、亀井さんに言われて金出したものやんか。実際は亀井さんのところの高橋秘書からやけどな。たしかに6000万円の手形を3枚。すべてお助けマンやんか」

許永中の逃亡資金に化けた手形を振り出させたのが、亀井静香とその秘書だという。実は警視庁もまた、許の身柄を拘束した東京・台場のホテルからこの手形を押収している。入手した捜査資料には〈手形の受取人及び割引事実ならびにその使途について〉と次のように記載されていた。

〈手形番号EE06219、期日99年11月末。受取人は許永中の運転手の吉田雅彦。使途先は競売物件入札保証〉
〈手形番号EE06217、期日99年9月末。使途先不明〉
〈手形番号EE06218、期日99年10月末。使途先は許永中の長男の許宗大へ3000万円、残りは空手世界大会の協賛金として招待選手の航空費の一部〉

資料に登場する人物はいずれも許の関係者ばかりだ。これ以外で手形取引に携わったのは、許の代理人だった弁護士の大和田義益や広瀬公子という許の秘書だ。警視庁もすべての手形が許永中側に渡っていた事実をつかんでいたのである。結果、手形取引に関わった許の関係者たちを犯人蔵匿容疑でことごとく逮捕した。

冒頭のヴァーナル社長インタビューに戻す。「騙された」と話していた理由は何か。大田にそう尋ねた。許はもともと旧知だった、と大田自身がこう話した。

「ワシは17年前に許と知り合うた。けれど、それほど深い付き合いはなかったんや。しかし、奴が失踪して1年ぐらいたった頃、突然『私が誰だかわかりますか』と電話があったんや。その後、奴の秘書の広瀬いう女がワシのところへ訪ねてきた。ワシの会社へ『25億円融資してくれる銀行を許が紹介する』言うやないか。ちょうど、あの頃は会社（ヴァーナル）の広告宣伝費がちょっと足りんかった。それで、その話に乗って、広瀬を窓口にして許との付き合いが再開されたんや。結局、その融資話はアカンかったな。やっぱり許は信用できん、と思ったんもんや」

つまり逃亡中に許本人から連絡があり、秘書が融資話を持ち込んできたという。そもそもそれを持ち込んだのが亀井だった。大田は許のような巨漢ではなく、スマートで紳士然としている。が、眼光は鋭い。

「秘書の広瀬は『融資は亀井先生からの話です。興銀（日本興業銀行）による30億円の融資を先生が斡旋してくれます』言うんや。『仲介手数料として融資の5％のお礼は常識ですよ』とも言いよる。で、広瀬から亀井さん本人を引き合わされたわけなんや。東京でな。車で料亭に連れていかれたんやけど、運転は許の運転手の吉田（雅彦）やった」

そして、大田はこう続けた。

「畳の部屋に連れていかれると、高橋（志郎秘書）が先に来て待っとった。高橋は自分の出身地である山形県の話なんかをした後、こう言うやないか。『隣の部屋には、興銀の西村（正雄）頭取が待っています。融資話がまとまり次第、こちらの部屋に合流することになっています』と。『ついては5％の件、よろしくお願いします。ただしエチケットとしてこの場では代議士本人には仲介手数料の件は話さないでください』って調子でな。広瀬と同じやったけど、そんなことまで耳打ちするのや」

「あいつらのせいで22億円も吐き出してしもうた」

ほどなくして亀井本人が座敷に現れた。そこには、なぜか、あるジャーナリストが連れ立っていたという。ジャーナリストは大田に大手出版社副社長の名刺を差し出した。

永田町で泥カメと異名をとってきた亀井にとって、融資の口利きなどさほど珍しくはなかったのであろう。大田はその融資話に乗るつもりだったと正直に話した。

「まあ、30億円の融資やさかいな。5%で1億5000万円のお礼ぐらい、しゃあないか、とも思ったんや。けれど、側にいたジャーナリストの態度があまりにも悪うてな。目も濁《にご》っとった。ワシに『あんたのような若い経営者は、地道に金を稼がなアカン』て偉そうにぬかすんや。それで、頭に来てしもうて、さっさと帰ってしもうた。西村さんには悪い思ったけれど、腹が立ったからね」

興銀の西村にしてみたら、自民党の実力者である亀井の斡旋を無下に断れなかったのかもしれない。一方、大田にとっても、興銀からの融資は一流企業のお墨付きをもらうようなものだ。

だが、大田はそれを断った。しかも融資どころか、逆に許のために資金を用意したのである。融資を餌に手形を振り出したようなものだ、と最後にこうも言った。

「本当に初めはわからんかったんやけれど、後でみんなわかった。映画に用立てたつもりやった1億8000万円の手形にしろ、興銀からの融資話にしろ、あいつらは、みんなグルとしか思えへん。亀井と許永中、許にくっついとった広瀬や大和田……。みんなダンゴや。結局、ワシはあいつらのせいで、何やかんやで合計22億円も吐き出してしもうた」

すべては許永中の逃亡中の出来事である。その後、身柄を拘束された許は、東京地検特捜部に石橋産業事件で逮捕された。179億円もの手形詐欺とされた石橋産業事件は、許が株を買い占めた中堅ゼネコンの新井組と石橋産業グループの「若築《わかちく》建設」を合併させようとした裏工作がアダとなる。その計画をあと押ししたときの建設大臣・中尾栄一も6000万円の収賄容疑で逮捕された。

「10億ほどありまんねん。これを使うてください」

事件の渦中、許はそう言って石橋産業の関係者の目の前に現金を積み上げた。政財官の工作資金に違いない。それは元をたどれば石橋産業の手形や株を担保にした借金だった。

「いったいイトマン事件では誰が儲けたんか」

生前、山口組の宅見勝はそこをいたく気にかけていたという。3000億円が闇に溶けたとされるイトマン事件、そのカネの行方は今なお知れない。

（敬称略）

山口組六代目誕生の血とカネの内幕

司忍と髙山清司

山口組に君臨する「弘道会」その暴力と巨大資金力のルーツ

司忍が山口組六代目に上り詰めたのは、中部国際空港の開港と同じ年だった。山一抗争、五代目派vs宅見派の内部対立を潜り抜け、山口組帝国のトップに君臨した血とカネの昭和・平成裏面史。

森功▼ノンフィクション作家

「宅見勝の金脈」の項（24頁参照）に、山口組では、戦後、三代目組長に就いた田岡一雄が港湾事業と芸能興行を収益の柱に据《す》えたと書いた。それは間違いではあるまい。だが、かといって山口組ビジネスは田岡独自の発想でもない。もともと山口組は、明治末期の日露戦争から復員した初代組長の山口春吉が神戸港の沖仲士《おきなかし》を束ねたことを発祥とする。春吉は筑豊炭鉱の石炭積み出しで賑《にぎ》わった若松市（現・北九州市）洞海湾の大親分、吉田磯吉門下だった大嶋秀吉の率いる大嶋組傘下に入り、神戸港の荷役を任された。山口組の原点はそこにさかのぼる。さらに山口組の二代目を継いだ長男の登が大正に入り、浪曲や歌謡、相撲にいたる興行に手を出した。

そして三代目の田岡が戦後、日本全国に山口組の勢力を広げるにあたり、港湾開発と芸能興行を組織運営の2本柱とした。ある意味、賭博のアガリや繁華街のみかじめ料といったヤクザ稼業から脱し、組織の近代運営を目指したと言える。大阪府警で長年暴力団捜査をしてきた元刑事は次のように説明した。

「実は大阪府警は、山口組の芸能分野についての情報が弱かったんです。ドンパチに捜査を集中しすぎとったさかい、つい歌手やら漫才やら、ボクシングやらいう興行関係に目が向かわんと、手薄になっていた時期がありました。宅見（勝）も芸能興行で大きくなっていったのはわかっていましたけど、捜査はそっちに目が向かへんかった。芸能に強かったんは、むしろ兵庫県警ですねん。

昭和30年代の第一次頂上作戦のとき、兵庫県警が捜査経過を載せた分厚い資料をつくってね。吉本興業の初代社長やった林正之助をはじめとした田岡の舎弟7人衆が出てくる。写真付きで詳《くわ》しゅう出ています。彼らは堅気の看板を掲げとるけど、ごっつう近い。田岡が死んだときなんかも棺を担いどったくらいでした。港湾と芸能、これは山口組の伝統で、バブル時代の不動産開発はあとから。もともと山口（組）の幹部連中はたいていそこで凌いどったんと違いますやろか」

山口組は初代から当代の六代目にいたるまで、組織運営の基本方針が受け継がれてきたと言える。元大阪府警刑事はこうも指摘した。

「たとえば五代目時代の宅見は、年下の渡辺を神輿《みこし》に担いで組織をコントロールしようとしたんでしょうな。ただし、山口組では当代（組長）をとった出身の組が力を持ちますから、山健（組）の勢力もみるみる大きうなった。港湾荷役だけやのうて、あの頃は（1994年開業の）関空（関西国際空港）の埋め立て工事やら、（2001年開業の）ユニバーサル・スタジオ・ジャパンの建設やら、開発の利権がゴロゴロしとったからね。宅見と渡辺でそのあたりをすみ分けとったんちゃいますか」

渡辺芳則・中野太郎の組長派vs
宅見勝・司忍の若頭派

司忍（本名・篠田建市）は渡辺のあと六代目山口組組長を襲名した。1942（昭和17）年1月に九州の大分市に生まれ、大分県立水産高等学校（現・大分県立海洋科学高等学校）を卒業して大阪から名古屋へと渡り歩き、62年に三代目山口組系鈴木組内弘田組に入る。司の出身母体である弘道会は、その前身を弘田組と言った。

全国制覇を目論んだ三代目組長・田岡の方針により、山口組は66（昭和41）年5月、名古屋港で沖仲仕を仕切っていた鈴木組組長の鈴木光義を引退させ、組の若頭だった弘田武志が縄張りを継承する格好で弘田組の旗を揚げさせた。弘田は田岡の子分となり、弘田組が山口組直系二次団体となる。以来、山口組は名古屋を天領地と称し、組幹部たちは港湾事業と芸能興行の鎬《しのぎ》を広げた。この弘田が組の若頭に据《す》えた子分が司忍である。

司もまた67年、自ら司興業を結成した。司興業は芸能興行を手掛け、84年に二代目の寺田武司、90年に三代目の森健司へと組織を継承させていった。やがて森は山口組きっての芸能人脈を誇るようになる。

一方、司は子分の佐々木康裕にも佐々木組をつくらせ、74年には髙山清司が佐々木組若頭に就き、髙山が菱心会と改名された組の理事長となる。言うまでもなく髙山は六代目山口組若頭であり、今の山口組を統《す》べている。

先に書いたように、分派した一和会に四代目組長の竹中正久を殺された山口組は84年8月以降、山一戦争に明け暮れた。弘田組の弘田は当初、一和会会長の山本広側につき、竹中と対立する。しかし、司は親分の弘田に同調せず、一和会に加わらなかった。84年内には司が弘田組を継承する形で名称を弘道会と改め、弘田は引退する。おかげで弘田は命拾いしたとも伝えられるが、ここには裏があるようだ。先の元大阪府警刑事が打ち明ける。

「弘道会は弘田の一字をとっており、司は親分のメンツを立てた格好で引退させました。実は弘田は三代目時代の山健（組）と親しゅうて、自分自身の引退と引き換えに司を山口組直参にするよう、竹中（四代目組長）に進言したとされます。そやさかい、弘田は09年11月に亡くなるまで、弘道会の最高顧問として事始めとか、年末の行事には必ず出席しとった」

こうもつけ加えた。

「生前、その弘田と会うと、必ずおつきの若衆が周りにおりました。たとえばホテルで弘田と会い、彼が帰る間際になると、そのボディガードたちが自然にすっくと立ち上がるんですわ。隠れ配置とでも言えばいいのか、傍《はた》から見ると、ガードしとるとはわからへん。常に周囲にそれと気づかれんように行動しとるわけです。で、『いったい奴らは何者やろうか』と情報を集め始めたんが、十仁会《じゅうじん》を調べるきかっけでした」

詳しくはのちに触れるが、十仁会は弘田が弘田組時代につくった隠密組織とされる。山一戦争を機に弘田組から弘道会に改めた司は、それも引き継いだ。弘道会は91（平成3）年、中京地域の反山口組系組織と対峙した名古屋抗争により、大半の組織を自らの傘下に取り込んだ。このときも十仁会が動いたとされる。

そして司は05（平成17）年3月、弘道会の跡目を髙山清司に譲って六代目山口組組長に昇りつめ、髙山が山口組本家の若頭に就く。山口組史上初めて、トップとナンバー2の出身組織が同じになり、現在にいたる。司は弘田組を復興させ、髙山が二代目弘道会会長となる。

そんな司の六代目組長襲名には、山口組内における複雑な権力構造の変化が垣間見られた。先の元大阪府警刑事が振り返る。

山一戦争で殺害された四代目・竹中正久の葬儀に参列する司忍

「もともと司は五代目山口組体制をつくるときに若頭補佐として執行部入りしています。これを後押ししたんが、若頭に就いた宅見勝やったんですわ。宅見が渡辺をコントロール下に置こうと、組内に宅見シンパを増やそうとしたんや思います」

宅見自身、三代目組長の田岡時代に山健組初代組長の山本健一を推薦人として山口組直系若衆になった経緯がある。そうした縁もあり、山健と親しかった弘田の子分である司を取り込んだのかもしれない。

一方、五代目組長を襲名した渡辺に心酔していたのが、京都・中野会会長の中野太郎だ。ごくかいつまんで説明すれば、五代目山口組内には渡辺・中野の組長派と宅見・司の若頭派が存在し、対立してきたと言える。そこへ会津小鉄会の中野太郎襲撃事件が起きた。

中野会への報復にも暗躍!?弘道会の隠密組織「十仁会」

中野会会長だった中野太郎は1936（昭和11）年10月、司忍と同じ九州大分県の日田《ひた》市に生まれた。北九州市で「人斬り太郎」と異名をとって暴れまわったあと、関西に上って山口組系山健組に入る。渡辺芳則とともに70年、山健組内に健竜会を結成し、渡辺が健竜会会長となり、中野が相談役となる。中野は渡辺が五代目山口組組長になると子分の直系若衆に直り、90（平成2）年には若頭補佐として執行部入りした。

その中野は五代目組長体制の下、92年から96年にかけて京都府に進出する。そこで地元の指定暴力団・会津小鉄会と抗争を繰り広げた。96年には京都府八幡市の理髪店で散髪中だった中野が会津小鉄会系組員に銃撃され、中野のボディガードが2人の会津小鉄会系組員を射殺した。このとき宅見勝が山口組本家の若頭として抗争の仲裁に立ったのである。

山口組内でいち早く古都、京都に進出した中野会に対し、宅見組は京都で後れをとっていた。そこで宅見が京都に楔《くさび》を打つべく、中野会と会津小鉄会との抗争で仲裁役を買って出たとも言われる。結果、図越《ずこし》利次ら会津小鉄会最高幹部がこの年の7月、中野への襲撃を詫《わ》び、宅見がそれを受け入れたかっこうで和解した。

ところが、その和解は当事者である中野の了解なく進められたものだった。中野は「宅見裁定」に不満を募らせていく。おまけに宅見は組長である渡辺の頭越しに山口組の運営をしてきたとされ、渡辺にも宅見に対する不満があったようだ。そうした渡辺、中野、宅見という三者の思惑が97年8月の宅見勝射殺事件へと発展する。典型的な内部抗争である。

宅見を暗殺した中野は山口組から絶縁処分を受けた。が、引退もしなかった。親分の命をとられた宅見組は斯界《しかい》のメンツが立たない。そこから抗争の火種が一挙に燃え上がり、中野会に対する宅見組による発砲事件が相次いだ。が、中野会と敵対したのは、宅見組だけではない。弘道会も中野を狙った。

もとより警察当局はこの好機を逃す手はない。山口組壊滅作戦に乗り出した。そこで大阪府警が弘道会の隠密組織である十仁会に気づいたようだ。捜査にあたった当の大阪府警の元ベテラン刑事が十仁会の特徴を解説してくれた。

「山健組なんかにも似た組織がありま す。エダ（傘下）の各組織から、これ（と）いう腕っぷしの強い組員をスカウトして空手やボクシングを習わせてヒットマンとして仕立て上げる。彼らは構成員やから、われわれもメンバーを把握できていました。しかし、（弘道会の）十仁会だけは違う。山奥にこもって（銃撃の）練習をしてきたそうなんやけれど、具体的な行動はおろかメンバーすらつかめへん。正規に組に登録しているかどうかもわからん。親分と（若）頭、一部しか全体をつかんでへんので、ホンマにわからへんかった」

大阪府警の刑事たちは、中野会に対する宅見組や弘道会の報復を想定し、厳戒態勢を敷いた。監視を続けた捜査員の目の前に、そのヒットマン部隊が現れたことがあるという。元刑事は、あれが十仁会だと確信した、と自らの捜査体験を振り返る。

「中野はＩＣＵ（集中治療室）に逃げ

込んでいました。とうぜん私らも病院を張り込みました。中野会の幹部連中も警戒し、病院の前に10人ぐらいたむろしていましたな。そこをずっと張っとった。すると、とつぜんバイクが近づいてきよったんです。暴走族みたいなかっこうをした奴でした。驚いたことに、（中野会の幹部連中に）携帯カメラを向けて撮影しとる。まさか素人がそんな危ない真似するわけあらへんでしょう」

フルフェイスのヘルメットをかぶっているので顔は見えない。大阪府警の刑事たちの目の前を悠然と通り過ぎていったという。妙に手慣れているように感じた、と元刑事が語った。

「それで張り番している私らの1人が、『おい、待て』と呼びかけて職務質問しようとしたんです。すると慌てるでもなく、スーッとバイクを走らせていきよる。もちろんこっちも車で追いかけました。けれど、奴らにはかなりのバイクテクニックがあったみたいで、うまいこと逃げられてもうた。あれは間違いのう十仁会のメンバーでしょう。これまで弘田や司の周りを観察していた関係から、そう確信しています。実際、十仁会には一見しただけではまったくの素人にしか見えん奴もたくさんおるからね」

大阪高裁が事実認定した司忍直轄の護衛・暗殺部隊

大阪府警の捜査本部は97年9月、神戸の山口組総本部に幹部たちが集結するところを狙い、本格捜査に着手した。

まず山口組の直系二次団体のなかの最大組織、三代目山健組組長だった桑田兼吉《かねよし》を銃刀法違反の共犯で逮捕し、続いて当時、大阪のホテル入りしていた司を指名手配した。そして翌98年6月、ホテルで拳銃を持って護衛していた組員とともに銃刀法違反容疑で逮捕する。司は弘道会会長として、十仁会を率いていた。

逮捕された司は99年7月に10億円の保釈金を積んで保釈された。その後銃刀法違反の裁判では、1審の大阪地裁で無罪、2審の大阪高裁で逆転有罪となる。山口組六代目組長昇格を前にした逆転判決であり、司は即座に上告した。だが、最高裁でも判決は覆らなかった。05年に上告が棄却され、懲役6年の実刑判決が確定する。司は翌06年2月、東京の府中刑務所に収監された。

ちなみにこのとき、司忍と同じ大阪のホテルに宿泊した静岡・芳菱《ほうりょう》会総長

宅見若頭に不満があったとされる五代目・渡辺芳則

の瀧澤孝も同じように逮捕されている。だが、のちに組員との銃刀法違反の共謀が認められず、無罪判決が下った。判決における2人の違いは、恒常的なボディガード組織を内部に抱えてきたか、という点にあった。

山口組の中核を担う弘道会のトップである司とボディガードとして銃を所持していた組員とのあいだに、どのような指揮命令系統があるか。それを捜査当局が立証できるか。裁判の争点は、そこに尽きた。つまり、弘道会の司を立件できた決定打が、十仁会という暗殺部隊の存在だったのである。逆転の有罪判決を下した大阪高裁の裁判長が、判決理由のなかで、その組織のあり様を指摘している。

「被告人の周辺には、傘下組織から抜擢されて、会長秘書の指揮の下で、被告人の身の回りの世話と警護に当たる一団の組員がおり、それが親衛隊と呼ばれることもあったこと、弘道会では、十仁会の活動に従事した組員に見られるように、組員が組織のために拳銃等を所持し……」

裁判所が十仁会を司忍の護衛部隊と認定し、銃刀法違反で懲役6年の実刑判決を下した瞬間だ。十仁会について「抗争の際に相手方を殺傷する攻撃部隊」と断じたのである。換言すれば、捜査当局は弘道会に十仁会があるからこそ、銃刀法違反事件で司を有罪に持ち込めたことになる。大阪高裁の裁判長が有罪の有力な根拠として、その存在をこう指摘した。

「組員が組織のために拳銃を所持し、篠田（司）被告とは黙示的な意思の連絡があった」

この日の高裁判決は、山口組だけでなく日本の暴力団社会全体を揺るがせた。十仁会は、とにかく謎めいている。先の元大阪府警刑事が言葉を補う。

「実のところ、現実に十仁会が何をしたかというのは、警察も把握していませんでした。ボディガード兼闇の始末人みたいな存在とでも言えばいいのでしょうか。案外、実態がないんかもしれんし、やはり潜んで何かをやらかしとるかもわからん。そんな正体が見えへん組織だけに、余計に怖かったんですけれど、裁判官がこれを認めて判決を出してくれたのです」

事実、謎に包まれたヒットマン組織、十仁会は、公判でその名称が初めて世間に知られた。それでいて、捜査当局すらいまだ全貌を把握できていない。

司忍は大阪高裁の逆転判決が下された直後の05年7月、六代目山口組組長を襲名する。十仁会は、司忍が6年の服役を経て現場復帰した今なお、鬼の大阪府警でさえ手を焼き続けているヒットマン部隊である。

弘道会〝巨大〟資金力のヒミツは中部国際空港と漁業補償

五代目組長の渡辺芳則時代の山口組若頭・宅見勝射殺事件をきっかけに始まった山口組壊滅作戦のなかで、警察庁が最も精力を傾けたターゲットが、愛知県・名古屋市を本拠地とする弘道会である。弘道会は司の六代目組長襲名当時、全国１００近くに膨らんでいた山口組直系二次団体中、最大級の勢力を誇った。総勢３万６０００人あまりいた山口組組員の１割以上を占める４０００人の組員がいる大部隊であり、その勢力は今もさほど衰えていない。

　警察当局は、司が社会に戻ってくる前に山口組に壊滅的な打撃を与えようと捜査を集中させた。その最大の成果が10年11月の京都府警組織犯罪対策二課による若頭・高山清司の逮捕であろう。

　起訴状によれば、高山は05年７月末から06年12月にかけ、山口組淡海《おうみ》一家（滋賀県大津市）の総長・高山義友希《よしゆき》らと共謀し、京都市内の建設業者から４０００万円を脅し取ったという。恐喝事件である。山口組全体のナンバー２である高山の逮捕は、組織にとってこれ以上ない痛手と言えた。高山の逮捕は日本の暴力団社会に衝撃をもたらした。

　しかもその１カ月後の12月には、大阪府警が山口組総本部長の入江禎《ただし》を検挙した。山口組総本部長は組織上、ナンバー３に位置付けられていた。こうして警察と山口組が真っ向からぶつかっていったのである。先の元大阪府警刑事はこう解説する。

「警察が弘道会の高山を狙い撃ちしたのは、やはり山口組の当代（六代目組長）を出しているからです。五代目の渡辺芳則の出身である神戸の山健組が隆盛を極めたように、当代の組長を出した直参は、組織内で群を抜いて強い」

　弘道会をまともにたたいた捜査は、京都府警の大金星と言えた。暴力団が関係する事件や逮捕劇は、概して別世界の出来事のように思える。だが、その組織運営のあり方は、一般企業や政党のそれとさほど変わらない。自民党内で派閥争いが繰り広げられるように、暴力団組織でも常に権力闘争がある。その派閥の勢力地図を分析しながら、どこを狙えば最も効率よく組織の弱体化を図れるか、警察はそこを頭に入れて捜査に乗り出す。元大阪府警刑事が言葉を補った。

「山口組で言えば、もともと弘道会に対抗できる組織の筆頭が山健組であり、組員の数で言えば７０００人、と当時最大でした。しかし篠田（司）が06年２月に服役し、あとを任された高山は、先代の山口組五代目体制からの世代交代を一挙に進めました。山口組内でいち早く東京に経済基盤を築いた後藤組組長なども六代目体制で引退した。で、これまでわが世の春を謳歌しとった山健組が大打撃を受けよったんです。なんやかんやと言うても、暴力団の力は経済力に比例します。そやから今は、当代を出して組織を変えた弘道会の天下と言えます。事実上、高山は山口組の組織運営を差配してきよった」

　警察が弘道会を最大のターゲットと掲げる理由がここにあった。弘道会は六代目組長の出身組織という威光と資金力を使いわけ、山口組内だけでなく他の団体にまで影響力を行使してきた。もともと暴力団社会では、資金繰りの苦しい他団体の組織へ資金を融通する互助的な慣習があり、山口組若頭の高山は大金を貸し付けてきた。中国がアフリカの貧困国を借金漬けにするようなものだろう。高山はそれを梃《てこ》に他団体の組織人事まで介入してきた。挙げ句、山口組の傘下に収め、勢力を広げてきたという。そんな高山の才覚について、元大阪府警刑事は別の角度から次のように語る。

五代目のパトロンと目されたハンナン浅田満

「弘道会は、宅見組がミナミ（大阪市中央区）を縄張りにしてきたように、名古屋の繁華街、栄で活動してきましたが、大きゅうなったんはやはり中部国際空港セントレアの開発利権に絡んだからやと考えています。弘道会にとってのモデルが関空(関西国際空港)開発やった思います」

大阪府警の暴力団担当刑事たちは関空開発において、「ハンナングループ」総帥の浅田満と大阪府漁業組合連合会に注目してきたという。浅田は被差別部落解放運動で名高い部落解放同盟における実力者であるとともに、食肉業や金融、建設業にも乗り出した。元山口組系白神組幹部の実弟に建設会社「昭栄興業」を任せ、さまざまな公共工事や開発案件に絡んできた。とりわけ関空開発には大きな影響力があったとされる。

先の元刑事が指摘した。

「ハンナンは基本的に五代目寄りでした。それと同じような立場が大阪府漁連会長の田中忠明でしょうね。港湾開発には漁業補償がつきもんやから、関空工事そのもんにはむしろ田中の存在のほうが大きかったかもしれません。田中はもともと香川県出身で、大阪の此花《このはな》区にやって来て漁連の会長にまで昇りつめた。此花区には三代目山健組長の桑田兼吉の家もあり、懇意にしとったはずです」

さらにこう説明を足す。

「その田中の肝いりで設立された建設会社もありました。そこが港区に大きな12階建てのきれいなビルを買い取って事務所開きをしたとき、五代目の渡辺のでっかい花輪が出ていました。そのビルには、部落解放同盟の関係者も事務所を構え、大阪の開発では、ハンナンと双壁の会社として知られていました」

関空は一期、二期工事を合わせると、総工費が優に3兆円を超える。90年代から2000年代初頭にかけたこの時代、隆盛を極めたのが、山口組五代目の渡辺芳則であり、出身母体の山健組だった。実際の開発現場では、懇意の企業に莫大な利益が転がり込んだという。企業と裏社会の構図は長年続いてきた。

「そんな公共工事でガバッと利益を上げた企業もあり、それと同時に、ヤクザも大きうなっていきよった。開発利権とヤクザの財布にどんな関係があるんか、われわれはそれを知りたいんです。そして関空工事のときに山健が伸びていったのと同じように、名古屋の弘道会が力をつけていった。その時代には、中部国際空港セントレアと国際見本市（の大規模工事）がありました。関空やセントレアのような埋め立てや人工島の建設工事をする際、近隣漁民の反対があります。湾岸地域の漁民をなだめて開発するには、漁業権の売買という形で決着する以外にないけれど、そこで、うまく捌《さば》くまとめ役のような存在が必要になる。関空工事におけるそれが、大阪府漁連の田中でした」

暴力団衰退の時代に弘道会だけが健在の秘密

元大阪府警刑事は過去の関空開発を間近に観察し、情報収集をしてきた。そして弘道会の勢力拡大において着目したのが、中部国際空港の開発だという。大阪府警では、名古屋の弘道会が山口組のなかで力をつけていった過程で、空港開発が関係していると睨《にら》み、愛知県に何度も足を運んだ。目的は開発資金の洗いだしである。

「セントレア（中部国際空港）も空港の浚渫《しゅんせつ》工事だけで2500億円のカネが動いたと聞いています。ここにも漁業権が発生しています。漁業補償の獲得交渉なんかのノウハウは関空のときと同じ。実際、関空の仕切り役だった大阪府漁連の田中が、セントレアのある常滑《とこなめ》の漁連幹部に、『いっぺん大阪へ来い』と呼びつけて向こうから相談に来てます。ノウハウを教える代わり、うちの親しい会社を下請けに使え、となったのではないでしょうか」

開発事業における企業の利益と暴力団の経済活動が直接結びつけば、警察が事件として取り扱うことができる。だが、現実には資金の流れがなかなか見えない。そして気がつくと、暴力団の勢力地図が大きく変化しているケースが少なくない。

伊勢湾の常滑市に人工島を浮かべる中部国際空港の建設が本格的に動き出したのは、96（平成8）年12月のことだ。国の第7次空港整備五箇年計画で、ここが大都市圏拠点空港として決定されてからである。そこで7680億円という莫大な総事業費が見込まれ、開発が進んでいった。中部国際空港のオープンは05年2月17日だ。

この間、山口組の組織内では、弘道会が存在をみせつけていった。97年の宅見勝暗殺により、組の混乱が続くさなかの04年、五代目組長の渡辺が病床につき、長期休養のあとの05年7月には引退を表明する。弘道会は宅見という後ろ盾を失ったものの、高山が組織を率いて山健組と渡り合っていった。

そして名古屋の弘道会会長で、山口組若頭だった司忍が六代目組長を襲名する。司が山口組組長に昇りつめたのは、奇しくも中部国際空港の開港と同じ年である。

「自民党や会社の派閥と同じです。違いは撃つか撃たれんかだけ。実はいっときは渡辺が元気で山健の桑田兼吉に六代目組長を譲る可能性もあったんです。桑田自身、渡辺のあと自分が山口(組)の六代目になって、頭を司、最高舎弟頭に(芳菱会の)瀧澤、という構想図を描いていたみたいですわ。そしたら、山健の山口組本流が続いていたかもわからへん。

しかし、宅見と司は、そう考えてへんかったんでしょう。宅見と司、渡辺、桑田のあいだで、六代目体制づくりにむけて何があったんか、具体的にはわかりません。けれど、それらしきことが確かにあった。宅見の殺害事件後に混乱した山口組で、府中刑務所に収監された桑田のところへ(後継の山健組四代目組長の)井上邦雄が面会に来たんです。その場で、桑田は井上に『はめられた』言うて悔しがっとったらしい」

これがさらなる山口組の分裂を呼び込んだ。六代目山口組若頭補佐だった四代目山健組組長の井上ら13人の幹部が15(平成27)年8月、山口組を脱退した。六代目体制のナンバー3だった二代目宅見組組長の入江禎も造反組の13人に加わっていた。

山口組では組長の司が11年4月に府中刑務所を出所した。すると若頭の高山が京都の建設業者に対する恐喝で入れ替わるように14年6月、大阪高検に出頭、収監された。12月には同じ府中刑務所に移送されていた。神戸山口組の結成は、山口組若頭として組織を切り盛りしてきたその高山不在の間隙《かんげき》を突いたかっこうである。

そして、その神戸山口組もまた、分派していく。17年4月には元山健組副組長の織田絆誠《よしのり》が神戸山口組を抜けて任俠団体山口組(現・絆會)の旗を揚げた。

それから2年半後の19年10月、高山が府中刑務所から出所し、山口組に舞い戻る。実力者の現場復帰に造反組は浮き足立った。22年9月には二代目宅見組組長の入江まで神戸山口組を抜け、神戸山口組結成当時の幹部たちはほとんどいなくなる。

バブル時代の山一戦争のときとは時代が異なり、昨今は暴力団社会そのものが縮小し、衰退の一途をたどっている。だが、弘道会だけは健在だ。大阪府警の元刑事はこうも言った。

「関西では来年の大阪万博開催に続き、カジノIR開発が控えている。地元の神戸山口組は見る影もありません。やはり当代をとった弘道会の動きには要注意でしょう」

弘道会の一強政権はまだまだ当分続きそうだという。

(敬称略)

伝説の経済ヤクザ・稲川会二代目会長のバブリーな生涯

石井進

ヤクザマネーの帝王が夢見た「株式会社暴力団」

「いつまでも裏社会ではだめだ」。実業家を目指して任侠とバブルの頂点を極めたレジェンドが、平和相銀・東京佐川急便から数千億のカネを吸い上げたバブル秘録。

伊藤博敏▼ジャーナリスト

バブル経済の崩壊以降、長く低迷していた日経平均株価が、2024年2月22日、34年ぶりに史上最高値を更新した。「失われた30年」からの脱却を予想させるだけに金融界は賑わったが、その時間の長さに改めてバブル崩壊の傷跡の深さを思い知らされた。

株と土地が沸騰し、ゴルフ会員権、リゾート会員権、絵画など美術品にも波及。その〝あぶく〟に老いも若きも便乗して放蕩《ほうとう》した時代は、実のところ短かった。急激に進む円高を是正しようと大胆な金利引き下げと景気刺激策が実行された86年初頭から、株価が暴騰に転じ、それが不動産価格に連動し始める90年初頭までの4年間といっていい。

この短期間に、広域暴力団のトップに駆け上がると同時に、株、土地、ゴルフ場開発に1000億円を超える資金を投入して事業家としても名を成し、「裏」と「表」の世界に君臨したものの、バブル破たんを正確には認識せずに亡くなった人がいる。

石井進稲川会二代目会長（稼業名・隆匡《たかまさ》）――。

昭和は、1945（昭和20）年の敗戦と焼け跡闇市からの復興、そして高度経済成長を経たバブル経済の生成とその崩壊による経済的破たんという振り幅の大きな時代だった。その振り幅に法制度が追いつかず、総会屋、仕手、任侠右翼、暴力団といった反社会的勢

力が生息する余地があり、その混乱が数々のドラマを生んだ。

石井こそ、波乱に富んだ時代の主人公に相応しい。

金融機関、一般企業との〝事業提携〟を追い求めたヤクザ

石井は1924（大正13）年1月、姉1人、弟3人の5人兄弟の長男に生まれた。生家は神奈川県横須賀市で蕎麦屋を営んでおり、尋常小学校を経て地元の名門・旧制鎌倉中学に進んでおり、それなりに恵まれた幼少期だった。

転機は中学3年生の時、修学旅行先で起こした地元のチンピラとの喧嘩だった。退学処分を受けて街中を徘徊するうち、不良少年グループの仲間入りをする。180センチメートル近い長身で痩躯《そうく》。知的な雰囲気を漂わせ、見るからにチンピラというのではなかったが、売られた喧嘩は厭《いと》わなかった。

横須賀海軍工廠から横須賀海軍通信学校に入り、45年春、八丈島の人間魚雷「回天」隊の通信兵となり、約半年後の同年8月、終戦を迎えた。復員すると不良グループを率いるワルとなり、やがて「横浜の四親分」の1人、笹田照一の若い衆だった石塚儀八郎の盃《さかずき》を受けて稼業入りした。

石塚の引退に伴って鶴政会という任侠組織を立ち上げていた稲川聖城の子分となった。稲川は伸び盛りの親分であり、63年10月、鶴政会を錦政会と改称したうえで、児玉誉士夫、三浦義一、岡村吾一など右翼大物を顧問に迎えた。石井は、同年11月、長年空席だった名門の横須賀一家五代目を継承した。この頃日本は、経済成長の波に乗り、企業業績も給与も右肩上がりだった。暴力団組織も潤い、全国の構成員は約18万4000人とピークに達していた。

稲川は、72年1月、「史上最大の総長賭博」によって受けた3年の懲役刑を終えて出所すると組織名を稲川会と改めて会長に就き、石井を理事長に据えた。その後、石井を伴って関西に赴き、関西労災病院に入院中の田岡一雄山口組三代目を見舞う。それが山口組と稲川会の縁の深さとなり、同年10月、石井は山口組若頭の山本健一と五分の兄弟盃を交わした。この山口組との関係が、後に石井が山一抗争（後述）終結の仲介役を務めることにつながり、石井の任侠界での地位を確かなものにした。

任侠界で知られる存在になれば、警察当局から狙われる。石井は78年11月、韓国賭博ツアー事件で警視庁に逮捕され、その直後、無許可で無尽講を開いたという相互銀行法違反事件で神奈川県警に逮捕された。公判の結果、6年の懲役刑となり長野刑務所に服役する。未決拘留の期間と合わせ、78年から84年の社会不在の間に時代は大きく動いた。

任侠界では「日本のドン」と呼ばれる存在となった田岡山口組三代目が、81年7月に死去し、四代目を継承する

はずだった石井の兄弟分の山本健一が、82年2月、後を追うように亡くなった。ロッキード事件で失脚後も稲川が「師」として尽くした児玉は、84年1月、急性心不全で亡くなっている。そして政界では、経済成長を支えた三木武夫、田中角栄、大平正芳、福田赳夫、中曽根康弘のいわゆる「三角大福中」は、その最後を飾る中曽根政権の時代に入っており、中曽根は「戦後政治の総決算」を掲げていた。

経済面では新自由主義に舵を切り、民営化と規制緩和が大胆に進められて新しいステージの上で成長を目指した。その過程で国有地の払い下げなどが行われ、バブル時代が胎動を始める。そんななか84年11月に石井は満期で出所した。

石井が服役中に決めたのは「実業の分野」に本格進出することである。実業への意欲は早くからあり、賭博で短期の服役が続いた65年、石井は地元の横須賀で土建業の巽産業を興している。

だが、稼業が忙しく、巽産業に身を入れたとはいい難い。暴力団には本業としての博打があり、ほかに暴力装置を生かした飲食店などからのみかじめ料の取り立て、工事現場のトラブル処理を含む近隣対策、人材（人夫）派遣などの〝シノギ〟があった。ただいずれも実業ではない。金融機関や一般企業との事業提携の例はほとんどなかった。石井はそこに進出しようとした。

石井系企業に1241億円!!
稲川会と提携した東京佐川急便

ネックとなるのは信用である。その信用をつけたのは東京佐川急便。同社は、新潟県出身の渡辺広康が設立した渡辺運輸が母体で、同じ新潟出身の佐川清が興した佐川急便が東京進出するのに伴い業務提携し、東京佐川急便を新たに設立した。佐川急便の佐川清が、本社のある京都の祇園で豪快に遊ぶのはよく知られていたが、渡辺もまた銀座・赤坂の高級クラブで高級ブランデーやスコッチを連れの客らに振る舞い、一晩に数百万円を使うカネ払いのいい客として知られていた。

石井と渡辺をつないだのは銀座の高級クラブオーナーだった庄司宗信。石井は世情に明るく客あしらいのうまい庄司を気に入っており、出所して庄司がクラブ経営から離れていることを知ると、庄司を呼んでこう口説いたという。

「俺はムショのなかでよく考えた。いつまでも裏社会ではダメだ。実業の世界で儲けたい。ついてはお前に社長をやって欲しい」

こうして85年2月に庄司を代表に設立したのが北祥産業だった。資本金など当座のカネは、出所祝い金などを充てた。信心深く、神社仏閣へのお参りを欠かさない石井は、信頼する易学者の勧めに従って北祥産業と命名。自分の守護神を毘沙門天《びしゃもんてん》だと信じており、毘沙門天が東西南北の「北」を守っていることに由来する社名だったという。

庄司は事業開始にあたって石井を伴い渡辺のもとを訪ねた。

渡辺は「夜の世界」で石井と親交はあったものの、意欲を聞かされ、改めて石井に、「本気でカタギの仕事をしますか」と問うた。石井は「そのつもりです」と頭を下げ、両者は提携した。

当時、バブル景気は始まっており、それに伴って物流が増え、東京佐川急便も配送センターなどの土地の手当てに追われていた。その用地買収が北祥産業の仕事になった。付随して、暴力団などややこしい勢力が絡む話や、艶《えん》聞《ぶん》家の渡辺に生じた女性スキャンダルのもみ消しに石井周辺が動くこともあった。

後に東京地検特捜部が特別背任容疑で渡辺を逮捕した時、両者の提携理由がこう解説された。

「石井の狙いは東京佐川急便の名前と信用。金融機関からの資金調達の際、東京佐川の融資保証を入れてもらった。渡辺の提携理由は、『対佐川』への備えだった。東京佐川は佐川急便グループの中核とはいえオーナーはあくまで佐川清。83年頃、佐川は渡辺の独断が過ぎると、一度、切ろうとしたことがある。渡辺は平身低頭して謝り許してもらったが、以降、表裏で独自の人脈を築きたかった。政治家の筆頭が金丸信（自民党元副総裁）で暴力団が稲川会の石井進だった」（佐川急便元幹部）

北祥産業が東京佐川の信用で仕事を本格化させた頃、石井が巽産業以来の付き合いのある平和相互銀行（以下、平和相銀）が危機を迎えていた。同行を支配する経営陣「4人組」に対抗するため、創業者・小宮山一族が85年3月、保有する約34％の株を旧川崎財閥の資産管理会社「川崎定徳」の佐藤茂社長に譲渡した。

4人組のひとりは元検事で弁護士の伊坂重昭監査役。伊坂は石井が賭博で逮捕された時、弁護人を引き受けたこともある。本来、石井は銀行を運営する4人組側につくはずだった。実際、石井は伊坂から依頼も受けたという。しかし石井は動かなかった。稼業の世界にいたこともある佐藤から「静観して欲しい」という依頼を受けていたし、すでに東京地検特捜部が平和相銀の融資等を巡り事件化（特別背任罪）へ向けて動いていた。実際、特捜部は85年10月に強制捜査に着手して4人組は排除された。石井は佐藤に貸しを作った。

その貸しの回収が、茨城県岩間町(現・笠間市）の岩間カントリークラブだった。平和相銀系列の太平洋クラブが手掛けていたが、地上げがうまく行かず放置されていた。石井は佐藤に、「私に任せてもらえませんか」と持ちかけ、快諾を得た。実際に所有権が移ったのは、事件化した平和相銀を住友銀行(現・三井住友銀行）が合併した86年10月の2カ月後だった。岩間カントリークラブを所有する岩間開発の株式が、東京佐川を間に挟《はさ》んで、北祥産業グループの不動産会社「天祥」に移動した。

この時、石井が発行したのがゴルフ

会員権に相当する「会員権資格保証金預り証」だった。当時、岩間カントリーはパブリックだった。これを将来は会員制にするということで資金を集めた。しかも一口4000万円で960口、384億円。石井周辺者によるかなり強引な売り込みがあったにせよ、「会員権」ではなく「預り証」で売れたのだからバブルというしかない。

岩間カントリークラブと並行して、石井は東京佐川の資金と信用で茨城県谷田部町（現・つくば市）の谷田部カントリークラブ、静岡県修善寺町（現・伊豆市）のゴルフ場・ユートピア修善寺などを手掛けていた。東京佐川は、北祥産業、天祥など石井系企業に対し、債務保証と直接融資の形で1241億円を投じていた。その資金を石井が再投資していたのが株の仕手戦である。株の世界のパートナーが加藤暠《あきら》だった。

暴力団トップの関連企業に債務保証と直接融資で1241億円を投じた渡辺広康（元東京佐川急便社長、中央）

指南役は〝仕手筋〟加藤暠
東急電鉄株買い占めの内幕

加藤は79年1月、「誠備」グループという投資顧問会社を立ち上げ、投資家集団を率いて歴史的な数々の仕手戦を仕掛け、「兜町の風雲児」と呼ばれた人物である。「誠備」設立直後には、語り草になっている宮地鉄工株の仕手戦を仕掛けている。捜査当局に狙われて逮捕を重ね、浮き沈みは激しかったが、2016年末に亡くなるまで投資の世界にいて、「加藤（K）銘柄」を仕掛けて一定のファンを持つ生涯現役の仕手だった。

加藤の最初の逮捕は81年2月の所得税法違反だった。逮捕容疑は32の他人名義の口座を使って株売買を行い、24億4000万円を脱税、また顧客の7億2000万円の脱税を共謀したというものだった。石井は79年に服役する以前から、加藤銘柄に乗って仕手戦に参加していた。巽産業の時代から関係のあった平和相銀関連の不動産会社「正和恒産」が、加藤銘柄を売買していたからだ。そのため、83年6月、加藤の脱税事件の公判で東京地裁に呼ばれた石井は、服役先の長野刑務所から出廷、次のように法廷で述べた。

「加藤さんに銘柄や売買を全て任せて株式売買を頼みました。昭和53（1978）年には2億円の利益を上げています」

加藤の顧客には著名政治家や実業家が少なくなかった。加藤はその名を法廷で一切明かさず「顧客の秘密」を守った。その加藤の心意気に石井は応えた。

加藤の保釈は83年8月で石井の出所は翌年11月。北祥産業を設立して事業目的に「投資」を掲げていた石井が再び加藤と組むのは、ごく自然な流れだった。

石井が北祥産業での事業を本格化させると、加藤は足繁く通い推奨銘柄を伝えた。株価が右肩上がりの時代である。面白いように儲かった。しかも、今では考えられないことだが、野村證券、日興証券という証券大手が石井のために口座を開設した。86年秋のことで、当初は石井の素性を知らなかったが、判明した後も継続した。

そればかりか日興証券は一任勘定まで行っている。石井の個人口座に続き、日興証券は87年6月、ふたつの法人口座を開設した。ひとつは稲川会の稲川聖城総裁夫人を代表とする「世信」、もうひとつは石井会長夫人が代表の「絆堅」である。一任勘定とは、銘柄の選定から売買までを証券会社の判断で行うことで、日興証券は両者から15億円を預り、約10％の利回りを保証し、月に1500万円の利益を落とすと約束した。今では考えられないが、日興証券には86年5月に稲川会二代目を継承するなど暴力団世界での地位を確かなものにしていた石井を、何かあった時の〝備え〟にする意向があったという。

東京佐川急便の融資保証と大手証券会社のバックアップ、それに右肩上がりの相場環境が重なって、石井は稼業の面でも実業の面でも絶頂期を迎えていた。その勢いのまま突っ走ったのが東急電鉄株の仕手戦である。

「私鉄の雄」として知られ、傘下に建設会社、不動産会社などを持つ東急電鉄グループは、グループ総帥で東急電鉄会長を務めた五島昇が89年3月に亡くなったことで求心力を失い、揺らぎ始める。そこに目をつけたのが小谷光浩だった。仕手集団の「光進グループ」を率いる小谷は、蛇の目ミシン工業（現・ジャノメ）、国際航業（現・国際航業ホールディングス）、藤田観光などの株を買い占め、高騰させ、大株主として経営に関与したことで知られる。

東急電鉄の持つ資産価値に目をつけて買い占めに入った小谷は、人脈を糾合して東急電鉄に挑んだ。それに石井と加藤は乗った。石井は89年4月から11月にかけて約2900万株を買い占めた。出雲物産、東成商事といった旧誠備グループ関連の会社に加え、横井英樹グループ、安達建之助グループ、許永中グループなども参戦、バブル人脈が勢揃いした感のある仕手戦となった。野村證券が、東急電鉄グループの渋谷再開発や総合リゾート開発構想を持ち上げ、推奨したこともあって株価は順調に上がった。

皇民党のほめ殺しを封殺、竹下登を〝総理にした〟ヤクザ

その頃、石井は稼業面でも絶頂といっていい時期だった。86年5月5日、日本の任侠界を代表する親分衆が熱海

の稲川会本家に集まった。石井進の二代目会長継承式。祭壇を背にして右に総裁で初代会長の稲川聖城、左に二代目を継承する石井が着座した。取持人が三代目会津小鉄会総裁の図越利一、媒酌人が全丁字家柴山三代目の小池寛だった。四代目山口組若頭の渡辺芳則、住吉連合会会長の堀政夫、東亜友愛事業組合理事長の沖田守弘、三代目共政会会長の山田久、工藤會会長の工藤玄治などが出席。石井は改めて全国にその名を認知された。

稲川会会長として石井が、最初に取り組んだ仕事が「山一抗争」を終結させることだった。

田岡山口組三代目の死後、後継と目されていた山本健一若頭が死去したこともあり、跡目争いは混乱した。直系組長らは組長代行の山本広派と若頭の竹中正久派に分裂。84年6月、田岡夫人の支持を得て直系組長会で組長就任の挨拶をしたのは竹中だったが、これに反発する山本派は一和会を結成した。

ヤクザ社会で分派は認められない。血で血を洗う山一抗争が勃発する。山口組の「山菱《やまびし》の代紋」の力は強く、一和会は切り崩されていったが、85年1月、竹中四代目と中山勝正若頭らを襲撃して射殺、反転攻勢に出る。報復合戦が続き、双方で20名を超す死者を出す抗争事件となり、一般市民に負傷者も出て批判は暴力団組織全体に及び、警察も放置できないと取り締まりを強化した。

「他の組織のこと」では済ませられないと、稲川会の石井と京都の四代目会津小鉄会会長の高山登久太郎が仲裁に動いた。

山口組、一和会の双方も終結時期を探る状況のなか、山口組は87年2月の緊急直系組長会で「抗争終結宣言」を出すことが決まった。それを受けて石井は稲川会の最高幹部を伴って山口組首脳と会談。中西一男組長代行からその報告を受けた。一方、一和会も同月、緊急定例会を開いて「抗争終結」を宣言し、それを高山に伝えた。完全終結は89年3月に山本が自らの引退と一和会の解散を宣言するまで待たねばならなかったが、抗争をとりあえず終結に導いたことで、石井の任侠界での存在感は高まった。

石井がその力を遺憾なく発揮したのが、高松の右翼「日本皇民党」が自民党総裁候補の竹下登に対して行っていた「ほめ殺し」を止めたことである。「三角大福中」の時代を経て、安倍晋太郎、竹下登、宮沢喜一のニューリーダー3人が「安竹宮」として宰相ポストを狙っていた。その争奪戦の最中、皇民党が上京し、「カネ儲けのうまい竹下さんを総理にしましょう」と都内を街宣して回った。

放置は竹下のためにならない。止めさせようと何人もの政治家が動くが、皇民党の稲本虎翁総裁は頑として受け付けない。そこで竹下の盟友の金丸信自民党副総裁が、東京佐川急便の渡辺が石井と親しいことを知り、「稲川会の二代目ならなんとかなるんじゃないか」と渡辺に依頼した。渡辺の頼みなら石井は断れない。また暴力団社会の大物の石井が乗り出し、「俺の顔を立ててくれ」といえば稲本も断れない。かくてうるさい街宣活動は止み、竹下は87年11月、中曽根裁定を受けて自民党総裁に就き、第74代内閣総理大臣に就任した。

大博打を満喫した生涯バブル崩壊を見届けずに永眠

東京佐川急便が、石井系企業に債務保証と直接融資の形で1241億円を投じていたことは前述した。東京佐川の無茶な債務保証は石井系企業にとどまらず、40社以上、4900億円に及んだ。そこには融資保証に伴う渡辺社長へのキックバックがあり、そうやって得た裏ガネを渡辺は自ら費消する一方、政治家にバラ撒いていた。

石井と渡辺のバブル経済を満喫する野放図は、90年10月に発覚した外為法違反事件で崩壊する。石井系企業の不正送金を調べる過程で、石井が岩間カントリークラブの「預り証」で384億円を調達。そのほか野村證券と日興証券の系列金融から360億円を証券担保で借りていたことが明らかとなり証券スキャンダルに発展した。調達資金の投入先は主に東急電鉄株だった。

東急電鉄株は、思惑通りに89年11月まで上がり続け、11月17日には3060円の最高値を記録した。約2900万株を持つ石井の平均取得価格は1900円といわれており、売り抜ければ単純計算で300億円以上の利益を出すことができた。しかし石井は株を持ち続け、バブル崩壊と東急電鉄株暴落が同時に訪れ、資金繰りに苦しむ。

そこに病が石井を襲う。89年11月、メキシコのアカプルコに旅行中、体調不良で倒れ、帰国して慶應義塾大学病院で精密検査を受けた結果、脳腫瘍が判明する。手術は90年2月に行われ、4月に退院するものの、熱海の稲川会本家を訪れた石井は、親分の稲川聖城に「年内に引退し跡目を（聖城の子である）裕紘《ゆうこう》に譲りたい」と伝えた。聖城は慰留したものの意志は固く、同年10月、稲川会三代目の継承式が熱海本家で執り行われた。

外為法違反事件以降、「経済ヤクザ・石井進」の全貌が暴かれるなか、石井の病状は進み、91年に入ると意識が途切れることが多くなったという。一方、東京佐川急便の渡辺は佐川清によって同年7月に解雇され、告発を受けた東京地検特捜部の捜査が本格化する。石井は回復することなく91年9月3日、67年の生涯を閉じた。

経済と暴力団が共振して伸びるバブル時代を、石井ほど体現した人はいない。彼が輝いたのは一瞬かも知れないが、光が消えて闇に沈み込むのを混濁した意識で見届けることがなかったのは、幸せだったというべきかも知れない。

（敬称略）

第3章

首領&フィクサーの怪物

日本のメディアに君臨する読売帝国の独裁者

渡邉恒雄

戦後政治を牛耳ってきた怪物フィクサーのタブーと裏の顔

武器は日本最大・読売新聞1000万部の紙面。中曽根康弘を傀儡にし、安倍晋三政権のタカ派政策を陰で主導。黒い人脈もカネがらみの疑惑も今やマスコミの完全タブーに。権力と〝癒着〟してきたナベツネの原罪。

日本の黒幕特別取材班

長きにわたり、この国のメディアと政治を牛耳ってきた渡邉恒雄、通称ナベツネの威光は、齢《よわい》98を迎えたいまも健在のようだ。読売新聞グループ代表取締役兼主筆として巨大メディアを思うがままに動かしているのはもちろん、今年3月には、岸田首相を読売本社に呼びつけて会談するなど、政界にも睨《にら》みを利かせ続けている。

一方、ナベツネをめぐっては、数年前から、戦後政治の軌跡と重ね合わせて半生を語る回顧記事や自伝的インタビュー、評伝などの類も目につくようになった。

２０２０から21年にはＮＨＫが『独

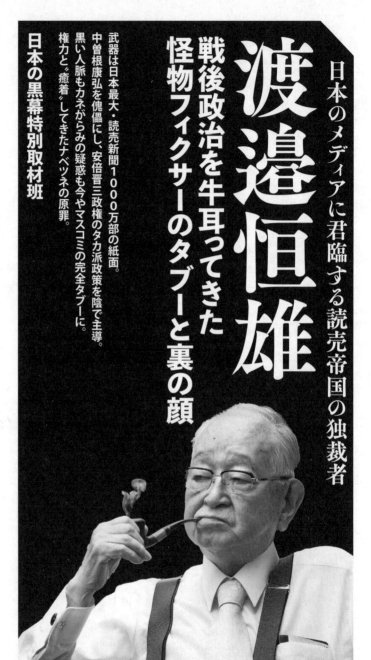

占告白　渡辺恒雄～戦後政治はこうして作られた』を『昭和編』『平成編』とわけるかたちで4時間にわたり放送。22年には『文藝春秋』が、ナベツネのロングインタビューを掲載している。

しかし、こうした近年のナベツネ回顧録は、その実態、実像を伝えているとはとてもいいがたい。

たとえば、ＮＨＫ『独占告白～』では、後に『報道ステーション』（テレビ朝日）のキャスターとなる大越健介が聞き手となって、70年以上にわたる政治とのかかわりをインタビューしていたが、内容は、この大新聞のトップが自慢げに語る〝武勇伝〟をありがたく拝聴しているだけ。政治家と癒着してきたことを正面から批判することも、児玉誉士夫らと接点を持った裏面史に踏み込むことも一切なかった。

『文藝春秋』に至っては、「政界フィクサー」という形容がぴったりなこの人物のインタビュータイトルに「百歳まで生涯一記者だ」というセリフをつける始末だった。

本稿では、そうした近年のお手盛りナベツネ回顧録には描かれていない裏面史に迫り、その「罪」を改めて検証してみたい。

中曽根康弘から安倍晋三まで政治家を操るフィクサーの剛腕

そもそも、ナベツネの行為が「政治家との癒着」「権力との一体化」であることは、ナベツネ自身のインタビューや公の記録などの「表の歴史」からも明らかだ。

１９５０年代から60年代、自民党副総裁・大野伴睦《ばんぼく》の番記者だった時代からナベツネはすでに〝癒着記者〟の本領を発揮していた。一記者でありながら、大野の側近のような存在になって、さまざまな政界工作に直接関与。日韓国交正常化交渉では、韓国軍事政権のナンバー2の金鍾泌《キムジョンピル》と大野をつなぎ、条約締結の地ならしまで行った。

さらに有名なのは中曽根康弘との関係だ。１９５０年代後半、若手政治家だった中曽根と意気投合したナベツネは以来、その政治活動を全面的にサポートするようになる。

岸信介内閣での初入閣も、ナベツネが大野に依頼してねじこんだものだし、79年、論説委員になってからは、紙面をフル活用しながら、二人三脚で〝政権獲り〟を本格化させていった。

そして、82年に中曽根政権が誕生すると、「軍師」のように中曽根のそばに張り付き、政策や政権運営までさまざまな作戦を授けた。

ＮＨＫの『独占告白～』で、ナベツネは「（中曽根は）いろいろ建言したことは全部使ってくれるから、こっちも指示のしがいがある。やりがいがあるわね」と臆面もなく語っていたが、中曽根政治のかなりの部分はナベツネが操っていたといっていいだろう。

ナベツネはその後、読売新聞社内で、専務、副社長と権力の階段を駆け上がっていくが、政治介入、政権との癒着は止まらなかった。

　中曽根の後継の総理となった竹下登とも頻繁に連絡を取り合って、政権運営に全面協力した。

　橋本龍太郎政権では、すでに社長になっていたが、首相直属の諮問機関「行政改革会議」委員となって、中央省庁の再編を仕切った。

　続く小渕恵三政権では、国旗国家法、通信傍受法、住民台帳基本法などの成立を後押ししたのに加え、自民党政権安定のために大きな政局を仕掛けている。

　当時、犬猿の仲だった官房長官・野中広務と自由党代表・小沢一郎の2人の料亭会談をセッティングして手打ちをさせ、自自連立を実現。続いて、以前から太いパイプのある創価学会に働きかけ、公明党を連立政権に取り込んだのである。

　安倍晋三が第一次政権を1年で投げ出した直後にも、同様に政局を仕掛けている。

　安倍の辞意表明翌日、当時の自民党幹部である森喜朗、青木幹雄、山崎拓らを日本テレビ本社に集め、福田康夫を後継首相にすることを密室で決定。同時に、自民党の野党転落を阻止するため、自民党と民主党の大連立を画策。自民党新総裁の福田と当時、民主党代表だった小沢を会談させ、両者の同意を取り付けた。

　この大連立構想は、最終的に民主党内の猛反発で頓挫するが、ナベツネの政治を動かそうとする野心は、その後も一向に衰えなかった。

　特に、ナベツネが大きな影響力を発揮したのが、第二次安倍政権だ。

　2017年、『週刊朝日』が安倍と財界人の会食やゴルフの回数をカウントしたところ、90歳を超えたナベツネが最多だったという記事を掲載していたが、実際、ナベツネは首相の安倍と中曽根以来といっていいほどの蜜月関係を築き、さまざまな政策を後押ししている。

　2014年に制定された悪名高い特定秘密保護法も、ナベツネが有識者会議「情報保全諮問会議」座長に就任してその流れをつくりだしたもの。同年に閣議決定した集団的自衛権行使の憲法解釈変更、15年の安保法制も後押ししていた。

　憲法改正でも、両者は連携プレーを見せている。17年の憲法記念日、安倍が突如「憲法9条に第3項を加えて自衛隊の存在を明文化する」という改憲案をぶち上げたが、その10日前に安倍とナベツネが、『読売新聞』の政治部長を交えて、飯田橋のホテル内の日本料理店で2時間にわたり会食していた。

　そして、5月3日、読売の朝刊に、会食に同席した政治部長がインタビュアーをつとめるかたちで、第3項追加の9条改憲を語る安倍の独占インタビューが掲載された。

　この改憲案をめぐっては、安倍が国会での説明を拒否して「読売新聞を熟読してほしい」と答弁し、激しい批判を浴びたが、そもそも、安倍とナベツネ読売は最初から共同作戦を敷いていたということだろう。

読売新聞への国有地払い下げ、新聞の軽減税率適用でも暗躍

「表の歴史」をざっと振り返っただけでも、権力と距離をとるべき言論機関幹部としてはありえない行為のオンパレードだが、しかし、当のナベツネにそれを恥じる様子は一切ない。

むしろ、回顧録やインタビューでは、こうした行為を自慢げに語ったうえ、癒着ではなく、「情報を取るための取材」だと言い張っている。

しかし、ナベツネの権力や政界への姿勢はとても取材などと呼べるものではない。むしろ逆だ。

この大新聞のトップがやってきたのは、密室で政策や人事を決めてしまう政治家たちの談合への協力であり、入手した多くの情報を国民に知らせないまま葬り去ることだった。

それどころか、ナベツネには自分の手にした情報だけでなく、読売社内の他の記者がつかんだ事実や社会部の報道まで握り潰してきた疑いもある。

ナベツネが読売新聞を支配する足跡を追った魚住昭の著書『メディアと権力』では、中曽根政権の売上税検討の動きを批判した夕刊コラムが、3版で削除されたエピソードや、ナベツネと親しかった山口敏夫と二信組事件で起訴された高橋治則の癒着を報じたスクープ記事が、最終版で忽然《こつぜん》と姿を消したという事実が暴かれていたが、同紙ではこうした政治家や権力の不正追及報道が潰されるという問題が頻繁に起きてきた。

しかも、ナベツネの政治介入が問題なのはその動機だ。

〝政界フィクサー〟としか思えない動きをしてきたこの大新聞トップは、インタビューなどで「国益のため」「国民を正しい方向に導くため」とも口にしているが、本当にそれだけなのか。

たしかに、通信傍受法や特定秘密保護法、憲法改正など、自分のタカ派思想を実現するために政治介入することも多いナベツネだが、一方で自分と親しい政治家やつながりのある権力を守ること自体が目的化しているケースもある。

先に、橋本政権で「行政改革会議」の委員となったことに触れたが、このケースがまさにそうだった。

この行革会議は、大蔵省と金融機関の癒着が発覚したことを受けて中央省庁再編を目的に設置された有識者会議で、強大な利権を持つ大蔵省を財政と金融に分割して解体することが最大の課題とされていた。

ところが、大蔵省と太いパイプのあったナベツネは、大蔵省を守るためその財金分離に強硬に反対。会議を牛耳って省庁再編を骨抜きにする「渡辺私案」をぶち上げて、大蔵省解体を阻止してしまったのである。

実際、この行革会議3日目の終了後、

ナベツネは記者団に向かって「大蔵省は何も傷つかないよ」とうそぶいたと報じられている。

さらにナベツネの政治介入には、読売新聞という一私企業の利益のために動いたとしか思えないものもある。

前掲『メディアと権力』にも、1966年、読売新聞本社建設用地への国有地払い下げに反対していた佐藤栄作首相を翻意させるため紙面を使って執拗な反佐藤キャンペーンを仕掛けたエピソードや、74年、中部読売新聞がダンピング事件で公正取引委員会の捜査を受けた際、当時、自民党幹事長だった中曽根や総理府総務長官・植木光教《みつのり》に、公取委の捜査を止めるよう働きかけたことが書かれていた。

さらに近年も、重大な政策をめぐって、業界への利益誘導のために介入した疑いが持たれた。

それは、安倍政権が2019年、消費税を8%から10%に引き上げた際に導入した、生活必需品の税率を据《す》え置く「軽減税率」をめぐってのことだ。

周知のように、このとき「軽減税率」が新聞の購読料金にも適用されることになったのだが、これは新聞業界、ひいては読売新聞社の利益を守ろうとするナベツネが安倍に直接、働きかけたことが大きく影響したというのが定説になっている。

2013年夏、ナベツネは親しい政治家に巨人戦のチケットを同封した暑中見舞いの手紙を送っているが、そこには、翌14年4月に予定されていた8%への増税を中止し、後に一気に10%に上げる、その際に軽減税率を導入して生活必需品の消費税を5%に据え置くというプランが書き込まれていたという。

ナベツネが「軽減税率の導入」を主張していることは、官邸にも伝わり、首相の安倍も一時はこのナベツネ案に傾いていた。

ところが、増税を先延ばししたくない財務省がこのナベツネ案に強硬に反対。安倍も財務省に押し切られ、消費税は予定通り14年に軽減税率なしで8%に引き上げることになる。

ただ、この8%引き上げを公表する直前の13年9月10日、安倍は都内でナベツネと会って会食をしている。その席で、安倍は意に添えなかったことをナベツネに謝罪したうえ「次の10%引き上げの際には、軽減税率を導入し、新聞に適用する」ことを約束したのではないか、といわれているのだ。

実際、この会食の2日後に『読売新聞』は、一切の批判をすることなく「消費税　来年4月8%　首相、意向固める」とスクープ。さらにその1年後の14年11月20日、1面トップに安倍の単独インタビュー記事を載せ、「10%への税率引き上げとセットで軽減税率を実施する」と明言させた。

これで軽減税率導入は既定路線になり、19年、新聞にも適用されるかたちで、軽減税率制度がスタートしたのである。

児玉誉士夫の疑惑にも名前が登場
児玉、中曽根とは会社も一緒に経営

ナベツネと政治家の間にあったのは、政策や政局をめぐる「表」の癒着だけではない。黒い人脈や裏のビジネスがからむ疑惑も何度か浮かび上がった。

その代表例が、中曽根康弘とともに、児玉誉士夫にかかわった過去だ。

周知のように、児玉は戦前からの大物右翼で、戦中、軍の物資調達で集めた金を戦後、政界にばら撒《ま》いて隠然たる影響力を発揮。一方で暴力団などの反社会的勢力も自在に操り、さまざまな経済事件、政界疑獄でその名前が取り沙汰された。1976年のロッキード事件では、米ロッキード社から巨額の裏金を受け取り、日本の政界に大型旅客機トライスターの売り込みを図っていたことが判明。田中角栄や小佐野賢治とともに東京地検特捜部に起訴されている。

だが、ナベツネはある時期まで、中曽根とともに、このダーティな大物右翼とビジネスまでやっていた。

両者のただならぬ仲がはじめて表沙汰になったのは、あの「九頭竜ダム」を舞台にした疑惑だった。

1967年、ダム工事で沈んだ鉱山会社を経営する緒方克行という人物が、児玉誉士夫に補償金引き上げの工作を依頼した、と告発したのである。

緒方はその経緯をミニコミ紙『正論新聞』で証言したうえ、『権力の陰謀～九頭竜事件をめぐる黒い霧～』という本を出版したが、それらには緒方が補償交渉を依頼した際、児玉がこう答えたというエピソードが出てくる。

「何とか調停してあげましょう。すでにこの問題に携わるメンバーも決めてあります。中曽根（康弘）さんを中心として、読売政治部の渡辺恒雄君、同じ経済部の氏家斉一郎君に働いてもらいます」

その後、児玉は運動資金として緒方に1000万円を要求。緒方がこの金を児玉邸に届けると、そこにはナベツネと盟友の氏家（後に日本テレビ代表取締役）が同席していた。そして、金を受け取った児玉はそばに座る「政治記者を示し」こういったのだという。

「この中の三百万円は、この男の関係している出版社の株代金にするぞ」

最終的に、児玉は緒方の依頼を断り、1000万円を返したというが、結果はどうあれ、証言が事実なら、ナベツネは中曽根とともに、児玉の口利きビジネスに関与していたことになる。

当のナベツネはこの緒方の告発を「デタラメ」だと否定。『権力の陰謀』の出版元の現代史出版会に猛抗議して、緒方の〝詫び状〟をとり、自分が連載していた『週刊読売』のコラムに掲載した。

しかし、緒方の詫び状は「誤解を与えるような表現があったことについては、遺憾」という曖昧なもの。

しかも、緒方の告発にはある客観的な事実が含まれていた。

先に紹介したように、緒方は、児玉が金を受け取った際、そのうちの300万円を「この男の関係している出版社の株代金にする」と話したことを明かしているが、300万円との関係はともかく、ナベツネと児玉がそろってある出版社の株主に名前を連ねていたのは事実だった。

その出版社の名前は「弘文堂」という。もともとは明治30年創業の名門学術出版社だったが、1960年代はじめに経営危機に陥り、児玉誉士夫の一派に乗っ取られてしまう。

当時の弘文堂の新たな株主リストにはこんな名前が並んだ。

大橋富重、北海道炭礦汽船、東京スタヂアム、東日貿易、児玉誉士夫 中曽根康弘、渡邉恒雄。

筆頭株主の大橋富重は児玉や小佐野賢治とともに幾つかの経済事件にかかわり手形詐欺で東京地検に逮捕された人物。北海道炭礦汽船、東京スタヂアム、東日貿易もすべて児玉と親しいオーナーが所有していた企業だ。そして、児玉、中曽根、ナベツネの名前……。ようするに、児玉人脈一色の会社で、ナベツネは中曽根とともに株主になっていたのである。

それだけではない。当時の弘文堂には、ナベツネの実弟・渡邉昭男が代表取締役社長に就任していた。

そもそも、弘文堂乗っ取りには、ナベツネが最初から深く関わっていたとされる。ナベツネは弘文堂の前経営者と旧知の間柄で、最初の著作『派閥』も同社から出版していた。ところが、1960年ごろ、弘文堂は内紛にみまわれたうえ、経営危機に陥り、借金のかたに会社を取られそうになる。

そこで旧経営者に相談を受けたナベツネが、旧知の児玉誉士夫に依頼し、介入してきた暴力団や不動産会社を排除したのだという。

だが、その代わり、弘文堂には児玉人脈の資金が投入され、前述の面々が株主になってしまった。そして、ナベツネは児玉らと協力して前経営者を会社から追い出し、自分の弟を代表に据えるかたちで、同社の事実上の経営権を握った。

弘文堂とナベツネの間には、金の流れもあった。ナベツネは65年、千代田区番町にある豪華マンション「五番町マンション」の180平米にも及ぶ広さの部屋を購入している。登記簿によると、このマンションは、弘文堂とナベツネで共同購入するかたちとなっていた。持分は18分の10が渡邉恒雄で、18分の8が弘文堂だった。

購入の翌年、弘文堂は倒産し、その持分をナベツネが買い取っているが、弘文堂の株主を考えると、新聞記者としては、明らかにアウトな癒着といえるのではないか。

東京佐川・渡辺広康が裁判で証言 ナベツネの土地取引への関与

政界疑獄に登場する人脈との接点は、一政治記者時代だけではない。読売新聞社の社長になってからも、グレーな疑惑が持ち上がっている。

1992年に起きた東京佐川急便事件を覚えているだろうか。佐川急便グループの中核企業・東京佐川急便をめぐって金丸信への5億円をはじめとする政治家への巨額裏献金、暴力団、右翼団体への過剰融資が次々発覚。同社社長・渡辺広康らが特別背任容疑で東京地検特捜部に逮捕・起訴された事件だ。

ところが、その特捜部捜査の真只中だった2月、TBSの「ニュース23」などで、読売新聞社がJR新大阪駅前の社有地を佐川急便側に届出価格202億円で売却していたことが、報じられたのである。

TBSによると、当該土地の取引は1991年初めのことで、当時の実勢価格は158億円。佐川急便はバブル崩壊後、経営状態が悪化していたにもかかわらず、相場より50億円近くも高い金で読売から土地を買ったことになる。

同局のニュースはこの不可解な取引の背景を「読売新聞の渡邉恒雄社長と、東京佐川急便社長だった渡辺広康容疑者、トップ同士のコネクションが決め手で、大物政治家の影もちらついている」と解説した。

さらに、佐川急便グループ総帥の佐川清の「買った時は高かったんだけどもね、260億円かな」という証言もあわせて放送。この土地が、届出価格をさらに上回る金額で取引された可能性も示唆した。

読売は当時、租税特別措置法の期限切れが迫っていたことから、不用のこの土地を売り急いでいたというが、すでに当時から、佐川の政界タニマチぶりは有名だった。にもかかわらず問題企業の社長と交渉し、土地を高額で買ってもらったというのは、報道機関としてあり得ない行為で、当然、ナベツネの責任問題に発展すると思われた。

だが、ナベツネは売買を「正当な取引」だと主張し、渡辺広康とは「パーティで一、二回会っただけ、土地の話なんてしていない」「交渉も「担当部署が行っていて、自分は無関係」と報道を完全否定。読売新聞社として、TBSに1億円の損害賠償を求める訴訟を東京地裁に起こした。

当時のナベツネの剣幕は相当なもので、週刊誌の取材に対して「TBSはインチキばかり垂れ流す」「嘘八百を放送するような敵性会社に、わが神聖なる読売巨人軍の中継を許すわけにはいかん」と吠えまくり、販売店の会合の挨拶では「TBSの報道がデタラメだと証明されたら、磯崎洋三社長には辞めてもらいたい」とぶちあげた。

ところが、その剣幕とは裏腹に、読売がTBSを訴えた裁判は、95年、突然の和解で終結してしまう。

主な和解条件は、TBSが〈①当時の佐川清・佐川急便会長のインタビューを引用する形で、売買代金が二百六十億円であるかのような報道をした点、②百五十八億円が相場価格だと断定的に表現し、価格に疑問があるかのように報じた点、③「トップ同士のコネクションが決め手」「取引の背後に大物政治家の影がちらついている」と表現した点について「表現方法の誤り」を認める〉というもの。

読売は、会見を開き「全面的勝訴」を宣言したが、実際はTBSが「事実誤認」でなく「表現方法の誤り」を認める玉虫色の決着だった。

裁判は、TBSに佐川清の「260億円で買った」発言の真実性などを立証しきれていない点があり、報道した側に厳しい日本の名誉毀損裁判では、読売側が勝訴する可能性が高い、といわれていた。

にもかかわらず、読売がこんな和解内容を受け入れたのは、おそらく、判決で勝訴しても、報道の基本的な部分が事実と認定される恐れがあると判断したからではないか。

実際、この裁判では、土地取引の一方の当事者である元東京佐川急便社長の渡辺広康（91年7月に同社解雇）が93年7月、東京地裁の出張尋問に応じ、こう証言しているのだ。

「90年11月、首相経験者を含む政治家2人が同席した会食の中で、読売新聞の渡邉恒雄社長（当時副社長）から土地取引を持ちかけられた」

渡辺は具体的な名前をいわなかったが、「同席していた首相経験者」はナベツネの盟友・中曽根康弘だったといわれている。

この会食が行われた同じ日、東京プリンスホテルで太刀川恒夫の東京スポーツ新聞社社長就任を祝うパーティーが開かれていた。太刀川といえば、児玉誉士夫の秘書として戦後の裏面史に暗躍した人物だ。

パーティーには、旧児玉系右翼幹部が勢揃いしていたが、乾杯の音頭をとったのがナベツネ、最初にスピーチをしたのが中曽根だった。そして、会場には、旧児玉系右翼に280億円もの乱脈融資をしていた東京佐川の渡辺広康の姿もあった。

TBSは3人がこのパーティーから抜け出して、千代田区内の料理屋で土地の交渉をしたと見ていた。

いずれにしても、ナベツネが政治家同伴の席で、土地の話を持ち出したことを、当事者である元東京佐川・渡辺が裁判で証言していたのである。取引金額がいくらだろうが、これだけでも報道機関のトップとして許される行為ではないだろう。

許永中がらみの汚職政治家、中尾栄一のファミリー企業取締役に

佐川急便との土地取引問題から8年後の2000年には、贈収賄事件で逮捕された政治家のファミリー企業に関与していた問題も持ち上がっている。

その政治家とは元建設相の中尾栄一だ。中尾は2000年6月30日、建設省発注の工事をめぐり、中堅ゼネコン・若築《わかちく》建設から6000万円の賄賂を受け取ったとして、東京地検特捜部に受

託収賄容疑で逮捕された。若築建設は許永中の裏金づくりの舞台になった石橋産業の子会社で、中尾への賄賂は許永中の政界工作の一端ともいわれた。

問題は、逮捕当日、中尾の地元・山梨県甲府市に本社を置く「日本ネットワークサービス（以下・NNS）」という会社が同容疑で特捜部から家宅捜索を受けたことだった。

NNSは山梨県内約18万6000世帯が加入する大手ケーブルテレビ局だが、以前は中尾栄一の典型的なファミリー企業だった。当時の経営陣は、代表取締役会長が中尾栄一、社長が長男・嶺一、取締役に姉の栄子。しかも、NNSの東京支社は、石橋産業の発行小切手を裏書きするなど、事件の鍵を握る中尾の政治団体「東京山栄会」と同住所にあった。

「当時、特捜部はNNSの子会社が裏金づくりに関わっているのではないかと見て、ガサ入れをしたようだ」（当時の司法担当記者）

ところが、マスコミ各社がこのガサ入れでNNSの法人登記簿を取り寄せたところ、驚きの事実が判明する。取締役欄に「渡邉恒雄」の名前が記載されていたのである。

たしかに、中尾はナベツネの盟友・中曽根康弘の腹心中の腹心で、ナベツネとも非常に親しい関係にあった。ナベツネが政局を動かす際の料亭密談にもしばしば同席しており、たとえば、98年に自自連立を仕掛けた際も、野中広務との料亭での会談に中尾を「見届け人」として同伴していたと報じられている。

しかし、親しい政治家とはいえ、報道機関のトップが、汚職政治家のファミリー企業の取締役を務めているとは……。さらに、驚かされたのは当時のNNSの株主だった。筆頭株主は約76万株を保有する中尾栄一だったが、その中尾に次ぐ大株主が読売新聞社だったのである。

ところが、当時、新聞・テレビはもちろん週刊誌もこの事実を一切報道しなかった。唯一、休刊したスキャンダル雑誌『噂の眞相』だけがNNSの元役員に取材をしたうえで、ナベツネが取締役になった事情を記事にしている。

同誌によると、NNSは設立時から中尾が代表取締役だったが、オーナーではなく、山梨放送と当時の同社社長・野口英史がほとんどの株を持っていた。ところが、野口が亡くなると、中尾が大幅な増資を行って筆頭株主になり、会社を乗っ取ってしまったのだという。

実際、NNSは81年から88年の間に資本金を2000万円から10億6000万円と、50倍以上に増資しているのだが、この過程で多額の増資を引き受けたのが、読売新聞社だった。

読売はNNSに、85年、87年、98年、合計3億8592万円を出資したとされているが、最初の出資は、ナベツネが専務になってまもなく、読売新聞の経営実権をほぼ握ったといわれていた時期だ。そして、副社長に昇格した翌年の88年、NNSの取締役に就任している。これは偶然なのだろうか。

　当時、『噂の眞相』がこの問題を読売新聞社に直撃したところ、同社広報部はこんな回答を返している。

「出資決定の細かい経緯などについては、15年も前のことなのですでに関係書類が廃棄されており、つまびらかではありませんが、85年当時はニューメディアブームでCATVが注目された時期で、将来のメディア戦略の一環として位置付けられました。正当な企業活動であり、中尾氏の個人的な問題とは無関係と考えております」

　たしかに、地方のCATV局に大手テレビ局などが出資するケースは珍しくはないし、NNSにも山梨に系列局を持たないフジテレビやテレビ朝日が出資していた。

　しかし、読売グループの日テレは山梨に系列局があるうえ、NNSへの出資は日テレでなく、なぜか読売新聞が行っている。

　また、新聞社の出資がおかしくないとしても、巨大メディアが関連会社に役員を送り込むのは平取締役以下のクラスが普通だ。大新聞社の副社長や社長がわざわざ地方のCATV局の取締役に名前を連ねるというのは、あまり聞いたことがない。

　しかも、当時、NNSはその社屋に6億円の抵当権がつけられるほどの経営危機に陥っており、読売の巨額出資は同社の経営難を救っていたことになる。

　こうした同社への〝特別な肩入れ〟を見ていると、背景に〝ナベツネと中尾の関係〟があったのではないかと疑わずにはいられないのである。

〝異論を許さぬ独裁〟による恐怖支配
タブー化した〝メディアの帝王〟

　たんなる政治家との癒着、政治介入だけでなく、疑惑との接点まで……しかし、渡邉恒雄という人物には、そういったことよりもさらに重大な「罪」があるのではないか。

　それは、「一切の異論を許さない独裁者」という体質だ。

　NHK『独占告白～』でも、それを象徴する映像が放送されていた。

　読売新聞社内の会議室に、神妙な表情でずらりと並んだ年配の男たち。上座に座るナベツネが彼らに向かって演説をぶつ様子が映し出され、そこに「毎週、最高幹部が一堂に会する『社論会議』。渡辺は今も議長として、社論や編集方針を指示している」というナレーションが入る。

　その少しあと、画面はナベツネのインタビューになり、聞き手の大越が媚《こ》びるように「主筆は天職だと思われますか？」と質問すると、ナベツネはこう明言するのだ。

「天職だと思いますね。僕のいっていることはね、そういうことについては正しいと思ってるの。間違ってることいってると思わない。僕が先頭に立って色々な社論を僕が書きますよ。これが読売の社論である。これに反対する者はだめだ。それは統制しますよ。そうしなかったら新聞は成り立たん」

そう、〝俺のいうことはすべて正しいから、方針はすべて俺が決める、下の者はそれに従っていればいい、逆らうことは許さない〟というのがナベツネの思想なのである。

実際、ナベツネは論説委員長、専務になった頃に事実上、読売新聞の社内を制圧。以来、紙面の方針から人事に至るまでほとんどすべてを独断で決定し、自分に従わない者はすべて排除する恐怖政治を敷いてきた。意に沿わない記事、自分の親しい政治家を批判する記事は印刷寸前でも没にして記事を差し替え、異論を口にする担当者は片っ端から左遷し、社外に追いやる。

その結果、読売新聞は政治部も社会部も経済部もすべてナベツネのイエスマンで固められ、「上の命令には絶対に従う」体制が出来上がった。その後、副社長、そして社長、会長になると、独裁と恐怖支配はさらに強化され、今では、ナベツネがわざわざ細かい命令を出さずとも、記者たちが競うようにその意向を忖度《そんたく》して、自社のトップが支持する政治家の批判を控え、率先して権力に協力するようになっている。

安倍政権が森友・加計学園問題に揺れた2017年、『読売新聞』は加計問題を告発した前川喜平文科省元事務次官の〝出会い系バー通い〟というフェイクニュースを報道し、世論の批判を浴びたが、このケースは、〝権力への忖度〟が組織の隅々に浸透している証明といっていいだろう。

ナベツネはその独裁によって、日本最大の部数を誇る大新聞からジャーナリズム精神を奪い、自分の主張や権力が出す情報を自動的に流すただの〝拡声装置〟に変えてしまったのだ。

いや、『読売新聞』だけではない。前述した政府の審議会や会長を務めた新聞協会でも、あらかじめ反対意見を強引に封じ込めて、政策や方針を自分が支持する権力に都合のいいように、歪めてきた。

プロ野球でも、読売巨人軍のオーナーとして、独裁の限りを尽くした。監督人事などに露骨に介入したのはもちろん、日本プロ野球機構に対しても巨人に有利な制度を強硬に主張。2004年、球団削減の動きを受けて選手会がストライキをした際には、「オーナーに直接会いたい」といった選手会会長・古田敦也に対して「無礼なことをいうな、たかが選手が」と暴言を吐き、プロ野球ファンから猛批判を受けた。

一部には、東大時代の共産党細胞の活動歴と関連づけ、ナベツネの行動原理のベースに〝前衛思想〟があると分析する向きがあるが、ナベツネの独裁はそんなレベルの問題ではない。

ナベツネは、小渕政権時代に前掲『メディアと権力』著者の魚住昭の取材を受け、こう言い放っている。

「世の中を自分の思う方向に持ってい

こうと思っても力がなきゃできないんだ。俺には幸か不幸か一千万部ある。一千万部の力で総理を動かせる。小渕総理とは毎週のように話すし、小沢一郎ともやってる。政党勢力だって、自自連立だって思うままだし、所得税や法人税の引き下げだって、読売新聞が一年前に書いた通りになる。こんなうれしいことはないわね。これで不満足だなんて言ったらバチが当たるわ」

こうした言動から伝わってくるのは、むしろ、プーチンのような個人独裁への欲望だ。この老人は、新聞やプロ野球やこの国の政治を、自分が自由に使えるおもちゃだと考えているのではないか、とさえ思えてくる。

しかも、恐ろしいのは、その独裁によって、ナベツネの暴走と誤謬を誰も批判できなくなっていることだ。

これは読売社内だけの話ではない。消費税の問題を見てもわかるように、新聞は息も絶え絶えの業界の利益を守るためにナベツネの政治力に頼り、テレビ局も巨人戦の中継など読売グループとさまざまな利害関係があるため、ナベツネの顔色を窺《うかが》わざるをえなくなっている。

また、TBSによる佐川急便との土地取引報道の顛末が示すように、ナベツネは自身に対する批判や疑惑が報じられると、読売新聞社をあげて徹底的に抗議し、告発者に圧力をかけてくる。相手が訂正や謝罪に応じない場合は、損害賠償請求訴訟を起こすことも厭《いと》わない。週刊誌までがそれに怯えて、ナベツネの批判や疑惑追及に二の足を踏むようになってしまっている。

実際、佐川急便との土地取引を本格的に後追いした報道、中尾栄一のファミリー企業との関係を取り上げたマスコミは皆無だった。2012年11月には『週刊文春』がナベツネの運転免許の不正更新問題を報じたが、このときもナベツネの現秘書部長の日記という物証があったにもかかわらず、文春以外のメディアはどこも触れていない。

そう。ある時期から、ナベツネはマスコミの間で完全な「タブー」になってしまったのだ。

近年のNHKをはじめとする回顧録・評伝が批判的視点のない〝武勇伝〟のようなものばかりなのも、そのことと無関係ではないだろう。

冒頭にも書いたように、戦後政治を牛耳ってきた〝最後の大物フィクサー〟渡邉恒雄も98歳。そう遠くない先、泉下の客となる。

しかし、そのとき、メディアが流す夥《おびただ》しい数の追悼特集や回顧報道はこの人物をどう総括するのだろうか。

現状を見る限り、本稿が指摘した「罪」や「裏面」にまで踏み込む動きが出てくるとは、あまり思えないのだが……。

(敬称略)

*参考文献:『渡邉恒雄 メディアと権力』(魚住昭・講談社文庫)、「渡邉恒雄『中曽根クンは俺が育てた』」(大下英治・『現代』1984年8月号)

希代の右翼フィクサーと日本船舶振興会の裏歴史

笹川良一

公営賭博「競艇」の巨大な寺銭利権をなぜ独占できたか

元A級戦犯容疑者の右翼が戦後、公営ギャンブルの寺銭利権をなぜ独占できたのか？　笹川帝国（現・日本財団）の錬金術、政治力の秘密。

黒井文太郎▼国際政治評論家・ジャーナリスト

昭和の頃、毎日夕方になるとテレビで大量に流れていた奇妙なCMがあった。目つきの鋭い老人が「戸締り用心、火の用心～」との歌が流れるなかを、当時の人気力士・高見山や大勢の子供たちと一緒に練り歩き、「人類みな兄弟、一日一善！」と叫ぶシリーズだ。最後に競艇のシーンに切り替わり、「モーターボートの収益金は防犯防火のために役立っています」とナレーションが入り、このCMが日本船舶振興会（現「日本財団」）と日本防火協会（現「日本防火・防災協会」）のものであることが紹介される。ときには『人類みな兄弟』という本が紹介されることもある。

この老人は、日本船舶振興会と日本防火協会の会長だった笹川良一。『人類みな兄弟』の著者は笹川だ。日本防火協会は、日本船舶振興会の助成で成り立っている財団法人で、つまり日本船舶振興会がこのCMの「財布」である。

日本船舶振興会は公営ギャンブル「競艇」のアガリ（寺銭）を公共目的で使うために設立された唯一の財団法人である。公営ギャンブルが原資なので、あくまで公共のために使うべきカネだが、このCMはまるで笹川自身の宣伝のような内容だった。

笹川良一は、元A級戦犯容疑者の右翼の大物として知られていた。戦後の日本で政財界に強い影響力を持った戦争関係者は他にもいるが、たいていは「黒幕」「フィクサー」として陰の存在に徹していた。しかし、笹川のようにCMにまで出演し、目立つことを好んだ右翼フィクサーは珍しい。

じつは筆者は、駆け出しの週刊誌編集者だった頃に、笹川を取材したことがある。個人の取材ではなく、笹川が主宰するイベントの取材に編集部から駆り出されたのだ。笹川サイドから会社の上層部に取材依頼が入り、断れなかったらしい。新入社員だった筆者がいわば〝義理がけ〟のために動員されたのだった。笹川は目立ちたがり屋で、しかもマスコミ業界に強い影響力を持っていた。

笹川の力の源泉は、公営ギャンブル・競艇の利権を一手に握っていたことだ。公営ギャンブルの施行者は地方自治体(地方公共団体)だが、寺銭を自身の裁量で使う仕組みを個人でがっちり押さえており、その財力により政財界で隠然たる影響力を手にしていた。競走系の公営ギャンブルには他にも競輪、競馬、オートレースがあるが、個人が利権を独占したのは競艇だけである。

日本船舶振興会を中心に、競艇の収益からは他にもいくつかの公益財団法人が作られているが、国際平和協力を目指す笹川平和財団、あるいはスポーツ振興を目指す笹川スポーツ財団など、堂々と「笹川」の名前を付けた組織すらある。公共目的のある団体には違いないが、原資は公営ギャンブルであり、笹川ファミリーのカネで運営されているわけではない。笹川良一は1995(平成7)年に亡くなったが、「笹川帝国」は三男の陽平が継承している。公営ギャンブルの利権が世襲されたわけである。笹川良一はいかにしてこの帝国を築いたのか、その実に興味深い足跡を振り返ってみよう。

山師的な商売人から「児玉機関」設立の黒幕に

笹川は1899(明治32)年、大阪府三島郡豊川村(現・箕面市)で生まれ育った。地元の尋常高等小学校を卒業し、家業の造り酒屋を手伝った後、20代の頃は大阪でさまざまな商売に手を出している。株売買、雑誌出版、芸能事務所などを経営。当時はまだ右翼活動はしておらず、出発点は山師的な商売人だった。

芸能事務所社長をしていた30歳の時、右翼グループ「関西浪人会」の7歳下の暴れ者と知り合う。後々まで笹川の側近となる藤吉男だ。当時、カネに困っていた藤を笹川が助け、両者は急接近。1931(昭和6)年に藤が右翼結社「国粋大衆党」を作ったとき、笹川を総裁に担ぎ出した。ここから笹川の右翼活動家歴が始まる。

笹川は当時から目立ちたがり屋で、大仰な活動で世間の耳目を集めた。党員に揃《そろ》いの黒い国防服を着せ、街中で盛んに集会をして気勢を上げた。32(昭和7)年に満州国が誕生すると現地に飛び、執政・溥儀《ふぎ》と会談して新聞に大きく取り上げられたりした。

他方、笹川はもともと山師的商売人なので、当時から株買い占めによる会社の乗っ取りを盛んに行い、それなりの利益を上げていた。トラブルから恐喝で捕まったこともあったが、儲けたカネで軍に接近した。笹川は自ら操縦技術を会得するほど飛行機好きで、軍でもとくに航空部門関係に人脈を広げた。地元・大阪の財閥からカネを集めるなどして、飛行場を軍に提供するなどしている。

こうして軍部に人脈を広げた笹川は40（昭和15）年、海軍の山本五十六の尽力で自らイタリアへ渡り、ムッソリーニ首相と会談して世間を驚かせた。こうした派手なパフォーマンスで、国粋大衆党の党員は1万5000人に拡大した。数ある民間右翼団体の中では、堂々たる勢力といえた。42年（昭和17）年、東條英機内閣が翼賛選挙（内閣推薦候補人の選挙）を実施すると、笹川は立候補し当選、衆議院議員も務めた。

この時期の笹川は、盛んに中国大陸に足を延ばし、上海などで長期滞在している。軍との太い人脈を活かして資金集めをしていたと思われるが、活動内容はよくわかっていない。一方でこの頃、国粋大衆党で面倒をみていた児玉誉士夫を海軍航空本部に紹介して、上海で戦略物資調達機関「児玉機関」を作らせている。その活動に笹川がまったく無関係ということは考えにくい。

またその頃、笹川が関係を持ったと噂された女性に、川島芳子がいる。川島はもともと清朝の皇族の王女だが、幼児期に日本人右翼・川島浪速《なにわ》の養女となった女性で、後に日本軍の上海駐在武官の情婦となり、上海社交界でスパイとして活動した。「東洋のマタ・ハリ」あるいは、軍装を好んだことから「男装の麗人」とも呼ばれ、当時から日本でも名を知られた有名人だった。笹川がそんな女性と浮名を流したとすれば、多方面で行動力があったということだろう。

国粋大衆党総裁の笹川良一（中央）。山本五十六の仲介でイタリアへ渡り首相のムッソリーニと会談した帰路、台湾での撮影

政治指導者としてのハクヅケ!? A級戦犯容疑者を名乗り出る

終戦後、笹川はA級戦犯容疑者となるが、なんと自ら志願して容疑者となっている。笹川の評伝『破天荒　人間笹川良一』（山岡荘八著・有朋社）

によると、笹川は一貫して東條政権に反対していたため、もともとはA級戦犯容疑者ではなかったが、己の政治指導者としての〝勲章〟を求めたのか、戦犯になることを決意する。故意に目立つようにGHQ批判の発言を続け、結果、本人の望みどおりにA級戦犯容疑で巣鴨プリズンに収監された。

当時の面白いエピソードがある。収監時、笹川は銀座の事務所にデカデカと「笹川大国士歓送」と描いたのぼりを立てたトラックを並べ、音楽隊に軍艦マーチを演奏させて、凱旋パレードのようにして巣鴨プリズンに到着したのだ。政治指導者としての大物ぶりをアピールする意図だろうが、そんなことをするA級戦犯容疑者はいなかった。

笹川は実際には戦争指導に携わっていなかったので、不起訴となって48（昭和23）年に釈放された。巣鴨プリズン収監中にGHQの情報部「G－2」（連合国軍最高司令官総司令部参謀第2部）と懇意になり、日本の主権回復後にはCIAと協力関係を結んだと囁《ささや》かれたこともあるが、現時点までに公開されている米国側の機密解除文書などによれば、密接な関係性は証明されていない。

巣鴨プリズンから釈放された笹川は、すでに51歳になっていたが、50（昭和25）年、畑違いの活動を始める。それが競艇事業の創設だった。

後に笹川は競艇の利権を手中に収めるが、それは笹川が発案者だったからではない。競艇の創設には多くの人が関与したが、主導権争いなどで関係者が次々と去っていき、最後に残ったのが笹川だったという経緯がある。笹川自身は、競艇のアイデアは自分のもので、「巣鴨プリズンで読んだ米誌『ライフ』の記事で着想を得た」と公言しているが、事実ではない。

終戦後の日本では、経済の再生を図るにあたり、自治体の復興財源の確保を目的に、競走系の公営ギャンブルの設立アイデアを持つ人物は少なくなかった。競艇創設については、最初は船舶関係者から、党人派の有力議員・大野伴睦《ばんぼく》に持ち込まれたが、実現しなかった。

同じ頃、皇族の系譜を自称する60代の福島世根という女性も、さまざまな政治家に競艇の構想を持ちかけていて、その流れで笹川を引き入れたようだ。2人で競艇の実現に動き出すが、当時の笹川には、必要な法規を国会等で成立させるために政治家や官僚を動かす力がまだなかった。そこで2人が頼ったのが、右翼理論家の矢次一夫だった。

公営ギャンブルの利権を独占する途方もない離れ業

笹川と同年齢の矢次は、もともと右翼理論家・北一輝の門下生だったが、労働運動問題の専門家として頭角を現し、そこから陸軍統制派のブレーンとなり、やがて大政翼賛会を事実上、取り仕切った人物だった。矢次は政官界に広く人脈があり、根回し工作を担当した。その働きのおかげで、51（昭和26）年、競艇事業を公認するモーターボート競走法案が国会に提出された。矢次の工作で主要3党に推進議員を立て、有力者の大野伴睦も引き込んで政界工作は進められた。

当時、すでに競馬や競輪は始まっており、自治体に大きな利益をもたらしていた。競艇の寺銭を復興の原資にという大義名分はあったが、国会は紛糾した。それでも法案は同年に可決され、ようやく競艇事業はスタートした。

しかし、事業の主導権争いが二つの陣営に分かれて勃発する。各陣営が根城にした場所の名前をとって「歌舞伎座派と銀座派の対決」と言われた。歌舞伎座派は法案成立に動いた政治家と天下り官僚が中心で、運輸大臣や大野伴睦を後ろ盾にした。前出の福島世根は歌舞伎座派についた。

他方、銀座派の本拠は笹川事務所で、笹川と矢次を中心に、矢次の人脈で財界人を多く引き入れていた。両者の主導権争いは、右翼を動員する熾烈《しれつ》な抗争に発展し、最終的に笹川ら銀座派が全国組織を手に入れた。笹川の側近だった藤吉男が動員した右翼たちの圧力が勝った結果だったと言われる。

右翼理論家で北一輝の門下生だった矢次一夫。競艇事業の政界工作を行った黒幕

そして、競艇の実施機関の全国組織「全国モーターボート競走会連合会」（現・日本モーターボート競走会）の運営委員長には矢次が、競技委員長には笹川が就任した。会長には矢次の人脈の財界人が就いたが、実質的に矢次と笹川の組織になった。対する歌舞伎座派は、最大の地方実施機関である「東京都モーターボート競走会」を確保したが、財政面ですぐに行き詰まり、銀座派に買収され、笹川が会長に就いた。

公営ギャンブルは大きな利益が見込めるが、新規の大型事業をローンチし、軌道に乗せる経営手腕が必要だ。カネの回し方は、政治家や天下り官僚よりも、笹川の方が上手だった。一方で、ライバルと路上で押し合うような現場の抗争では、藤の右翼人脈がものを言う。こうして競艇事業の中心に、笹川と藤がいっきに上り詰めた。法案成立で決定的な働きをした矢次もいたが、矢次は理論家であり、有力者と有力者を引き合わせて政財界を動かすフィクサー的な人間だ。経営にはまったく無頓着で、やがて競艇事業から去った。

そして前述したように、全国モーターボート競走会連合会の初代会長には矢次の人脈の財界人が就いたが、その人物も排除され、55（昭和30）年、同連合会会長に笹川が就任する。笹川と藤は、ほぼ全国の頂点に立ったのだ。競艇事業が軌道に乗れば、莫大な収益、いわゆる博打の寺銭が生まれる。笹川はそのカネの流れを、自分の影響下に置くことに尽力し、それを成し遂げた。笹川の真の凄さはそこにある。公営ギャンブルの寺銭の利権を個人で独占する途方もない離れ業を、50歳を過ぎてから一代で成し遂げたのだ。そのカラクリは主に三つあった。

国庫に入るべき交付金を握り振興会の財産は100倍に!

一つ目は、競艇の運営費を最終的に吸い上げる仕組みだ。公営ギャンブルの収益の多くは自治体に入り、財政予算に回される。だが、それ以外にも莫大な運営費が生じる。たとえば、いくつかの競艇場では自治体が土地を民間から借りるが、笹川のファミリー企業が、その貸主になる。あるいは舟券券売機の販売・維持もファミリー企業が請け負う。舟券の印刷、ボートとエンジンの製造、ボートの貸付、有線TVの運営、その機材の貸し出し、広告・宣伝など、競艇の運営に関わる業務の多くを、笹川のファミリー企業が独占するのだ。

モーターボート競走法では、競艇の運営主体は都道府県と一部の市町村とされたが、実際のレースの開催は「競走実施機関」に委託される。その機関こそ、笹川が会長だった全国モーターボート競走会連合会と、その傘下にある全国の各競走会だった。そこを押さえれば、運営に必要な取引先の選定は自在だ。自治体には介入できない。

二つ目のカラクリは、全国の寺銭を、笹川が君臨する全国モーターボート競走会連合会がすくい上げる仕組みだ。51(昭和26)年にモーターボート競走法が成立した時は、他の競走系公営ギャンブルと同様に、売上げの約3%を国庫に納入する決まりだった。しかし、54(昭和29)年から全国モーターボート競走会連合会に交付金として入る仕組みに変わる。近い将来にまた変更されるとの見通しの元に、1年間の期限付き暫定措置だった。

しかし、その暫定措置が毎年延長され、実質的に上納金の「カラクリ」になった。じつは、50年代にいくつかの地方組織がその上納制度に反発し、納付を拒否したことがあったが、笹川は運輸省(現・国土交通省)を使って、指導強化の名目で地方介入権限を強化し、鎮圧したという。

三つ目のカラクリは、これがもっとも大きな利権になるのだが、収益の公共目的の使用ルートを、笹川が押さえたことだ。

モーターボート競走法では、競艇の収益を船舶関連事業支援、あるいは福祉事業や国際協力事業に使う「船舶等振興機関」を全国で一つだけ指定するとある。そこでまず59(昭和34)年、造船事業や海難防止事業への補助を行う財団法人日本船舶工業振興会が設立され、そこが62(昭和37)年に、それ以外の多くの公共のための事業を補助する財団法人日本船舶振興会に改編された。会長には笹川が就任した。

つまり、競艇は公営ギャンブルで、収益は公共目的に使うこととされるが、自治体に支払った後の残りの取り分を、どう配分するかを采配する財団法人のトップのポストを笹川が手にしたのだ。これにより、公共目的の資金が継続的に、笹川が牛耳る財団法人日本船舶振興会に入る仕組みができた。この資金は、もちろん公共目的に使用するわけだが、どこにどう補助金を出すかなどは笹川の裁量次第となる。

しかも、その資金が巨額だ。『ルポ権力者 その素顔』（鎌田慧著・講談社文庫）によると、たとえば80（昭和55）年の競艇の総売上げは年間1兆5500億円で、払戻金は1兆1500億円。差し引き4000億円が残るが、そこから運営費その他を引いた500億円が日本船舶振興会に交付金として支出されている。本来なら国家財政に組み入れられるべきこの巨額の資金が、笹川が独裁的に権力を持つ財団法人に、安定的に入金されるのだ。

そして、そのすべてが支出されるわけではない。日本船舶振興会自体が資産を大幅に増やしている。同書によれば、同財団設立時の62（昭和37）年の基本財産は1億3500万円だったが、20年後には110億7600万円と100倍近い金額に増えている。資産も設立3年目の65（昭和40）年は43億円だったが、80（昭和55）年には1245億円に。財団は大きく潤ってきたことになる。

儲けには、巨額の銀行貸付けから得られる利子もある。同書によると、当時の年間予算744億円の50％強の400億円が銀行経由で造船関係先への貸付金に回されていたという。それを含めて当時の貸付資金の総額は760億円で、そこから巨額の利子が発生している。利ざやを稼ぐ銀行にとってもきわめて旨味のあるシステムで、金融業界では「笹川さんからお金を借りた」という意識が浸透していたとのこと。

つまり笹川は銀行に対しても絶大な影響力を持ったのだ。

競艇事業の独占で手にした二つの大きな政治力

これほどの利権の集中は、公営ギャンブルでは他に例がない。じつは当時、運輸省でもさすがに問題視する声はあり、日本船舶振興会の設立にあたっては、運輸省管轄の特殊法人化を狙っていた。財団法人なら、人事や運営は監督省庁から承認を得れば済むが、特殊法人化すれば、国の予算が付くかわりに、監督省庁の監督権が大幅に強化される。現に、他の公営ギャンブルでは、競馬の中央競馬会や競輪の日本自転車振興会、オートレースの日本小型自動車振興会は特殊法人だ（後二者は統合されて現在は財団法人ＪＫＡ）。

監督官庁からすれば、自分たちの決定権を強められれば、競艇の利権を笹川から運輸官僚が奪取できる。笹川は日本船舶振興会の会長から外され、全国モーターボート競走会連合会という実施機関のみのトップになる。収益のアガリは官僚が牛耳る日本船舶振興会が吸い上げることになる。

しかし、もちろん笹川はそれに全力で抵抗した。息のかかった国会議員を使って、国会で運輸省に圧力をかけた。地方組織にも、地元選出議員を使って運輸省に圧力をかけさせた。そして最終的に笹川は運輸省との綱引きに勝利した。

だが、どうやって笹川が勝利できたのか、実際のところは不明だ。カネを広範囲にばら撒いたのか。あるいは右翼を使って何らかの圧力をかけたのか。笹川は人脈的に岸信介と近く、最初に日本船舶工業振興会を作った時の政権が、岸政権だったことが有利に働いた可能性はある。しかしその後、日本船舶振興会に組織が改編されたのは岸政権の退陣後で、笹川とはあまり近くない官僚派の池田勇人政権の時代だった。いろいろと噂はあったが、真相はよくわかっていない。日本船舶振興会の理事ポストには、運輸省高級官僚の天下りも多く受け入れたが、懐柔策にはなっても、利権独占の決定打になったのかどうかは定かでない。

いずれにせよ、この日本船舶振興会の独裁的な会長ポストを、事実上の終身ポストとして手にしたことで、本来なら国庫に入るべき公営ギャンブルの寺銭の一部を、笹川は自分の意のままに使う力を手に入れたのだ。

このことは笹川に二つの大きな力を与えた。一つは直接的にカネを使う力だ。というのも、日本船舶振興会の補助資金は、笹川の関係団体に優先的に支出されたからだ。笹川が会長を務めるブルーシー・アンド・グリーンランド財団（自然体験活動を通じた健康増進目的で体育館やプールなどの施設を持つ「B&G海洋センター」を全国に建設・運営する組織）、日本吟剣詩舞振興会、全日本空手道連盟、航空公害防止協会、航空保安協会、航空振興財団、ライフ・プランニング・センター、日本造船振興財団、日本造船研究協会などに多額の補助金が供与され、直接的に笹川帝国の力を強めるカネになった。

もう一つは、それ以外の分野の補助事業で、関係する企業、政治家、官僚などに強い影響力を発揮できたことだ。日本船舶振興会で独裁的な権力を持つ笹川が采配する補助事業は、船舶振興関連事業だけでなく、保健事業や国際平和協力事業など、多岐にわたる。東京・お台場の「船の科学館」の運営など船舶振興関連事業にも回されるが、他にもかなりの額がハンセン病患者の救済や医療・福祉事業への助成、海外の天然痘撲滅への協力などに支出された。そして、それら福祉事業に関与する政治家や企業は数多く、笹川が采配する資金は大きな影響力を持った。また、国際協力事業にもやはり特定の政治家、あるいは海外進出企業が深く関与しており、そこにも資金が流入した。

こうした資金は、日本船舶振興会の補助事業として、公共目的で使われた部分は多いが、やはり笹川良一の個人的な繋がりから支出先が偏向していたし、笹川の思惑で恣意的に使うことができた。そして冒頭に紹介したテレビCMのように、公営ギャンブルのアガリを元手にした慈善事業を、笹川はまるで自分の手柄のように喧伝したのだ。

世界中で寄付金をばら撒き 本気でノーベル賞を狙っていた

笹川はその後も、自己顕示丸出しに、さまざまな事業にカネを出し続けた。78（昭和53）年に笹川が会長になって行われた宇宙科学博覧会では18億円もの赤字を出したが、運輸省船舶局長の要請で、競艇の施行自治体が多額の寄付金を出して補填《ほてん》したという。

笹川老人のスタンドプレーはますます加速された。79（昭和54）年、笹川は国連本部で国連事務総長から感謝状を贈呈され、スイス・ジュネーブの世界保健機関（WHO）本部に胸像が飾られた。キュリー夫人に続いて、世界で4番目の胸像だった。笹川は、本気でノーベル賞受賞を狙っていたと言われる。

こうした暴走に苦言を呈する人が、まったくいなかったわけではない。79年（昭和54）年には森山欽司運輸大臣がやんわりと引退を勧めたが、笹川は聞く耳を持たなかった。翌年には、長年の側近だった前出の藤吉男全国モーターボート競走会連合会副会長兼東京都モーターボート競走会会長が、さすがに笹川個人の自己顕示が過ぎると考えた関係者たちから、笹川引退の道筋をつけるように促されて動き出した。

この時の藤の行動には、笹川もかなり動揺したらしい。藤は実力者であるうえ、笹川の右翼人脈の要《かなめ》だったからだ。たとえば当時のメディア業界では、笹川のバックにはコワモテの右翼ネットワークがあると恐れられていたが、そのネットワークは笹川のものではなく、藤のものだった。しかし、この直後、藤吉男は急死した。藤が握っていた要職は笹川の三男・陽平が継ぎ、これで笹川に意見できる人間は誰もいなくなった。笹川は世界各国に寄付金をばら撒《ま》き、各国でさまざまな名誉称号を受けた。日本でも、87（昭和62）年に勲一等旭日大綬章を受勲している。

だが笹川良一は、ノーベル賞受賞の夢半ば、95（平成7）年に96歳で死去した。笹川は、日本の裏面史においては突出した人物だ。戦前から戦中、さらに戦後の昭和期にかけての長期にわたって日本の右翼界に大きな足跡を残し、とくに戦後の日本政財界に大きな影響力を持った。

もっとも、彼の力の源泉は、なにより公営ギャンブル・競艇の利権を個人で独占したことだった。他の昭和のフィクサーたちの多くが、政財界や裏社会での人脈を武器に、いわば仲介役として動いたことで存在感を得てきたのに比して、笹川は自ら手に入れた利権の影響力が圧倒的な武器だった。

　こうしてその足跡を振り返ると、彼は思想や人望による求心力で大物になったというより、機を見るに敏な独特の優れた嗅覚でのし上がってきた人物であることがわかる。しかも、その人並外れた行動力の源泉には、自己顕示欲を満たそうとする激しい渇望が最初から備わっていたことも見て取れる。これだけ特異な「黒幕」は、日本ではもう現れないだろう。

笹川陽平が〝世襲〟した公営ギャンブルの巨大利権

　ところで、公的要素が強い笹川資金の不健全な特徴としては、世襲という面も無視できない。前述したように、笹川の影響力は三男・陽平が受け継いだ。陽平は全国モーターボート競走会連合会会長、日本造船振興財団（現・海洋政策研究財団）理事長、さらに日本財団（旧・日本船舶振興会）理事長を歴任。現在は同財団会長に加え、笹川平和財団名誉会長、東京財団顧問なども務めている。

　また、陽平の兄である笹川家の次男・堯《たかし》は、全国モーターボート競走会連合会職員や桐生競艇役員などを経て、86（昭和61）年から衆議院議員となり、2009（平成21）年まで務めた。その間、科学技術政策担当大臣、衆議院予算委員長、自民党総務会長などを務めた。ちなみに笹川堯は国会議員の資産公開で、93（平成5）年になんと約41億円という全国会議員トップの超資産家であることが判明している。

　笹川の後継者である三男・陽平は、さすがに父・良一のような発言力は持っていないが、まったくないわけではない。たとえば筆者のカバー領域である国際政治分野でいえば、ミャンマー情勢がそうだ。現在、ミャンマー軍事政権は同国内の民主派を暴力で弾圧し、国際社会から非難されている。しかし、日本政府は西側主要国としては突出してミャンマー軍事政権と親密な関係にある。本来なら「それでいいのか」と議論になるところだが、日本のメディアでのミャンマー問題の扱いは小さい。

　背景には、麻生太郎自民党副総裁のような有力者がミャンマー軍事政権と良好な関係にあるという政界事情もあるが、笹川平和財団の陽平名誉会長が長年、ミャンマー支援に深く関与してきた事情もある。陽平の各関係財団は、日本の学術振興、とくに国際政治分野の学術振興に尽力しているため、日本の国際政治学者の一部はミャンマー問題への日本の関与に関して発言しにくいという特殊事情があるのだ。

　父・良一の時代と違い、現在の日本財団はかなり透明性が強化されており、前述したように筆者のカバー領域である国際政治分野での貢献度の高さは疑いない。だが、笹川という個人名がいまだに財団名に使われているように、笹川ファミリーの慈善事業色は健在だ。公営ギャンブルが資金源であり、たとえば佐治敬三のサントリー文化財団とは違うはずだ。

岸信介とともに統一教会の大きな後ろ盾に

最後にもう1点。笹川良一の戦後の国際的な人脈についても触れておきたい。晩年の笹川は、前述したように医療・福祉系の補助金ばら撒きで世界中にネットワークを広げたが、それ以前の東西冷戦たけなわの時代に、国際的な反共ネットワークに関与していた。そのパートナーが統一教会だった。

統一教会は54（昭和29）年に教祖・文鮮明が韓国で興した新興宗教だが、58（昭和33）年から日本でも布教を始めていた。だが61（昭和36）年、韓国で軍事クーデターによって朴正熙《パクチョンヒ》政権が誕生すると、統一教会は反共主義を掲げて朴政権に接近。同政権の秘密警察であるKCIA（韓国中央情報部）によって、反共主義推進の尖兵組織として運用されるようになった。

その頃は冷戦の真っただ中で、世界中でソ連の支援を受けた共産勢力と、米国の支援を受けた反共勢力が対立していた。そのため、米国側ではCIAと共和党右派がタッグを組み、世界中で反共ネットワークを構築した。東アジアでも反共ネットワークが作られ、そのパートナーとなったのが、台湾では蔣介石政権、韓国ではKCIAと統一教会、そして日本での事実上の世話人が笹川良一だった。

昨今、安倍晋三元首相の暗殺事件以降、統一教会の日本政界への接近が問題になったが、そのルーツには笹川良一も深く関わっている。67（昭和42）年に笹川と文鮮明は山梨県本栖湖畔で会合を持ち、協力関係を確立。翌年、笹川は統一教会が作った右翼団体「国際勝共連合」の名誉会長に就任している。統一教会は他にも有力政治家の岸信介にも食い込んでおり、笹川と岸という昭和の日本では最強と言っていい後ろ盾を得て、日本での活動をいっきに拡大させていった。当時、笹川はすでに競艇の利権を元手に、政財界に強い影響力を持つ大物右翼という立場にあった。

このように笹川には統一教会の日本浸透、さらに政界浸透への直接の責任がある。冷戦終結後、統一教会は北朝鮮に接近するなど、国際政治関係の枠組みでの反共主義からは離脱していき、晩年の笹川との関係は断たれた。

しかし、昭和期にはむしろ、保守系政界に深く食い込んでいた統一教会・国際勝共連合と深く通じているというイメージ自体が、メディア業界では笹川の不気味さを際立たせる効果に繋《つな》がっていた。もっとも、笹川自身は前述したような競艇利権死守と公私混同した慈善パフォーマンスに注力していた。当時の日本のメディア業界を委縮させた笹川良一のコワモテなイメージは、おそらく誇張されて拡散したものだったという気がしてならない。

（敬称略）

「戦後最大のフィクサー」を演じた男

児玉誉士夫

CIA機密文書が明かした大黒幕の虚像

黒井文太郎▼国際政治評論家・ジャーナリスト

ロッキード事件で失墜した戦後右翼の重鎮は、日本中の暴力団を束ね、黒いカネに君臨。だが政局を采配し、CIAとも親密だったという大物像はどうやら眉唾だった。

政財界を裏で采配する「黒幕」という存在を考えるとき、戦後日本で最も有名なのは右翼の児玉誉士夫だろう。１９７６（昭和51）年に明るみに出たロッキード事件では、児玉は米航空機メーカー大手のロッキード社の秘密代理人として、日本での政界工作を巨額の報酬で委託されていたことが明らかになった。つまり、公式には政財界の重要ポストに就いていない一介の右翼が、日本政府に大きな影響力を持つ人物だと裏づけられたようなものだった。

では、児玉はいったいどうやって、そんな力を持つことができたのか。

児玉誉士夫は１９１１（明治44）年、福島県安達郡で生まれた。10代の頃から右翼団体を転々とし、天皇直訴事件や国会ビラ撒《ま》き事件、井上準之助蔵相脅迫事件などに連座して何度も服役している。当時二十歳そこそこだった児玉は、まさにイケイケなタイプの右翼青年だった。その間、独自の右翼団体「独立青年社」を設立。首相暗殺計画を含む大規模騒乱未遂で逮捕されて、さらに服役した。

その後、１９３７（昭和12）年の日中戦争開戦の頃から、中国大陸に渡って外務省や陸軍の下請け業務に従事する。41（昭和16）年の太平洋戦争開戦直前、右翼の笹川良一（国粋大衆党総裁）の紹介で海軍航空本部の嘱託員となり、戦時中を通して上海でタングステンやコバルトなどの戦略物資を調達、

「児玉機関」として暗躍した。

児玉機関には大陸浪人崩れやアウトローの若者が多く、現地で半ば略奪に近い、かなり強引な物資集めを行った。そのため児玉の手元には多くの戦略物資、さらにはダイヤモンドやプラチナなどの貴金属があった。終戦直前、児玉はそれらを隠匿。大量の貴金属を密かに日本に持ち帰ったのだ。

それまで末端のはみ出し者だった児玉の人生が大きく変わったのが、この終戦時だった。児玉はまだ34歳だったが、持ち帰った貴金属の力で、日本の黒幕になっていくチャンスを摑《つか》むのだ。

鳩山一郎の金主？ CIAの密使？ 暴かれた〝誇張の痕跡〟

まず児玉は、1945（昭和20）年8月、終戦の2日後に誕生した東《ひがし》久邇《くにの》宮稔彦王《みやなるひこおう》内閣で「内閣参与」に就任する。児玉自身は自伝『悪政・銃声・乱世』で、自分は戦時中から東久邇宮稔彦王と個人的に親しかったと言及しているが、児玉機関と関係があった他の要人の紹介との説もあり、この参与就任の背景は不明だ。だが、東久邇宮内閣は2カ月で終わり、児玉はGHQ（連合国軍最高司令官総司令部）から戦犯追及を受けることとなる。隠匿していた資金も、その一部を没収された。

児玉は残りの資金をどうしようか思案する。そんなとき、児玉資金の噂を聞いた辻嘉六《かろく》という男が児玉を訪ねてきたのだ。

辻はもともと日露戦争の頃に満州に渡って大陸浪人のようなことをしていた男で、そこから児玉源太郎（明治期の陸軍大臣・陸軍大将）、原敬（第19代内閣総理大臣・立憲政友会総裁）、久原房之助（日立グループ創設者）などと交流して政界フィクサーとなっていた。戦時中も鳩山一郎や河野一郎ら政友会正統派の支援者として暗躍しており、保守政界では名が通っていた。

辻は鳩山一郎を戦後日本の指導者にしたいと考えていた。ただし、そのためには政界で仲間を増やす軍資金が要る。そこで辻は児玉に、隠匿資金を提供するよう持ち掛けたのだ。当時すでに70歳近い大物フィクサーだった辻に対し、まだ30代半ばで日本の政界ではほぼ無名の児玉とでは、格が違う。児玉は辻に言われるがままに資金提供に同意するのだ。

辻は児玉を連れて鳩山に会っているが、そこでおそらく児玉は国士として持ち上げられたのだろう。児玉は資金を鳩山に提供した後、翌46（昭和21）年1月、A級戦犯の疑いでGHQに逮捕され巣鴨プリズンに収監される。そこで約3年間を過ごし、48（昭和23）年末、A級戦犯死刑囚7人の処刑直後に、不起訴となって釈放された。

児玉は巣鴨プリズンで、多くの戦犯容疑者と会っている。その中にはもともと児玉の師匠格だった笹川良一もいたが、他にも同じく不起訴組となる岸信介がいた。児玉は戦後、岸の系統の政界人脈とも接触していくことになる。

釈放後、児玉はGHQの逆コース（編注参照）で、世に復帰してきた右翼や旧軍人たちと接触していく。たとえば、米軍情報部門「G－2」（連合国軍最高司令官総司令部参謀第2部）の協力者だった有末精三元陸軍参謀本部第2部（情報部）部長（元中将）のグループに接触し、米軍のために朝鮮半島や中国大陸との密輸ルートを使った諜報活動に手を貸した形跡がある。その際、児玉は裏ビジネスによる金儲けのほうを重視しており、あまりG－2の工作に貢献していない。この点については後述したい。

この頃の児玉自身はカネに困っていて、羽振りのよさそうな経済人に接触するようなこともしている。たとえば、夕張炭鉱など北海道で広く事業を展開していた北海道炭礦汽船（北炭）の萩原吉太郎常務を訪ね、そこから親交を結ぶ。萩原はやがて児玉のスポンサー的な存在となり、児玉を通じて後に政界フィクサーのような活動にも乗り出していくことになる。

児玉は、右翼を通じて有力政治家の三木武吉に接触するなどの動きも見せている。さらに辻嘉六を通じて資金提供した鳩山一郎にも接触を図った。

児玉は前述したように巣鴨プリズンに収監される直前、鳩山一郎に隠匿資金を渡していたが、鳩山はそれも結党資金の一部に回して、河野一郎、芦田均、三木武吉、大野伴睦《ばんぼく》らを集めて日本自由党を結党した。日本自由党は46（昭和21）年の衆議院選挙で第一党となる。鳩山の首相就任が確実視されていたが、その時、GHQより公職追放が命じられ、日本自由党の総裁には吉田茂が就任し、そのまま首相になった。

その後、日本自由党は民主自由党（48年）、自由党（50年）と名を変えるが、吉田茂ら官僚派（高級官僚出身者）を中心とする陣営と、鳩山や河野、三木、大野ら党人派を中心とする陣営の主導権争いが続いた。巣鴨プリズン釈放後の児玉は当然、鳩山や河野らとの接触はあったが、当時は吉田茂らが主導権を握っており、児玉にはさほど活動の機会はなかった。

この時期の児玉について、「日本自由党の結党資金を提供した児玉は、戦犯容疑者から復帰した後、政界の黒幕として隠然たる影響力を持った」とさらりと書かれている解説書もあるが、どうもその時期の話は、誇張されているようだ。資金提供にしても、児玉資金がすべてだったわけではなく、他にもさまざまな資金が鳩山や河野には渡っていた。児玉資金を発掘した前出の辻嘉六にしても、軍服払い下げ汚職資金など多方面からカネを調達している。

それに当時の鳩山一郎や三木武吉が約60歳、大野伴睦が50代半ば、河野一郎でも40代後半だったのに対し、児玉はまだ30代だ。政界で長く生き抜いてきた老練な鳩山たちと違い、児玉には中央政界の裏で動いた経験もほとんどなく、とても対等な立場ではなかっただろう。おそらく児玉から鳩山らに接触し、鳩山らは児玉を汚れ仕事（裏金工作など）の便利な手駒として使ったということではないかと思う。

とはいえ、児玉はそうした汚れ仕事の便利屋のようなことを重ねていくうち、徐々に人脈も増えてきて、それなりに仲介役としての政界フィクサー的な活動をするようになっていった。これは筆者の推測だが、児玉はその際、自分の価値を高めるために、日本自由党の結党時の陰の立役者が自分で、最初から党内では特別な存在だったと、いかにも自身の大物ぶりを誇張して吹聴したのではなかったか。

誇張の痕跡は他にもある。児玉は釈放後、GHQの情報部「G-2」の諜報活動に関与したと前述したが、その流れで、児玉は日本の主権回復後にもCIAと緊密な関係にあったようだと広く噂された。しかし、それはまったく事実ではなかったことが、後にCIAの機密解除文書で明らかになっている。

CIA機密文書の児玉評は「プロの詐欺師、ギャング……」

2005（平成17）年から06（平成18）年にかけ、米国で旧日本の戦争犯罪に関する大量のCIA文書が機密解除された。それらは米国政府の専門調査団が詳細に研究した後、07年（平成19）1月に米国立公文書館で一般公開された。その中に日本側の個人に関するCIAファイルの一部もあり、その内容を同年7月と9月、筆者が編集長をしていた国際情報誌『ワールド・インテリジェンス』で記事として発表したことがある。

そこには児玉誉士夫のファイルもあったので、その内容をここで紹介しておこう。CIA児玉ファイルによると、児玉はたしかに占領期にG-2の下で有末精三（元陸軍中将）が運営した工作に参加している。占領期に有末は多くの戦犯容疑者を使ったが、CIAの評価レポートでは、有末が過去を不問にして雇用した個人として2人が突出していたとし、児玉は元大本営参謀の辻政信とともに特記されている。なかでも児玉のことは「最悪のケースだった」と言及されている。

CIAによると、児玉はたしかに戦時中に中国大陸に情報網を作っていて、戦後も中国各地に住んでいる密輸業者や闇商人などに広い人脈を持っていたようだ。1949（昭和24）年に中国で共産党政権が誕生すると、巣鴨プリズンから釈放されてまもない児玉はG-2に自分の情報網から得られる情報を提供しようと申し出たが、どうもG-2側が無視したようだ。

ところが、有末がG-2に代わり、直接的に旧児玉機関を広く利用することにした。実際、児玉の人脈は有末の最も野心的な秘密工作のいくつかに深く関与したという。

たとえば49（昭和24）年、有末は諜報網強化のため、中国本土で日本の商業的なコネクションを利用する計画を立て始めた。日本人の秘密工作員が中国に入るルートとして、有末は児玉によって設立された密輸業者「ダイコー貿易社」を使う予定だった。有末はこの計画の支援の見返りにG-2側に情報をいくつか与えるつもりだったが、工作自体は自身の活動だと考えていた。

だが、この計画は、日本の海運が中国共産党政府によって厳しく監視されていることや、過去に日本側参加者の面々に情報漏洩など保安上の緩みがあったことなどから、有末に協力していた他の日本人メンバーたちは児玉グループの起用に反対した。児玉はそれでも50（昭和25）年、北朝鮮や中国北東部への浸透工作を開始している。

しかしCIA文書では、この時期にG-2が、児玉グループと有末が下請け契約を結んでいたことを把握していたか否かが明確ではない。工作資金の出所はG-2だが、G-2がその資金の使われ方を少しでも調査した形跡はない。CIA文書では、その時にG-2が調査していれば、有末が児玉に資金を渡していた同時期、児玉が日本国内で恐喝行為に関与していたこともわかったはずだと指摘されている。

1952（昭和27）年4月に日本は主権を回復し、G-2の対日情報工作任務はCIAに引き継がれるが、CIAは53（昭和28）年までに、児玉が米国の情報工作のためには価値のない人物だと結論付けている。CIA文書には、CIAの分析官が児玉の貪欲さをきわめて危険だと評価していることが明記されている。それらのレポートの中には、児玉を単なるプロの詐欺師、ギャング、泥棒であり、情報工作員として価値がないと断じているものもある。こうしてCIAは、児玉を工作員として使うことは却下している。

つまり、児玉誉士夫はCIAにはまったく相手にされなかった。しかし、主権回復後の日本の保守政界で、鳩山一郎や河野一郎、大野伴睦、あるいは岸信介などの汚れ仕事を代行する右翼フィクサーとして児玉の存在が徐々に注目されていく中、「児玉はCIAにも顔が利くようだ」といった噂も広がっていった。それには児玉自身が自分の「黒幕」像を権威付け、「フィクサー」としての価値を高めるために吹聴した可能性もあると、筆者は推測している。

政界の汚れ役だが、暴力団に最も太い人脈を持った男

いずれにせよ、児玉は鳩山、河野、大野、岸に取り入り、そこから数々の政局の裏で暗躍するようになっていった。たとえば吉田茂失脚の布石となった鳩山一郎と吉田内閣農相との極秘会談を仕掛けたほか、鳩山と岸が組んだ日本民主党の結党や、さらに1955（昭和30）年に保守合同によって自由民主党が結党された際にも、その裏で根回しを行った。

岸信介政権の末期に、自民党有力者の政権〝談合〟が行われ、次の自民党総裁（つまり首相）の椅子に誰が座る

かが話し合われた。結果、まず大野伴睦、次が河野一郎、その次が佐藤栄作の順にという密約が結ばれた。この秘密会談の立会人の1人も児玉だった。

こうした政局だけでなく、当時の政財界中枢の非公式アドバイザーあるいは代理人として、数々の裏工作にも携わった。たとえば関係者の惨殺まで起きた九頭竜ダム不正入札疑惑で、地権者と事業主である電源開発株式会社との補償交渉の仲介に乗り出した。あるいは、日韓国交正常化交渉でも、韓国政府との裏調整を行っていたことが、韓国側の外交資料に明記されている。さらにきな臭い話では、韓国の統一教会が反共を旗印に日本で布教する際に、笹川良一や岸信介とともにその後ろ盾に連なる動きも見せている。

こうして児玉誉士夫は、当初は鳩山や河野の汚れ役代行者のような立場だったのが、いつの間にか政界フィクサーとして台頭するまでになっていた。しかし、それでもこうした児玉の政界での役割をみると、主役として政局の裏を采配していたわけではなく、あくまでも鳩山、河野、大野、あるいは岸といった有力政治家の手足となって裏の調整役に使われていただけだったことが窺《うかが》える。とても「黒幕」というほどの存在感ではない。

それよりも、児玉の活動で特筆すべきなのは、裏社会との繋《つな》がりだ。

戦後の黒幕の中でも、児玉は暴力団に最も太い人脈を持つ人物だった。戦時中に上海で暴れていた児玉機関に血の気の多い若者が多かったと前述したが、その中に岡村吾一という人物がいた。この岡村が戦後に、群馬・埼玉の博徒を束ね、暴力団「北星会」会長という任侠界の大物となったことで、児玉の裏社会への影響力が築かれた。この裏社会への太い人脈は、政財界からすれば「暴力団絡みのトラブルの解決なら、児玉に仲介を依頼すればいい」ということになった。

児玉と暴力団とのこうした関係を利用しようとしたのが、岸信介政権だった。60年安保改定で当時のアイゼンハワー大統領の訪日が決まった際、安保反対派による大規模デモを蹴散らすために武闘派のグループ「アイク歓迎実行委員会」が作られたが、その際に児玉に依頼して多数の暴力団員を動員しようとしたのだ。

この計画の中心にいたのは、自民党の右派政治家の大御所だった木村篤太郎のグループである。木村は戦後まもなく検事総長を務めた法律家で、後に政界に転身して吉田茂政権で初代法相や初代防衛庁長官などを務めた。

実は木村は吉田茂内閣の法相だった時期に、共産革命阻止を目的に全国の有力暴力団を糾合し、20万人の民兵組織「反共抜刀隊」を創設する計画を立てたことがある。あまりに無謀だとして吉田首相が承認せずに立ち消えになったが、60年安保騒動でそのプランを復活させたのだ。木村は岸政権では無役だったが、岸政権はこれを有効と考え、アイク歓迎実行委員会にゴーサインを出した。

デモ粉砕に3万人の暴力団!?
政治に暴力団を結びつける着想

アイク歓迎実行委員会には、木村篤太郎らが参加する自民党系反共団体「新日本評議会」、やはり木村が率いる右派宗教横断組織「紀元節奉祝会」(中核は「生長の家」)、元軍人組織「日本郷友連盟」の有志、さらに児玉が結成していた右翼横断組織「全日本愛国者団体会議(全愛会議)」が参加することになった。

この全愛会議の裏部隊として、児玉の呼びかけで北星会、錦政会(現・稲川会)、住吉一家、極東愛桜連合会、関東尾津組などが動員される計画だった。右翼団体からの動員予定が約5000人、元軍人・宗教団体から約1万人だったのに対して、暴力団からの動員は3万人以上だったという。アイク歓迎実行委員会は実質的には、岸政権の依頼で児玉が組織した「デモ粉砕の暴力団大動員」と言っていいだろう。

結局、この時はアイゼンハワー訪日が中止になったため、この暴力団動員は行われなかった。もし実行されていたら、日本の現代史の汚点になるところだった。児玉のような人物が政界で重宝された、無茶苦茶な時代のことだ。

こうしてアイク歓迎実行委員会は不発に終わったが、児玉は政治活動に暴力団を結びつけるというアイデアに目を付けた。児玉は反共を旗印に全国の暴力団をまとめれば、裏社会への強い影響力が持てると目論んだのだ。

児玉は当初は全国の有力暴力団を「東亜同友会」という新組織に大同団結させようとしたが、山口組など関西の組織のとりまとめに失敗し、1963(昭和38)年に関東限定で「関東会」を作った。仕切り人として中心になって動いたのは、前出の岡村吾一である。

関東会に参加したのは錦政会、住吉会、松葉会、日本國粋会、義人党、東声会で、児玉はこれらの組に人脈を広げた。東声会の町井久之会長とは、前述した日韓交渉時の裏交渉でも協力して臨んでいる。

実際のところ、児玉誉士夫は政財界の黒幕というより、政局の裏で表立って動けない政治家に代わって調整役を代行することが多かった。また、暴力団絡みのトラブル処理の窓口という役割も大きかった。というより、児玉の影響力はむしろ後者がメインだ。政界の裏の調整役は児玉以外にも三浦義一などの有力なフィクサーがいたが、裏社会との橋渡しができる人間は希少だったからだ。

政財界に影響力を持つために児玉が手にした武器は、基本的にはコワモテ系のネットワークだ。暴力団と、それに児玉の力の源泉である右翼組織である。児玉はもともと若き頃より右翼活動家として動いてきた人間で、右翼界に知人が多くいる。日本の右翼界では児玉より実績が豊富な大物が何人もいたが、児玉は自民党右派、党人派に深く食い込んでおり、右翼界ではその点で発言力を持つことができた。

児玉は前述したように59（昭和34）年にアイク歓迎実行委員会への暴力団動員を主導したが、それに先立ち、全国の有力な右翼を集めた全愛会議の創設を主導し、自身は最高顧問に名を連ねた。全愛会議は約80団体で発足したが、65年（昭和40）年頃までには４００団体以上が参加する、名実ともに日本の行動右翼の代表的組織となった。

児玉はまた、その全愛会議の中核組織のひとつとして、60年（昭和35）年に義人党や護国団など28団体から成る自身の直系の武闘派組織「青年思想研究会」（青思会）を創設した。青思会は70年安保闘争の絶頂期だった69年（昭和44）年に全愛会議を名目上は脱退すると、山中で軍事訓練を行い、左翼学生過激派を襲撃するなど、その行動をエスカレートさせていった。つまり、児玉は直系の右翼過激派を育成していたと言える。

こうして児玉は60年代以降、日本最大の行動派右翼横断組織「全愛会議」、少人数だが戦闘力がある右翼過激派集団「青思会」、関東の有力暴力団横断組織「関東会」という3枚看板を手に入れた。それらの武器を懐に、自民党党人派の便利屋として政財界フィクサー的な発言力を強めていったのだ。おそらく児玉は計算して、政財界と裏社会の両方に通じる有利な立場に立とうとし、それに成功したのだろう。

口を割らずに逃げ切った ロッキード事件「児玉ルート」

ただし、それはあくまで社会の水面下で動く陰の存在としてのことだった。ところが、その児玉の名前が連日、新聞に載るような事態が１９７６（昭和51）年に勃発する。戦後最大の疑獄事件といわれるロッキード事件である。

ロッキード事件とは、全日空の次期機種選定にあたって、米ロッキード社が全日空に影響力のある日本の政治家に賄賂をバラ撒いたとされる事件で、田中角栄元首相が受託収賄と外為法違反の容疑で逮捕され、日本社会に大きな衝撃を与えた事件だった（田中元首相は83年に懲役4年、追徴金5億円の一審判決を受け、控訴中に本人死亡）。

同事件は米国議会で最初に火がついたが、その公聴会でロッキード社のA・C・コーチャン副会長が「裏工作の主ルートは児玉誉士夫で、同社は総額約７００万ドル（当時の為替相場で約21億円）をコンサルタント料として児玉に渡していた」と証言したのだ。

東京地検特捜部の捜査などで、ロッキード社から日本政界への裏工作は、①総合商社・丸紅を通じた「丸紅ルート」、②全日空から自民党運輸族議員への「全日空ルート」、③児玉誉士夫から田中角栄の盟友である小佐野賢治国際興業社主を経由する「児玉ルート」の3ルートが浮上した。しかし、児玉は病気を理由に特捜部の捜査をかわし、最後まで一切口を割らずに逃げ切った。

もっとも、児玉の名前がこうした大型疑獄で登場したのは、この事件が初めてではない。たとえば1958（昭和33）年の自衛隊次期戦闘機機種選定でもロッキード社とグラマン社の熾烈《しれつ》な戦いがあったが、この時も児玉はロッキード社の秘密代理人として、河野一郎自民党総務会長と協力し、ロッキード社機の逆転決定に暗躍した疑惑がある。あるいは1977（昭和52）年の自衛隊次期対潜哨戒機選定で、当初の国産路線を覆してロッキード社機に逆転決定した際も、同社の秘密代理人は児玉だった。

前出のロッキード社・副会長は「児玉には60年代から仕事をしてもらっていた」とも証言しているが、実際にロッキード事件で明らかになった同社資料によると、児玉が同社の秘密代理人として正式に契約したのは1969（昭和44）年のこと。その後、両者の秘密契約は改定されているが、結局、1973（昭和48）年には「コンサルタント料として年間5000万円」「対潜哨戒機50機以上の販売で成功報酬25億円」などの巨額の報酬契約が結ばれている。

このように児玉とロッキード社との関係には複数の疑惑があったが、前述したように司法の追及からは逃げ切った。一時は児玉の側近を逮捕するなど、特捜部は「児玉ルート」にも迫ったのだが、途中からトーンダウンしている。もしかしたら何らかの〝圧力〟がかかったのかもしれない。

加えてロッキード事件の最中、同社と児玉を繋いだ日系の元米軍人・福田太郎が病気で急死するという出来事もあった。福田が入院していたのは、重要参考人だった児玉の国会証人喚問を防ぐために偽診断書を作成したうえ、国会派遣の医師団をダマすために児玉に薬物を注射したことが後に暴露された東京女子医大病院だった、というちょっとコワい話もある。

ロッキード事件で児玉の存在がクローズアップされたことも、児玉の「政財界の黒幕」説の有力な根拠になっている。しかし、前述した九頭竜ダム疑惑や日韓交渉などのように、児玉が調整役として動いた事件は数多くあるものの、政財界に隠然たる影響力を持つ黒幕のような存在感を見せつけた事件は、少なくとも世間で明らかになっているものでは、この米ロッキード社の裏の顧問だった話しかない。裏の事件で表沙汰になっていないものもあったかもしれないが、やはり政財界の黒幕といった児玉のイメージは、かなり誇張されたものだったのではなかろうか。

〝黒幕イメージ〟を武器にした闇ブローカーの大物

このロッキード社の裏顧問の話にしても、本当に児玉個人にそれだけの大金が渡っていたとは考えにくい。ロッキード社と児玉を繋いだのは、前述したように日系の元米軍人・福田太郎だが、ロッキード社ほどの大企業であれば、児玉の素性を調査していないはずがない。当然、ＣＩＡが「ただのチンピラにすぎない」と評価していたこともわかっていたはずだ。

つまり、おそらくロッキード社は、日本側のキーパーソンは自民党の派閥領袖《りょうしゅう》たちだと認識しており、その贈賄のパイプ役として児玉が採用されただけではなかったのか。児玉自身には自民党を動かす力などはもとよりなく、自民党を動かす裏ガネの動きを秘匿するための中継者としての役割である。

ただし、児玉は前述したように、検察当局に追及されても一切、口を割らなかった。汚職のダミーとしての自分の役割を最後まで隠し通したわけだが、その口の堅さこそが、おそらく児玉が〝使われた〟最大の理由だ。

そして、口を割らなかったことで、自民党の有力者たちは本当の疑惑から逃げ切った。田中角栄は「丸紅ルート」で一審有罪となったが、田中の収賄疑惑の本丸は巨額の利権が絡む対潜哨戒機疑惑であり、そこは児玉の沈黙により闇に埋もれている。

そして、ロッキード疑惑で児玉の名前が登場し、謎の存在として闇に埋もれたことが、さらに児玉誉士夫の「政財界の黒幕」神話を補強した。たしかにロッキード事件で名前が出たことで、その後の児玉は活躍の場を大きく失い、仲介役としての影響力に大きくダメージを受けたが、裏の大物という神話は定着した。作家・松本清張の小説や原作映画などに登場するコワモテな「政財界の黒幕」のイメージは、まさに児玉誉士夫そのものになった。

こうして児玉の人生を振り返ると、もともと直情型の右翼過激派で、人の縁があって上海で旧海軍に食い込み、終戦でたまたま手にした巨額資金を、年長の政界フィクサーに取られてしまった青年の姿が浮かぶ。

しかし、そこから彼は自分の欲得を優先して世を渡り、ＧＨＱ情報部の下請けの日本人工作グループ、自民党党人派などと接触し、右翼や暴力団にも近づき、その人脈の隙間を泳ぎながら、自身の影響力を誇大に吹聴し、あたかも日本を陰で動かす実力者のようなイメージを懸命に作ってきた痕跡が窺える。そして、その黒幕イメージをまた自分の仲介ビジネスの武器とするのだ。

昭和の黒幕として知られる児玉誉士夫は、言ってみれば〝スケールがとてつもなく大きい事件師のような怪人物〟だったと形容することもできよう。バブル崩壊後の日本ではちょっと見当たらない、昭和ならではの興味深い人物だ。

（敬称略）

＊編注：ＧＨＱが占領政策として進めた非軍事化・民主化政策の転換を指す。１９４７年に日本共産党が主導した二・一ゼネストにＧＨＱが中止命令を発令、以降、日本を共産主義の防波堤とするために政策転換がなされ、旧軍関係者や右翼活動家の復帰に繋がった。

創価学会内部資料「総合経過年表」が明かす首領の素顔

池田大作

側近に裏切られ恐怖支配に憑かれた孤独な生涯

高橋篤史▼ジャーナリスト

周囲に守られ、権力を雲上にまで高めた新宗教のカリスマは、数々の裏切りに遭ったことで、信濃町の宗教官僚を恐怖で縛りつけ、後継者不在のまま旅立った。

２０２３年11月23日、その8日前に95歳で波乱の生涯を閉じた池田大作の創価学会葬が注目の中、執り行われた。半世紀にもわたって巨大教団に君臨したカリスマ指導者を弔う儀式にしては、拍子抜けするほど、それはあっさりしていた。「南無妙法蓮華経」の唱題に始まる式次第は粛々と進行され、都合40分足らず。主たる会場である東京・巣鴨の戸田記念講堂に集まった幹部は約４０００人。信濃町の広宣流布大誓堂（収容約１４００人）をはじめ全国約１０００カ所の会館と中継を結んで行われたが、そこに大物政治家や外国からの要人の姿はなく、悲壮感や熱狂感もまるでなかった。

65年前、第二代会長・戸田城聖《じょうせい》の学会葬は人々の度肝を抜いた。軍楽隊を先頭に信濃町の本部を厳《おごそ》かに出発した葬送の列を見送ろうと沿道には黒山の人だかりができ、老若男女が一心不乱に題目を唱えた。会場となった青山葬儀所での焼香は午前8時に始まり、時の宰相・岸信介も駆けつけている。ひとしきり終わるまでに要した時間は６時間以上。全国から集まった参列者はじつに25万人にも上った。当時の学会は１００万世帯ほどだったから驚異的な数字である。それほど往事の学会にはエネルギーが満ち溢れていた。

今日の学会は公称８２７万世帯。戸田が霊山に旅立った時の8倍に膨れ上がり、今や公明党は自民党と組んで連立政権の一翼を担う。その立役者は間違いなく池田だ。しかし、有名大学出がずらり揃《そろ》った宗教官僚が牛耳る本部機構には閉塞感が漂い、幹部から末端会員まで高齢化は著しい。外に向けての折伏は一向に進まず、組織は2世・3世だけが頼りの縮小再生産の過程に入っている。現在の第六代会長・原田稔以下の大幹部に求心力はなく、ただただ惰性に任せ図体ばかりが大きな教団は選挙活動に勤《いそ》しんでいるが、弱体化は加速するばかりだ。そしてこの情況を招いたのも池田と言える。ひとえにそれは、周囲に守られながら自らの権力を雲上にまで高めた一方、数々の裏切りに遭った池田が、後継者を育てることなく、恐怖支配によって下々を足蹴にしてきたからにほかならない。

じつは第三代会長への就任を何度も固辞していた

1960年5月に32歳の若さで第三代会長に就任した池田は当初、絶対権力者でも何でもなかった。1958年に戸田が急死した後、会長ポストはずっと空席のままだった。

小学校校長上がりの初代会長・牧口常三郎《つねさぶろう》を資金面で支え、ふたりして前身の創価教育学会を30年代半ばに立ち上げた実業家の戸田は、それこそ絶対権力者だった。日蓮正宗の在家信徒団体である創価教育学会は戦時中、国家神道を蔑《ないがし》ろにする原理主義的な活動で特高警察に検挙され壊滅するが、戸田は戦後、創価学会と改称しほぼひとりで再建、他宗教・他宗派を「邪宗」と決めつけての戦闘的折伏を展開し、「参謀」や「部隊」といった軍隊論を注入し組織を急拡大させた。当時の学会は20代・30代の青年部員が主力で、彼らはひたすらに戸田の指令を受け入れた。だから、その戸田が死んだ時、幹部は途方に暮れ、すぐさま後継を立てることができなかった。

池田もそうした青年部幹部のひとりに過ぎなかった。病弱な文学青年だった池田が入信したのは47年8月、西新橋の印刷所で働きながら神田三崎町の夜間学校に通う19歳の夏だった。転機は49年1月だ。戸田に誘われて、その経営する出版社「日本正学館」で働くこととなったのである。池田は小学生向け雑誌『冒険少年』の編集長に抜擢された。が、業績不振で同社は廃業。かわりに戸田は金融業「東京建設信用組合」に軸足を移したが、これも廃業。50年に設立した金融会社「大蔵商事」において池田は取締役営業部長の肩書でカネ貸し業に邁進し、そのおかげもあって同社は軌道に乗る。池田は戸田の一言一句を手帳につける生真面目な青年だった。

戸田の会社経営が安定したことで学会は51年に『聖教新聞』を創刊し組織拡大を本格化させるが、池田の親衛隊よろしく忠実な態度はそのまま学会活動でも発揮された。

54年4月、池田は青年部参謀室長に任命され、青年部活動全般の司令塔を担うこととなる。同年12月に命じられた渉外部長は批判的報道に対する抗議活動などが役目だった。学会が55年に政治進出すると、池田は現地指揮官として選挙活動に投入される。57年に公職選挙法違反（買収・戸別訪問）に問われた「大阪事件」で大量の検挙者が出た際には池田も逮捕者のひとりに名を連ねた。ただ、そのことはむしろ組織内で英雄扱いされる（後に公判で池田の無罪は確定）。何しろ、当時の学会は警察に対する批判キャンペーンを大々的に展開していたくらいである。そして、戸田の死に際して行われた大規模な葬儀を計画し、一糸乱れぬ大量動員で挙行した主体も、池田が参謀室長を務める青年部だった。

　戦時中からの古参幹部である理事長の小泉隆や理事の原島宏治《こうじ》も所詮《しょせん》は戸田から一方的に命じられる立場だったから、後釜に名乗り出る覚悟はなかった。そこで彼らが推したのが、若さと行動力のある池田だった。ふたりの要請に対し池田は何回も断ったが、最後は「万事休す」と受諾した。周囲から押し出されて第三代会長に就任した池田は5日後、関西幹部会の場でこう述べている。

「二代会長恩師戸田城聖先生は絶対なるお力をお持ちの方でありましたが、私は一青年でございます。戸田先生の場合は、みんなを安心させて戦ってこられましたが私は力がありませんので、みなさん方のほうがしっかりしていく時代が、第三代の時代じゃないかと思うんでございますよ、よろしく。（拍手）」

　池田は青年部活動で長年気心が知れた北条浩（当時36歳）を副理事長に就けた。が、当初に志向したのは集団指導体制だ。序列2位は理事長から本部最高顧問に回った小泉（同51歳）で、後任理事長の原島（同50歳）は同3位、同4位はやはり戦時中からの古参幹部で文化部最高参与の和泉覚（同47歳）、腹心の北条はやっと5位だった。池田は古参幹部に何かと気を遣っていた。

布教と選挙で結果を出し文化人を気取るように

　この頃の学会は相も変わらず身延《みのぶ》派日蓮宗や立正佼成会、天理教などを邪宗と決めつけ、道場破りまがいの折伏攻撃に明け暮れていた。戸田が政治進出の目的として掲げていたのは、日蓮仏法が政治の基盤となる「王仏冥合《おうぶつみょうごう》」の実現であり、国家の意思としての本尊安置施設である「国立戒壇《こくりつかいだん》」の建立だった。現実的な政治課題への関心は二の次である。当時は日米安保条約の改定で世の中が騒然としていたが、池田は鎌倉時代の宗祖・日蓮が書き残した『御書』を引き合いに出し、こう言い放っていた。

「いま日本にとって、一つの関心事は安保問題でございます。……そのことについて、一つ基本線だけをきめておいたほうがいいんじゃないかと思うんです。……それは安保改定に賛成するか、反対するか、別に御書に書いてないんです(笑い)。……それよりか、もっと本質的に大事なことは、邪宗改定であると叫んでおきたいのであります。(大拍手)」(59年12月6日の男子部総会での発言)

学会員は信仰による功徳と、それを疎かにした場合に下る罰という両極端の「現証」を折伏の原動力にした。前者の代表例は病気治癒であり、後者は交通事故から台風被害、広島・長崎の原爆投下まであらゆるものを網羅した。学会員が歓喜したのは何にも増して折伏による信者数の積み上げであり、それがすなわち「広宣流布《こうせんるふ》」だった。鎌倉幕府にもの申した日蓮が唱える「立《りっ》正安国論《しょうあんこくろん》」を現代に再現する政治進出はそれと表裏一体だった。

そんな中、池田の権力が増したのは何よりも数字としての結果が出続けたからだ。戸田時代からの組織拡大ペースは衰えることがなく、会長就任から10年で750万世帯を突破した。政治活動でも破竹の勢いだ。64年には公明党を結成して参議院だけでなく衆議院にも進出。69年12月には衆院選で47人が大量当選し野党第2党に躍り出た。

周囲は信頼を寄せて功績を持ち上げ、本人はその気になった。早くから信濃町の本部機構は東京大学はじめ有名大学を出た宗教官僚たちによって動かされるようになっていたが、そうした者たちを下々に置く中、今で言う商業高校しか出ていない裏返しなのか、池田の承認欲求は肥大化し始める。

著書『政治と宗教』を出した60年代半ば以降、池田は文化人を気取るようになり、その一環で『聖教新聞』において始まった小説『人間革命』の連載は学会員たちの聖典となっていく。虚実ない交ぜとなった群像劇における「山本伸一」こと池田の歩みは、宗門の僧侶たちが説く教えを踏みつけにし、絶対視されるようになる。

とはいえ、この時点で池田が独裁的な権力者だったかと言うと、そうでもなかった。ワンマンであったことは確かだが、まだ周囲に耳を貸していた。じつは、池田は70年代に二度、周囲に辞任を申し出ている。

一度目は言論出版妨害問題に揺れる70年のことだ。学会は60年代半ばから邪宗との言葉遣いをやめるなど対外的なイメージの修正を図り始めるが、そのじつ、独善的で攻撃的な姿勢は水面下に潜っただけだった。批判的な書籍の発行を潰すため様々な圧力をかけたり、無関係を装った覆面出版で親学会・反共産世論の誘導を画策するなどしていた。それらが国会などの場で暴露され、王仏冥合や国立戒壇に代表される政教一致批判に発展したのが言論問題だった。

外郭企業の代表を集めた「社長会」の場で池田が辞意を漏らしたのは70年3月29日のことだ。しかし、その場の全員が反対した。当時の池田は体調を崩しており、神奈川・仙石原の箱根研修所で長期静養中だった。そのことも大きかったのだろう、池田の意向は変わらず、後継体制の検討は7月頃まで続けられた。が、10月になると、「又、張り切ってやりましょう」と池田の考えはころっと変わる。この身勝手とも言える振幅の激しさは、池田の行動を検証する上でひとつの特徴である。

池田が辞任を申し出た二度目は77年6月26日のことだ。内部資料「総合経過年表」によると、それは銚子指導中の出来事で、後任に挙げたのは北条だった。この時も和泉を議長に最高幹部間で後継体制の検討は進められた。前年暮れから創価学会は活動家僧侶の批判を受けるようになり、逆に学会は僧侶や寺院を軽視した独自教学、いわゆる「52年路線」を打ち出し、宗門との間はぎくしゃくし始めていた。この「第一次宗門戦争」はその後、緊張と雪解けを何度か繰り返すのだが、池田が辞意を明らかにしたのは、どちらかと言うと、雪解けの時期にあたった。そのため池田の真意は量りかねるが、いずれにせよ具体的議論が進んでいた中、検討は9月5日になって突如打ち切られることとなる。

盗聴、買収、自作自演の反対運動 謀略を担った〝最側近〟の裏切り

結局、宗門内では学会批判を叫ぶ活動家僧侶の勢いが増し、法主・細井日《にっ》達《たつ》もそれに同調したことで、池田は2年後の79年4月に名誉会長へと退かざるを得なくなった。この時、池田が最初に会長辞任を口にしたのは3月30日のことで、その相手は総務で顧問弁護士でもある山崎正友だった。辞任の流れはあっという間で、4月5日に立川文化会館で行われた池田、北条、秋谷栄之助、和泉、辻武寿、山崎尚見、野崎勲の首脳会議で内定、翌6日、池田は静岡県富士宮市の総本山・大石寺で日達に会い、それを報告している。当初は同月26日に正式機関決定の手はずだったが、なぜかブラジルの日系新聞に報道する気配があり、それは同月24日に前倒しされた。

晩年の池田はこれら一連の出来事を「嵐の4・24」と呼び、何にも増して重大視することとなる。裏切りによって不本意に辞めさせられたとの思いが次第に強くなったからだ。

一体それはどういうことだったのか。じつは第一次宗門戦争を裏で操っていたのは、身内の山崎正友だったからである。

京都大学出で在学中に司法試験に合格した山崎は代々木系・反代々木系の既存学生団体が学会に浸透するのを防ぐため第三極の「新学生同盟」を組織化するなど学生部で実績を上げ、池田の側近となった。74年暮れに日本共産党との間で結ばれた「創共協定」でも、池田が真っ先に相談したひとりが山崎だった。

その山崎は謀略活動も担っていた。70年の宮本顕治共産党委員長の自宅盗聴を手始めに、宗門内における保田妙本寺問題や妙信講問題などでも盗聴を実行。反学会運動を行う「創価学会対

策連合協議会」の代表を買収したり、「社団法人日本宗教放送協会」を買収しての覆面出版など立正佼成会の分断工作も行った。これらが池田による直接の指示だったとは思われないが、宮本宅盗聴が後日に北条へと報告されながら不問に付されたように、大半は組織に容認されたものだった。

　他方で、山崎は74年に持ち上がった墓苑計画以降、巨額の学会マネーを前に私腹を肥やそうとした。北条らから依頼され債務整理に関与した外郭企業「東洋物産」の赤字事業を内緒で個人的に引き取り、冷凍食品会社「シーホース」を経営。結果、暴力団の高利貸しまで頼って借金で首が回らなくなり、78年秋以降、学会本部にカネを無心するようになる。

　その一方で山崎は「ある信者からの手紙」や「謗法ビラ」といった怪文書を極秘裏にしたため、反学会運動を焚《た》きつけていた。また、法主・日達に近づき、内部情報を吹き込んだ。さらに、教学部長の原島嵩《たかし》（前出の原島宏治の次男）を唆《そそのか》して内部資料を持ち出させ、週刊誌に近づいたりもしている。自身の立場を強め、学会からカネを引き出そうと考えたのだろう。池田を本仏視する教学的な逸脱に反発する信仰上の理由もあったかもしれない。

　北条や秋谷は山崎のそうした不穏な動きにうっすら感づいており、池田に進言することもあった。が、池田は「じゃあ、切れるか。そこまで入っているんだったら使ってみるしかない」と、日達を抱き込んでいる山崎を切り捨てることができなかった。

　池田の会長辞任後、山崎の行動はエスカレートする。活動家僧侶とのパイプ役を名乗り出たり、マスコミ工作をちらつかせ、強請《ゆすり》は続いた。79年5月～80年5月の間、様々な名目で支払われたカネは5億円余りに上る。その中には池田が個人の定期預金を取り崩して渡した2000万円も含まれる。この間、北条らは池田を守るため、山崎に会わせまいとしていたが、手懐《てなず》けられると思い込んでいた池田は山崎と連日会っていた。その最後は80年3月2日。離婚や生活苦を訴えて泣き落としにかかる山崎に対し、この時、池田は数十万円入りの財布をぽんと渡している。

　山崎の強請は続き、さらに池田と会うことを求めた。6月4日、事ここに至り北条ら首脳陣は山崎の刑事告訴を決める。翌日、それを報告した北条に対し、池田は「告訴やむなし」と呟《つぶや》くだけだった。以後、山崎は過去の謀略活動など内部情報を外部に流し、大石寺の地元・富士宮では癒着追及の百条委員会設置をけしかけ、告訴の動きを牽制したが、翌81年1月に逮捕される。その捜査や公判の過程で山崎による学会と宗門の離間工作は次第にはっきりする。池田は最も頼りにしていた側近のひとりにじつはずっと以前から裏切られており、結果、自らが辞任に追い込まれたことを悟るのである。

「師子身中の虫」を探せ！ 魔女狩りのような恐怖支配

池田の傍若無人ぶりが強まったのは81年7月に後任会長で長年の側近だった北条が急死してからとされる。子爵の家系に生まれ海軍兵学校を卒業した北条は年上にもかかわらず、生涯にわたり池田の防壁を務めた。その死後、池田に直言できる幹部はいなかった。

不本意に辞めさせられたとの池田の思いは年々強まったと見える。第一次宗門戦争中にとった融和策も否定するようになり、池田を崇《あが》めるような本仏化は一層進んだ。日達の後任法主である阿部日顕はもともと親学会派だったが、池田に批判的な学会幹部からもたらされる内部情報もあり次第に問題視するようになる。そして90年7月、日顕ら宗門執行部は通称「西片会議」と「御前会議」を経るなどして学会切り離しの方針を固める。

そうした中、11月16日、池田は本部幹部会でこの日も放言の限りを尽くした。

「（80年の学会）50周年、敗北の最中だ。裏切られ、たたかれ、私は会長を辞めさせられ、ね。もう宗門から散々やられ、（活動家僧侶が結成した）正信会から馬鹿にされ、そいでそのうえ北条さんが『もうお先、真っ暗ですね』（これに対し池田が）『何を言うか。60周年を見ろ。もう絢爛たる最高の実が、60周年が来るから元気出せ』。会長だから、これがよ。私は名誉会長だ。（北条が）『そうでしょうか』。馬鹿かー。本当にもう誰をか頼りに戦わんですよ。本当に」（カッコ内は引用者が補った）

これを機に「第二次宗門戦争」が勃発。池田は総講頭を罷免され、逆に学会は宗門批判キャンペーンを展開した。当初、池田は日顕さえ退座に追い込めば、宗門を押さえられると踏んだ。が、信徒の9割以上を失う事態にも宗門執行部の結束は揺るがず、91年11月、ついに学会を破門する。その後、両者は訴訟合戦となり、その間には大石寺に対する銃撃事件や火炎瓶事件、右翼団体による街宣活動といった不穏な動きも立て続けに起きた。「右翼はいずれも創価学会の依頼を受けたと推察される後藤組がバックとなっているものと認められる」――。2000年1月1日現在との日付が入った警察資料にはそう記されている。

両者の対立は2000年にほぼ終息するが、その前後から学会内で加速したのは「師子身中の虫」をあぶり出す動きだ。その最たるものが98年に始まった元公明党委員長・竹入義勝に対する攻撃キャンペーンであり、05年から延々続いた同じく矢野絢也に対する執拗な攻撃である。とりわけ後者では元国会議員を使っての家探しの末に過去の極秘事項が記された手帳を取り上げ、集団での吊し上げや尾行まで行うという狼藉《ろうぜき》ぶりだった。

これらを池田が直接指示していた証拠はないが、少なくともやめさせた形跡もない。「嵐の4・24を忘れるな」と、池田が何よりも強調した指導は「師弟《してい》不二《ふに》」だった。弟子がどこまでも師匠を守り抜くことを求め、それによって組織引き締めを図ったのだ。竹入・矢野攻撃はまさにその文脈上で起こった出来事であり、池田が本部幹部会などの場で前会長の秋谷や現会長の原田稔を難詰し土下座さえ求めた異様な振る舞いも同様と言える。

池田はざっくばらんな下町風の語り口で、とりわけ婦人部会員の間で人気が高かったとされる。全国の会館を結ぶ同時中継はそのカリスマ性を一層際立たせた。一方で師弟不二の徹底は本部機構の宗教官僚たちにとって相互監視による恐怖支配そのものだった。

ポスト濫発で人心掌握……そして宗教官僚だけが残った

もともと池田の人心掌握術はポストの濫発だ。当初10人ほどだった理事は池田の会長就任から数年で３００人超に膨れ上がり、その後に設けた副理事長や総務、副会長といったポストの任命者も同様だった。それだけポストの重みは軽くなり、逆に池田の地位だけは高まる一方だった。復讐に凝り固まった晩年、後継者を育てようとした形跡はない。池田が一時期待を寄せた次男の城久《しろひさ》が84年に29歳の若さで急逝したことも大きかった。

戦後、学会が若者を引き寄せたのは何よりも急成長を続けるその熱気だったのではないか。それは高度経済成長という時代の空気でもあった。が、言論問題が発生した70年代以降、学会の外部成長はほとんど止まり、晩年の池田の振る舞いもあって魅力は急速に色褪せた。時代の徒花《あだばな》とは言い過ぎだろうか。

池田が大勢の学会員の前に姿を現した最後は、10年5月13日の本部幹部会とそれに続く中国・清華大学による「名誉教授」称号の授与式だった。晩年の池田はこの手の称号に狂奔する一種のコレクターと言ってよかった。それから10日ほど後、おそらく池田は脳梗塞で倒れ、表舞台から突如として姿を消す。

会長の原田はじめ残された信濃町の宗教官僚たちが求心力として縋《すが》るのは今は亡き池田のカリスマ性だけだ。が、その死を丸3日近く伏せたまま彼らが優先したのは、前々から予定されていた創立記念日行事をひたすら消化することだった。かつて池田が戸田の死を盛大に弔って組織の高揚感を高めたような豪胆さや嗅覚は、小粒化した今の宗教官僚たちには到底持ち得ないものであるらしい。

生前、池田の墓は静岡県富士宮市の富士桜自然墓地公園や東京都八王子市の高尾墓園など全国数カ所に建てられた。遺骨はそれらのどこに納められたのか、今もって明らかにされないままである。

（敬称略）

労働貴族に堕ちた革マル派の怪物

松崎明

JRの妖怪、陰の社長と呼ばれた男が最後に信じた〝尿療法〟

殺人集団の秘密部隊を操り、JR東日本の労使を支配。国労解体に寝返った革マル派の戦士が目指したのは〝陰の社長〟か。労組資産の横領疑惑で晩節を汚した戦士の最期。

牧久▼ジャーナリスト

〝JRの妖怪〟と呼ばれた男、松崎明は、日本の労働運動が盛り上がった戦後昭和で、最も先鋭的で過激な闘争を繰り広げた〝鬼の動労（国鉄動力車労働組合）〟の象徴的な存在だった。だが、昭和60年代に入り中曽根康弘政権が国鉄分割・民営化を進めると、それまで犬猿の仲だった鉄労（鉄道労働組合）と手を結んで国鉄大転換の先頭に立ち、組織をあげて労使協調・民営化路線に回り、「国鉄改革」最大の功労者の1人となった。

松崎にはもう一つの顔があった。非合法部隊を組織して敵対する「中核派」（革命的共産主義者同盟全国委員会）と陰惨な闘争を繰り返し、数々の殺人事件を引き起こした「革マル派」（革命的共産主義者同盟マルクス主義派）の大幹部だったのである。国鉄が分割・民営化（1987年）されると、JR東日本労組の初代委員長としてその本性を現し、会社の人事や経営にまで介入して〝陰の社長〟と呼ばれ、JR各社とその組合を「暴力と抗争」の渦に巻き込んでいった。〝二つの顔を持つ男〟松崎明の生涯を追った。

「暴力と抗争」の原点は、労働運動への幻滅

松崎明が動労の幹部となり、〝鬼の動労〟の象徴として活躍するまでの道のりは「労働者の権利を守りたい。そのためには革命が必要だ」と純粋な思

想に支えられた労働運動の〝闘士〟であったことは間違いない。

松崎は昭和11（1936）年2月、埼玉県比企郡高坂村（現・東松山市）に生まれた。六人兄弟の末っ子で、父は精米業を営む地元の名士だったが、生活は決して楽ではなかった。県立川越工業高校在学中は生徒会活動に熱中し、3年時には生徒会長に選ばれ、関東高校弁論大会では優勝している。この頃、日本共産党の下部組織である日本民主青年同盟（民青）に加わった。

昭和29（1954）年3月、高校卒業後、国鉄の採用試験を受け合格。翌30年3月に臨時雇用員として採用される。彼の希望は機関士になることだった。同じ年に日本共産党に入党する。19歳だった。翌年には正規の職員となるが、松崎のその後の思想にはこの臨時雇用員時代に経験した「屈辱」が大きく影響している。当時、臨時雇用員と上司である監督には歴然とした身分差があり「封建制が色濃く残っていた」。命じられた仕事は構内の線路上の汚物拾い。松崎が真夏の炎天下に日陰で一休みしていたら「暑かったら水でもかぶれ」と雑巾《ぞうきん》をすすいだ真っ黒な水を浴びせられた。こうした体験によって労働組合への強い関心が生まれたという。

昭和32（1957）年に機関助士の試験に合格し、正規の国鉄職員となって尾久《おく》機関区に配属される。蒸気機関車を運転するのが機関士で、機関助士は石炭をくべる缶焚《かまた》きが主な仕事。ここでも松崎は機関士と機関助士の「身分の違い」に疑問を持った。機関助士は機関士の手袋の洗濯までさせられる。「昔風に言えば武士と足軽ぐらいの差があった」。松崎は「そうした封建的な職場を変えなくては」と決意し、機関車労働組合（機労、後の動労）尾久支部に加入する。

機労は昭和26（1951）年に国鉄最大労組の国鉄労働組合（国労）から分離・独立した機関士を中心とした組合である。「切符切りや車掌などとは違う高度な技術職」と主張したエリート組合だった。そんな機労の体質を変えようと、松崎は尾久支部の若手メンバーを集めた勉強会「木曜会」を組織し、マルクス、エンゲルスの『共産党宣言』やレーニンの『帝国主義論』などの勉強を始めた。尾久機関区の上司たちの反発は強かったが、仲間は次第に増え、事実上の「青年部組織」が誕生する。

そんな時に起きたのが、「国鉄新潟闘争」（昭和32年）である。最低賃金制の導入を巡って国労新潟支部が本部の指導を仰がず、抜き打ちのストライキを決行した。旅客列車や貨物列車に大幅な運休が出て闘争は長期化する。貨物輸送量は6割減となり、生鮮食品など大量の貨物が輸送できずに滞った。約400人の農民が「スイカが腐る。豚が死ぬ」などと叫びながら新潟鉄道管理局に押し掛ける騒ぎとなった。7日間にわたった新潟闘争は組合側の敗北で終わる。

松崎は休暇を取って新潟に飛び、民青・共産党の手づるを頼って闘争直後の現地を訪れ、国労組合員の話を聞いて回る。そこで彼が強く感じたのは国労中央本部とそれを指導する日本共産党への疑問だった。共産党中央が上意下達で現場の労働者の意見を切り捨てたことが許せなかった。

「国労の革同（共産党系）は新潟の組合員の弱点をくみ上げ、強いところをいかに発展させていくか、という方針を提起しない。これでは労働者の前衛党とはいえない」

日本共産党に対する鬱々とした気持ちを募らせていた時に、松崎が出会ったのが後に過激派組織「革マル派」の理論を支え、最高指導者として君臨する〝クロカン〟こと黒田寛一《かんいち》の革命理論だった。松崎は黒田の書いた『スターリン主義批判の基礎』を読んだ時の感動を「このジジャロウ、突拍子もないことを言ってやがる」と表現している。

松崎は新潟闘争で感じた疑問を、黒田のこの書を読んではっきりと理解できた、という。

以降、松崎は黒田が主宰する「革マル派」の一員として活動を始めた。松崎は日本共産党批判を繰り返し、それに同調する仲間を集める。共産党の仲間からは、ロシア革命時にスターリンと対立、権力闘争に敗れて殺害されたトロツキーを信奉する「トロツキスト」と非難されるようになり、昭和33（1958）年1月、日本共産党との決別を決意した。機労が動労（国鉄動力車労働組合）と改称したのは、翌年の7月のことである。

斧、ハンマーで滅多打ち！ 極左暴力集団の〝仁義なき戦い〟

松崎が心酔した黒田寛一は昭和2（1927）年生まれ。旧制東京高校在学中に結核にかかり中退した後、独学でマルクス主義の研究・著作を重ね、その研究サークルである「弁証法研究会」を発展させる形で昭和32（1957）年1月に日本トロツキスト連盟を結成する。このトロツキスト連盟は同年暮れ「革命的共産主義者同盟」（革共同）と改称したが、内部対立から分裂する。黒田は昭和34（1959）年8月に新たに「革共同全国委員会」を立ち上げ、その議長に就任した。この時、黒田の片腕となって書記長に就任したのが後に中核派の指導者となる本多延嘉である。

本多は共産党党員時代に『早稲田大学新聞』の編集長を長く務めたが、彼もまた日本共産党に失望し、黒田の主宰する「弁証法研究会」に入った。しかし、「革共同全国委員会」は昭和38（1963）年、労働運動の組織建設と戦術を巡って黒田と本多が対立、革マル派と中核派に分裂する。本多は中核派の指導者となり、黒田は革マル派議長となった。この時、革マル派ナンバー2の副議長に就任したのが松崎明である。松崎はその後、動労を革マル派の中心組織に改造していくことで、組合組織の権力を次々と奪取していく。

60年安保闘争後の昭和36（1961）年には、動労内に全国青年部を設置し、その初代部長となり、その2年後には27歳で動労尾久支部長に就任。昭和39年には尾久機関区と田端機関区を統合した動労支部長に。この頃、動労内に革マル派を中心とした「政策研究会」（政研）を立ち上げて、革マル派の勢力拡大に取り組み、自身も東京地本書記長、同委員長として、かつての「エリート組合」を革マル色に染め上げていった。そして中曽根康弘内閣による「国鉄分割・民営化」を目前にした昭和60（1985）年には動労のトップである本部委員長に上り詰めたのである。

　革命的共産主義者同盟（革共同）という〝同根〟から分裂した革マル派と中核派の最大の違いは、革マル派は松崎の動労など労働組合を拠点として革命組織を拡大していく方針を取ったのに対して、中核派は各地域の市民運動の中に入り、市民の意識を変革することによって、革命の戦士を育てていく、という点にあった。こうした路線対立から革マル派と中核派は分裂直後から凄惨《せいさん》な内ゲバを繰り広げる。

　昭和50（1975）年3月14日未明、中核派書記長・本多延嘉が自宅アパートで就寝中に革マル派メンバーの襲撃を受け、斧、ハンマー、鉄パイプ等で全身を滅多打ちにされて死亡する。事件の3日後、中核派は機関紙『前進』に「反革命殺人者、黒田、松崎、土門らに死の処刑を」と「報復宣言」を出し、こう述べた。

「復讐、復讐、復讐、報復、報復、報復、これあるのみである。我々は黒田、松崎、土門らに対してあらゆる手段、あらゆる方法をもって文字通り死の処刑を敢行する決意である」

　この宣言以降、革マル派に対する報復戦争が激化し、この年だけで中核派による革マル派の殺害は29人。その後も両派の内ゲバによる死者は増え続ける。中核派によって殺された革マル派は48人、革マル派による中核派の殺害は15人に達した。内ゲバ殺人の激化に対し、革マル派は「狂乱化した中核派に直対応していくことは誤りである」としてテロ戦争から身を引くことを宣言。黒田や松崎は常に護衛をつけ、居場所を知られないようにする生活を続けた。

　JRが発足し、昭和時代が終わりを告げ、平成時代に入っても、松崎周辺の動労幹部は中核派に襲撃され、死傷者が相次いだ。

クロカンの洗脳理論と小が大を食い破る闘争術

　松崎が率いた動労が組織の命運をかけた激しい闘争を展開したのは、昭和42（1967）年に国鉄当局が提案した5万人合理化計画に対する反対闘争である。この計画の中心は7500人の機関助士廃止だった。当時、動力車を運転するのに、蒸気機関車時代と同じように機関士と機関助士の2人が乗務していた。動労にとって機関助士廃止は組合員の大幅減少につながり、組織崩壊に追い込まれる恐れさえある。「機関士」にあこがれて国鉄に入った松崎にとっては、特別の思いがあったに違いない。

この反対闘争の渦中に松崎は動労東京地本の書記長に就任、相次ぐストや順法闘争で2年半にわたって激しい反対闘争を繰り広げる。この闘争が続く中、三井物産出身の石田禮助《れいすけ》に代わって総裁に就任した国鉄出身の磯崎叡《さとし》が、荒廃した現場の管理権を取り戻そうと「生産性向上運動」（マル生）に乗り出す。事実上の〝組合潰し〟である。松崎はこれに激しく反発、若い動労組合員は白ヘルメットをかぶり、駅構内だけでなく、乗客のいる電車内までデモ行進をした。

国鉄当局は昭和44（1969）年10月、全国で長期決戦ストを構えた動労に対し、機関助士廃止を当初計画の半分以下の3500人に減らすとの妥協案を示す。当局は大幅に譲歩したのである。動労はスト中止指令を出し、2年半に及ぶ闘争はやっと終結した。その1カ月後、国鉄当局が行った公労法による処分者は、動労だけで解雇者39人を含む停職、減給、戒告など2万1580人に達した。まさに〝死闘〟だった。

松崎が率いた動労の激しい闘争の背景には、彼が心酔する黒田寛一（クロカン）の革命理論があった。日本の労働運動は共産党系も社会党系も「統一と団結」を掲げ、「小異を捨てて大同団結する」という方針をとった。しかし、松崎はこれを否定した。

「右から左まで一緒になって、みんな仲良しで頑張ろうと言っても、それでは戦う力にならない。たとえ小異を捨てて団結しても、最後の場面では小異を言い立てて分裂してしまう」

松崎は「統一と団結」など「生ぬるい」と感じていた。

クロカンの理論は極めて難解だったが、松崎にとって大事だったのは「のりこえ理論」と「なだれこみ戦術」だった。「のりこえ理論」とは「大衆運動（労働運動）に参加する人を組織的に洗脳し、組織の一員に育て上げ、新たな革命闘争の戦闘要員として投入していく」ことである。一方、「なだれこみ戦術」は「味方の力が弱い時は、強力な相手の内部に潜り込んで、その内部を変質させ、相手の組織を食い破り、自らの組織に変えていく」ということである。

松崎はこの「理論」と「戦術」を動労内で忠実に実行した。松崎は機関助士でありながら、誇り高き職業エリートである機関士たちが牛耳る動労組織に「なだれこみ」、その中に青年部を作り、徐々に内部を変質させる。さらに相次ぐ闘争の中で、一般の組織員を教育し「革マル派」のシンパとした。

松崎は単なる労働運動ではなく、組織内に革命を起こして権力を奪取することを常に考えていたのである。

松崎の大芝居だった国鉄分割・民営化への協力

昭和61（1986）年7月、「戦後政治の総決算」を掲げた第三次中曽根内閣が発足、同年10月、これまでの国鉄をJR東、西、東海など7社に分割・民営化するという国鉄改革法案が成立する。当時、国鉄には国労（約24万人）、動労（約4万人）、鉄労（約4万3000人）という三つの主要組合が存在していた。中曽根政権の狙いは、分割・民営化によって、長い間、相次ぐストや順法闘争で〝国民の足〟を大混乱に陥れてきた最大労組・国労の解体にあった。

前年の昭和60年6月、動労中央本部委員長に就任した松崎は、国労と一体になって中曽根政権が進める国鉄分割・民営化に激しい反対運動を展開してきた。ところが、国鉄改革が本格的に動き出すと、この方針を180度転換して分割・民営化賛成に回ったのである。

同年夏、それまで敵対していた「当局寄り」の鉄労の全国大会に出席した松崎は鉄労組合員に頭を下げ、こう述べた。

「動労の松崎は、国鉄を悪くした元凶の一人です。私はこの席で動労が過去に行ってきた諸問題について率直にお詫びしたいと思います。これまで〝鉄労解体〟の方針を掲げてきましたが、これからは鉄労の皆さんと手を携えて一緒に歩みたいと思います。イデオロギーによってこの鉄道をダメにしてはなりません。鉄労の皆さんの経験に学びながらがんばりたいと思うのです。これまでの数々の失礼をお許し頂きたいと思います」

「松崎の〝コペ転〟（コペルニクス的転換）」と呼ばれている。一世一代の〝大芝居〟だった。松崎の真意はどこにあったのか。彼はこれに先立ち、動労東京地本の定期大会で、この〝コペ転〟を予感させる演説を行っている。

「集中豪雨で崖下の家が一時避難するのは常識だ。気象条件を無視し、磁石も雨具も食料も持たずに、雨の日に山に登ろうとすることほど、組合員を愚弄する愚かな行為はない。少なくとも気象条件、つまりわれわれがよって立つ条件を明確に分析した上で、それに相当する装備をすべきである。雨量が多くなれば登山を中止し、下山することを躊躇すべきではない。メンツで山登りする者を、われわれは愚か者と呼ぶ」

分割・民営化は動労にとっては「集中豪雨」。その最中に無理な抵抗をすべきではない。相手の組織が強いうちはその懐に飛び込んで、組織防衛に当たるべきだ、と松崎は言っているのである。クロカンの言う「なだれこみ戦術」の実践だった。当時、松崎は本当に「転向したのか」という疑問が国鉄上層部でも議論されたが、彼はクロカンの理論を実践し、「組織の温存」を謀っただけだった。

旧動労資産41億円の支配、JRの経営への直接介入

昭和62（1987）年4月、国鉄は民営化され、JR東日本、西日本、東海など7社に分割された。最大労組だった国労は分裂、自壊し、少数組合だった動労、鉄労などが統一して「鉄道労連」（後にJR総連と改称）を結成、国労に代わって最大労組となった。動労委員長だった松崎は、動労を解散し、JR東日本労組の委員長に就任、JR総連やJR各社の組合に、旧動労の革マル派幹部を送り込み、「労使対等」を掲げて完全支配体制を確立していく。

動労の解散と同時に発足したのが任意団体の「さつき会」である。その目的は「旧動労の資産を継承し管理する」と同時に「旧動労組合員の福祉事業の充実をはかる」となっている。松崎は「さつき会」会長となった。旧動労の資産は労働省認可の「日本鉄道福祉事業協会」（鉄福事業協会）が引き継ぐことになったが、同協会は公益法人であるため、それをコントロールする機関として「さつき会」が作られたという。

鉄福事業協会が動労から継承した資金は、流動資産が総額約29億円、土地、建物などの固定資産が約12億円あったと言われている。この資金が「さつき会会長」となった松崎の手に集中することを意味していた。松崎は「さつき会」の関連会社として、動労時代に解雇された人たちの再就職先として、JR東日本の社員向けに各種商品を販売する「さつき企画」を設立する。この会社の株主は松崎1人で、代表取締役に就任したのが松崎の長男・篤《あつし》だった。

JR東日本労組委員長となった松崎は初代社長となった住田正二（元運輸事務次官）や常務取締役となった「改革3人組」の1人、松田昌士（後に社長）と〝蜜月関係〟を築き、JR東日本の経営にも深く介入するようになっていく。彼は住田や松田に「労使関係はニアリーイコールである」と強調した。「ニアリーイコール」は彼の持論である「労使対等」の別の表現でもあった。そして彼は会社側に「労使協議制」を提唱した。

彼が主張した労使による協議事項は「経営方針など経営的事項」「設備計画など生産的事項」「採用、人事異動、評定など人事的事項」「賃金、労働時間などの労働条件基準」だった。一般的に労使による協議事項は「賃金、労働時間などの労働条件」であり、他の項目はいずれも経営側が決定する事項である。これらに組合の介入を許せば、「経営権の放棄」を言われても仕方がない。松崎は「労使対等」という論理で会社経営への容喙《ようかい》を宣言したのである。住田社長は松崎の提言を飲んだ。その背景には住田社長らの革マル派の暴力に対する恐怖感があった、と言ってもよい。

盗聴、盗撮、列車妨害……JR革マル秘密部隊の暗躍

一方、松崎が「敵」として標的にしたのがＪＲ東海の副社長（後の社長）の葛西敬之である。井出正敬（後のＪＲ西日本社長）、松田昌士とともに「改革3人組」と呼ばれ、国鉄分割・民営化の〝最前線〟に立った葛西は、その過程で松崎と「手を握った」。最大の反対勢力である国労を潰し、分割・民営化に松崎を引き込むためには松崎と「手を握る」必要があったためでもある。しかし、その目的が達成されると、葛西は松崎の本心を見抜いて「握手した手」を完全に離し、敵対するようになっていた。

松崎は各所でこう講演し、葛西を攻撃した。「葛西は、松崎がすべてを破壊する、松崎がガンだ、と言っているそうだ。私は戦う相手をはっきりと確認した。葛西、君と戦う。堂々と戦う。そして必ず勝つ。権力は肥大化したら傲慢になる。傲慢になったら悪いことしかない。そのことをはっきりさせる」。葛西は以降、松崎の標的にされ続ける。

平成3（1991）年8月1日夕刻、数人の男が東京・丸の内のパレスホテルに張り込んでいた。彼らが待っていたのは葛西である。彼らは葛西が不倫相手の女性とチェックインし、鍵を受け取って部屋に入り、部屋の中での行動のすべてを盗撮、盗聴していたのである。その現場はビデオでも撮影されていた。この現場写真や会話記録のすべてが新聞各社や運輸省幹部に郵送やファクスで送られる。葛西の〝女性スキャンダル〟は、世間の大きな話題となった。公安当局は、ホテルに張り込み盗撮や盗聴したのは、松崎配下の革マル派「秘密部隊」だと見ていた。

それだけではない。平成5（1993）年になると、ＪＲ東海管内の東海道新幹線で列車妨害事件が頻発する。6月10日の未明には関ケ原付近の新幹線線路上に、寸断されたワイヤーロープ7本がレールと敷石の間に留められ、列車脱線につながる恐れもあった。この2カ月後にはこの現場から約23キロメートル離れた場所で、バラバラになった3種類のチェーンと留め金具2個が発見される。また8月から年末にかけ新幹線の座席に縫い針や虫ピンが放置されているのが相次いで発見される。その件数はこの年だけで200件近くに達し、年が明けても止むことはなかった。一連の事件について松崎は「いずれも葛西の自作自演だ」とうそぶいた。

松崎が事実上支配するＪＲ内の革マル組織には「トラジャ」と「マングローブ」と呼ばれる秘密のエリート組織があった。「トラジャ」はＪＲ発足時に各単組に移行せず、「職業革命家」として革マル派中央に属し、各単組の同盟員の教育・指導を行う者たちである。一方、ＪＲ総連や各単組には「マングローブ」と呼ばれる同盟員が数人から数十人存在し、組合員の中の〝同盟予備軍〟の教育・指導を行っていた。この予備軍の中から「同盟員」をピックアップする方式がとられており、別名

「ユニバーシティ」とも呼ばれていた。
「トラジャ」と「マングローブ」の構成員はあわせて43人だったと言われ、東大、早大卒なども多かった。彼らが松崎の手足となって、同盟員を育て、教育をする役割を担っていたのである。組織防衛上から同盟員の横のつながりはなく、すべてが組織のタテの上下関係でつながり、横の交流は禁止されていたという。JR革マルの構成員はトラジャ、マングローブの指導層から各職場組織の「分会」構成員まで加えると全国で5000人規模だったと言われている。

ハワイの高級別荘を次々と……
組合資産3000万円横領疑惑

　JR東日本の労使を牛耳る〝絶対権力者〟となった松崎は、平成7（1995）年6月、8年間務めたJR東労組委員長を退任すると、組合組織では異例の会長職を新設し、そのポストに就く。会長職に6年間居座ると、さらに「顧問」職を設けて自ら就任、その実権を手放さなかった。この頃になると、「松崎独裁体制」に組合内部からも批判が強まる。すると松崎は「顧問」を退き、東労組の〝中核〟である東京、横浜、大宮、八王子各地方本部に顧問職を設け、それぞれの地本の顧問に就任したのである。

　いかなる絶対権力も、それが長期化すると腐敗することは歴史上そう珍しいことではない。松崎明もその例外ではなかった。平成17（2005）年12月、警視庁公安部は「松崎明らJR総連の関係者が組合の運営資金を私的に流用した疑いがある」としてJR総連本部、東労組本部、埼玉県内の松崎の自宅などを「業務上横領容疑」で一斉に家宅捜査する。松崎らがJR総連の関連口座から約3000万円を着服したという容疑である。捜査は83時間を超える異例の長時間に及び、押収資料は1400点を超えた。業務上横領事件は警視庁では通常、刑事部捜査二課が行うが、この捜査では公安部が乗り出したのである。

　捜査当局によると、松崎は平成12（2000）年にハワイ島西海岸のコナ市の中心部に広さ300平方メートルの高級コンドミニアムを約3300万円（当時の為替レートによる）で購入した。このコンドミニアムには松崎の長男で松崎の資金プール組織とも言われた「さつき企画」の代表取締役を務める篤とその家族も住んでいた。松崎はさらにコナ市の反対側に位置するヒロ市でも庭付き一戸建て（総面積900平方メートル、住宅部分130平方メートル）を約2600万円（前同）で購入していた。それだけではない。松崎は品川区内の高級マンションに広さ63平方メートルの一戸を購入していたほか、鉄福事業協会が所有する群馬県嬬《つま》恋《ごい》村、沖縄県今帰仁村《なきじんそん》、宮古島の3カ所にある保養施設も実質的には松崎の所有となっていた。

　かつて松崎の腹心でJR総連の最高

革マル派中央と
JR革マル派の内部構造

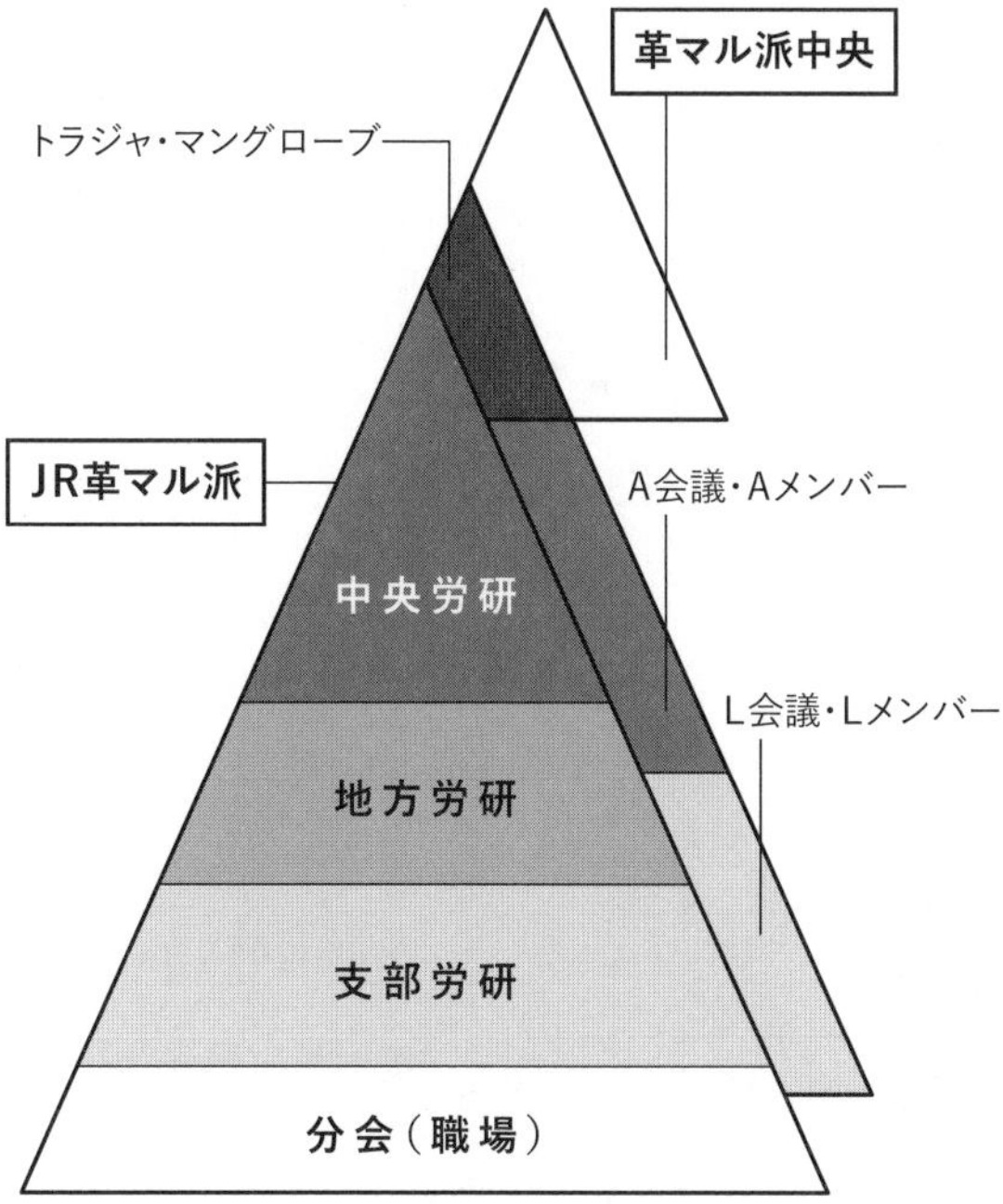

＊「JR東労組を良くする会」が2006年に公表した
「JR革マル派分析三角図表」を参考に作成

幹部の1人だった福原福太郎は、警視庁が捜査に乗り出す直前に「小説労働組合」を自費出版し、松崎の眼を覆うような専横ぶりを次々と暴露し、概略、こう述べている。

「松崎は自らが君臨しているJR総連や東労組、さらに関連会社の資金をあれこれ理由をつけてはいるが、私的に流用している。松崎が恒常的に使用している国内外にある別荘のうちいくつかは松崎が指示して建設させたが、松崎の所有ではなく、JR総連や東労組の関連会社の所有としてある。やがて松崎の息子（篤）を関連会社の社長にしようとする（取り巻きたちの）動きが出てきて、労組出身でもない篤を『さつき企画』の社長に据えたのだ。このことが公私混同の領域を超えて、松崎の組織私物化の象徴となった」

「これほどの人物がなぜ、ここまで変り果て、組織資産を流用するところまでやってしまったのか。松崎は唯我独尊となり『功労者であるオレだけは何をやっても許される』と思うようになってしまったからだろう。松崎の不幸は組織の総大将でありながら、イデオローグであり、参謀であったことである。組織内で絶対権力者の階段を上がるにつれ、人間的魅力は消え失せ、傲慢な猜疑心の権化のようになってしまった」

平成19（2007）年11月、警視庁公安部は「ハワイにあるリゾートマンションの購入資金に当てるため平成12年4月、業務上保管していたJR国際交流基金3000万円を横領した」として松崎を東京地検へ書類送検する。しかし、同年12月、嫌疑不十分で不起訴処分となった。

法人組織を舞台にする業務上横領事件は、会計帳簿などの精密な分析が必要で、損害を受けた被害者の協力が欠かせない。当時の捜査関係者は「さつき会関連の会計帳簿は極めてずさんで、松崎の関与を示す証拠書類は発見できず、また関係者は報復を恐れて起訴後の法廷での証言を拒否した。松崎を逮捕・起訴しても周辺の口裏合わせもあって公判維持は難しいと判断した」という。

革命戦士が最後にすがったのはイデオロギーではなく〝尿療法〟

松崎明は捜査当局の家宅捜査を受ける1年前にJR東労組関連の顧問職もすべて退き、平成16（2004）年の年末、JR総連・東労組の関連団体として「国際労働総合研究所」を創設してその会長に納まる。同総研の理事や研究員は松崎が革マル派副議長として勢力浸透を図った旧動労時代からの腹心で固めた。同総研は、松崎の強制捜査などでしばらくは〝開店休業〟状態だったが、平成19（2007）年8月、雑誌『われらのインター』を創刊する。

松崎が副議長となった革マル派はトロツキーなどが創設した「第四インターナショナル」（第四インター）の流れを汲《く》んでいる。古希《こき》を迎えた松崎には若き頃、闘争の渦中で歌った革命歌「インターナショナル」の歌声が蘇っていたのかもしれない。松崎はこの雑誌で毎号「巻頭言」を担当、〝言いたい放題〟と言ってもよいくらいの「歯に衣着せぬ言論活動」を展開する。JR東労組など組合関係の顧問もすべて退いた松崎にとって、『われらのインター』は唯一の発言の場となった。

『われらのインター』の創刊から1年後、松崎は「間質性肺炎」を発症する。健康オタクの彼は以前から続けていた民間療法の〝尿療法〟を信じて、朝一番の尿を採取し、飲用していた。効果があったかどうかは不明だが、平成22（2010）年9月頃から彼の消息はばったりと途絶え、インター誌の「巻頭言」も消えた。松崎の症状は10月に入ると急激に悪化する。この頃、病床で詠《よ》んだ句がある。

D型も　D民同へ　枯れ谷へ

小中学校を通じて句会に参加してきた松崎明の「辞世の句」と言ってもよい。「枯れ谷」は冬の季語。水が干しあがった谷の様子を言う。松崎が牽引車となって進めてきた「闘う動労型組合運動」（D型）は、すでに水源も枯れ果て、流れ落ちる水もなく、「労働運動の民主化」を標榜する「民同」（民主化同盟・旧国労の主流派）の労働運動になってしまった、という無念の思いを詠んだ句だろう。その原因を作ったのは自分自身であることを、果たして自覚していたのだろうか。平成22（2010）年12月9日、波乱の生涯を閉じた。74歳だった。

（敬称略）

第4章

タニマチ&虚業の怪物

犯罪史上最大の疑獄事件、その語られざる顛末

江副浩正

天才起業家がリクルート事件で踏んだ虎の尾

森功▼ノンフィクション作家

贈賄の真の狙いは電電公社民営化で開放された通信事業。後ろ盾なきベンチャーの祖が陥った政財界利権の伏魔殿とは? 晩年、金の亡者と化した天才の裏の顔。

東京地方検察庁特別捜査部は終戦間もなく、連合国軍最高司令官総司令部(GHQ)が、旧日本軍の隠し持ってきたダイヤモンドや貴金属など隠匿退蔵物資の事件捜査部として立ち上げた組織である。やがてそこが日本の政治権力の暴走を摘発する捜査機関となり、司法界をリードするようになる。その役割は従来の治安維持だけではない。東京地検特捜部は日本社会を一定の方向へ導く務めを要求されてきた。時代の変成を担ってきたと言い換えてもいい。従ってそれが国策捜査と指摘されても、あながち的外れではない。

ただし、大阪地検特捜部による証拠改ざん事件(2010年)を機に巻き起こったのちの国策捜査批判は、必ずしも特捜捜査の本質をとらえていない。特捜部は政官財の権力が歪めた軌道の修正を図る役割を期待されてきたからだ。リクルート事件は、まさしくそんな東京地検特捜部が手掛けたエポックメイキングな政官財界の疑獄と言える。

言うまでもなく事件の主役は、「ベンチャーの旗手」ともて囃《はや》されたリクルート創業者の江副浩正である。まだ起業という言葉すら馴染みがなかった1980(昭和55)年代後半、江副は自ら築いたリクルートグループを率い、政官財工作に血道をあげた。ここ数年、「天才起業家」などと再び賛嘆する声が聞こえるようになったが、一方で、事業家としての危うさや胡散臭《うさんくさ》さもつ

きまとった。

江副は2000年前後のIT・投資ファンドバブルで登場したライブドアの堀江貴文や村上ファンドの村上世彰《よしあき》らにとっての先輩格でもある。3人はともに東京大学出身で、だから学歴上でも彼らの先輩にあたる。江副は大胆なアイディアで一大事業を起こした拝金主義者、と非難されてきた。そこも堀江や村上と似ている。起業家ではなく、虚業家と呼ばれた。

リクルート事件は、ライブドアの粉飾決算や村上ファンドのインサイダー取引とは比較にならないほど、スケールが大きい。事件が昨年来、大騒動に発展した「政治とカネ」問題の原点のように指摘される所以《ゆえん》である。

事件は昭和天皇が崩御され、平成へと元号が移るその瞬間に発覚した。大葬の礼を控えて日本中が騒然とするさなかの89（平成元）年2月13日、密かに検察首脳会議が開催される。東京地検特捜部がとらえようとした時代の寵児《ちょうじ》が、リクルートの江副だった。容疑は政官財界に張り巡らせた贈賄の疑いだ。検察首脳会議の一決を得た精鋭の特捜検事がその日のうちにリクルート会長の江副の身柄を押さえ、グループ企業のファーストファイナンス前副社長の小林宏や日本電信電話株式会社（NTT）元取締役の式場英、長谷川寿彦といった関係者を矢継ぎ早に縄にかけていく。大学生向け就職情報誌を発行する新興企業のリクルートを巡る政官財界の一大汚職事件として、世間の耳目を集めた。

リクルート事件では、江副らの政官財界工作の動きと賄賂を渡した相手に応じて「政界ルート」「文部省ルート」「労働省ルート」「NTTルート」の捜査が展開された。むろん4ルートはそれぞれが単独で起きた直線的な贈収賄工作ではない。東京地検特捜部は複雑な要素が絡み合う事件の構図を解きほぐそうとした。

事件はときの中曽根康弘政権における政策の歪みが、その大きな背景にあった。まさに日本が規制緩和や行政分野の民間開放に向け、新たな時代へ舵を切ろうとしていた時期にあたる。昨今、見直されつつある新自由主義政策の幕が開け、事件が起きる。

江副は規制緩和政策の下、ビジネスチャンスをうかがった。最大の舞台が、通信の自由化である。リクルート事件の本質はNTTルートにあると言い換えていい。

未公開株200万株のばら撒きまれに見る劇場型汚職事件

〈川崎市助役へ一億円利益供与疑惑〉

犯罪史上最大級の疑獄事件は、88年6月18日付の『朝日新聞』報道が端緒になった。リクルートがグループ中核の不動産会社「リクルートコスモス」の未公開株を市の助役へ譲渡していた事実が発覚する。不動産開発を手掛けてきたリクルートコスモスは、今のコスモスイニシアである。そしてここから、コスモス株の政官財各界へのばら撒きが判明していった。

株式市場の店頭公開前に値上がり確実なグループ企業の未公開株を譲渡し、利益を供与するという新手の賄賂、と国会で議論を呼んだ。その未公開株の譲渡先が実に幅広い。中曽根をはじめ、竹下登ら自民党の首相経験者はもとより宮沢喜一、安倍晋太郎や渡辺美智雄といった将来の首相候補、与野党問わず大物国会議員が株を受け取っていた。さらに霞が関の高級官僚、NTTやマスコミ関係者にいたるまで、コスモス株の譲渡先はありとあらゆる分野におよんだ。リクルート事件では政官業の有力者約150人に200万株が渡っていた。前代未聞の汚職事件と言うほかない。

「秘書が受け取ったかもしれないが、私は知らない」

株を受け取った政治家や官僚が弁明するその様は、現在の派閥パーティー券問題に通じる自民党の伝統芸と言える。疑惑の渦中には、爆弾男と異名をとる社会民主連合所属の代議士・楢崎《ならざき》弥之助の仕掛けが話題になった。8月4日、コスモスの社長室長だった松原弘が楢崎のいる議員宿舎を訪れて菓子折といっしょに500万円の現金を差し出した。

「リクルートを助けてほしい。……国会での追及を中止してほしい」

その現ナマのやりとりが隠し撮りされ、テレビ放映される始末だった。隠し撮りは楢崎によるパフォーマンスではあるが、騒動の火に油を注ぐ格好になったのは間違いない。

以来、リクルート事件は過去、密室で繰り返されてきた政界汚職と一種様相を異にする劇場型の疑獄となる。事件の主役である江副浩正もまた、実に不思議なキャラクターをしていた。外出の際にカツラを被って変装してかえって目立った。当人は変装姿を世間に見せつけたかっただけだったのではないか、との説が定着したほどだ。

"本丸"の中曽根康弘を捕り逃した東京地検特捜部

江副浩正は1936(昭和11)年6月、愛媛県越智郡波方村(現・今治市)に生を受けた。父親の良之は今治実科高等女学校の数学教師だ。生徒だったマス子と結ばれ、2人のあいだに生まれた長男が江副である。本人は一家が移り住んだ大阪で少年時代を送り、終戦後に豊中市立克明小学校から兵庫県の中高一貫私立の甲南中学に進んだ。芦屋や御影に住む資産家の子弟の通う甲南中学の生徒は裕福で、甲南高校では医大を目指す生徒に囲まれていた。教師の息子である一般家庭の江副は、肩身の狭い思いをしたかもしれないが、東大教育学部教育心理学科を目指して合格した。

すでに大学生にして起業を志し、財団法人「東京大学新聞社」に入って営業活動を学んだ。その東大新聞編集部の先輩に森ビル創業者の森稔がいた縁で、江副は第2森ビルの屋上の掘立て小屋で事業を始めた。それが株式会社「大学広告」だ。江副はリクルートブックの前身となる就活学生向けの情報誌『企業への招待』を発行し、企業からの求人案内広告料だけで情報誌発行費用を賄《まかな》って収益をあげた。広告代理業と出版業の中間のようなこの独特のビジネスモデルを確立し、さらに不動産デベロッパーのリクルートコスモスを創業した。

そうしてベンチャーの旗手と評判になった江副は81年3月、東京・銀座に旧日本リクルートセンターの本社ビルを建て、ビジネスの手を広げようとした。折しも、その翌82年11月、中曽根康弘が鈴木善幸の後を受け第71代内閣総理大臣に就任する。87年11月に竹下登に首相の座を譲るまで、5年にわたる長期政権を築いた中曽根は、欧米の規制緩和政策を取り入れた先駆者と言える。その中曽根政権の後半、日本はバブル経済に突入し、国中が不動産や株を使った錬金術に酔いしれていく。

そして江副は、中曽根時代の規制緩和とバブル経済を絶好のビジネスチャンスととらえた。従来の規制をどう掻《か》い潜って事業を広げるか。江副は頭を巡らせ、政官財界に飛び込んだ。リクルート事件は、そんな時代の端境期《はざかいき》で起きたのである。

捜査対象に応じて「政界ルート」「文部省ルート」「労働省ルート」「NTTルート」と色分けされたリクルート事件には、大きく分けて二つの側面がある。一つは就職情報誌『リクルートブック』を売るための政官界への働きかけであり、もう一つが通信の自由化を踏まえた電話事業の新規参入を有利に運ぼうとした賄賂工作である。言うまでもなく後者の捜査がNTTルート捜査だ。

先にリクルート事件は規制緩和政策のなかで起きた事件と書いたが、情報誌の販促について江副は、むしろ逆に規制を利用したビジネス展開を図ろうとした。検察はそのために中曽根政権のナンバー2だった官房長官の藤波孝生に対し、1万2000のコスモス株だけでなく、盆暮れの2000万円の現金まで届けていた事実もつかんだ。結果、近い将来の首相候補と呼び声が高かった政界のホープ、藤波の摘発に踏み切った。

もっとも、受託収賄罪に問われた藤波の公判は揺れた。東京地裁の1審判決は藤波に対していったん無罪を言い渡す。その1審判決が2審の東京高裁で逆転有罪となる。この間、藤波は政界における存在感を失い、首相の夢を断たれていった。97（平成9）年3月24日に開かれた東京高裁判決公判では、高裁の裁判長が藤波に懲役3年、執行猶予4年の有罪判決を言い渡した。

「江副浩正元リクルート社会長らは、84年度の就職協定の行方に不安を感じ、取締役会において、被告人（藤波）に働き掛けて、公務員試験日程の大幅な繰り下げを図るとともに、官庁側にも就職協定を順守させることに決した」

続いて裁判長は江副が84年春先に首相公邸を訪ねたときの模様を取り調べ検事に供述した検察官面前調書を読み上げた。藤波に請託した場面である。

「藤波先生は、『公務員試験とかいう問題は人事院ですかな。詳しいことはわからないが、官側だけが先に人を採るようなことは具合悪いですな。どこでどう決まっているのかというようなことを含めて調べてみますかな。官庁の青田買いの問題については考えておきましょう』と言って要望を受け止めてくれた」

就職協定は古く53(昭和28)年、文部省の「就職問題懇談会」における申し合わせからスタートしている。学校と企業とのあいだで、大学や短大の新卒者の就職活動および採用内定の時期を取り決めたことが始まりだ。しかし協定はいつしか形骸化し、事実上の青田買いが常態化する。青田買いは官庁の採用にまで波及し、横行してきた。

一方、就活学生向けの情報誌を発行するリクルートにとって、青田買いは悩みのタネだった。官庁が青田買いしているのだから、民間企業は堂々と右へ倣《なら》う。リクルートは青田買いのせいで、いつ就職情報誌を発行すれば効果的か、そのタイミングが定まらなかったという。まずは官庁の青田買いをやめさせなければならない。それが賄賂工作の狙いである。

藤波は文部政務次官や労働大臣を歴任してきた。平たく言えば藤波に対する贈賄は、官庁による就職協定破りの青田買いがないよう、リクルートが官邸に働きかけたものである。理由は、政官業のトライアングルにおける政治家の官僚に対する優位性を利用しようとしたからにほかならない。元文部事務次官の高石邦男や元労働事務次官の加藤孝という2人の高級官僚や労働省の課長たちへの賄賂もまた、似たような趣旨だ。かつての造船疑獄やロッキード事件に見られた従来型の贈収賄事件の構図と同じである。

ちなみに政界ルートで言えば、公明党代議士の池田克也もコスモス株5000株を受け取り、在宅起訴された。池田は党の支持母体である創価学会系の雑誌『潮』の元編集長であり、これはマスコミ工作の側面が強かったかもしれない。検察にとって、彼らを次々と摘発したこと自体は及第点と言える。

畢竟《ひっきょう》、ときの首相を捕り逃した悔いは残ったに違いない。中曽根康弘政権による市場開放、新自由主義政策が、新たなタイプの汚職事件を呼び込んだ。それがリクルート事件の本質だった。検察の本丸が中曽根だったのは、誰の目にも明らかだった。

新生NTTは政界の伏魔殿 裏事情に無知だった江副

1985年4月、旧郵政省の外郭団体である特殊法人「日本電信電話公社」(電電公社)が民営化され、NTTが誕生した。念を押すまでもなく、中曽根政権による電気通信事業における構造改革の一環である。そこでリクルートはＮＴＴから回線を借りて通信事業に乗り出した。それが回線リセールと呼ばれた新規事業だ。近年、電力の自由化により東京電力など従来の大手電力会社のインフラを借りて電気を販売する参入業者が誕生した。回線リセール事業もそれに近い。

リクルートの江副浩正は電電公社最後の総裁としてＮＴＴの初代社長に横滑りした真藤恒《ひさし》に未公開のコスモス株1万株を手渡した。結果、真藤は90年10月の東京地裁による懲役2年、執行猶予3年、追徴金２２７０万円の有罪判決が確定し、経済界から去る羽目になる。

真藤は石川島播磨重工業を業界トップに押し上げ、70年代の造船不況でも経営を建て直した名経営者とされる半面、リストラの評判が悪く、社員から総スカンを食らって社長の座を追われたという見方もある。鈴木善幸政権で行政管理庁長官を務めた中曽根に請われて81年に第二次臨時行政調査会長に就いた土光敏夫が、石川島播磨の先輩社長としてその真藤を拾い、電電公社の民営化を睨《にら》んで電電公社総裁に抜擢《ばってき》したとも伝えられる。真藤は85年4月、民営化されたＮＴＴの社長に就任した。

そしてリクルートの江副は電気事業改革最大のキーマンとなった真藤に接近する。

民営化されたNTTとJTの株券引き渡し式。中央が真藤NTT社長。“大株主”竹下蔵相に株券が手渡された

もっとも真藤のＮＴＴ社長就任の裏には、江副の知らない複雑怪奇な政界事情があった。自民党最大派閥の田中派の分裂という自民党内の権力闘争が、新生ＮＴＴに暗い影を落としているのである。詳しくは稿を改める（１７２頁参照）が、真藤のＮＴＴ社長就任には、郵政族のボスである田中角栄と民営化路線を進める中曽根康弘の対立構造がその背景にあった。新生ＮＴＴには自民党の郵政族議員や郵政官僚、さらにはそこにぶら下がる経済界の経営者たちが取り巻いた。電気事業改革で主導権を握ろうとした真藤は孤立し、その評判がよくなかった。江副は政官財界の複雑な利害が絡んだそのあたりの裏事情を読み切れなかったのではないか。ウシオ電機創業者の牛尾治朗を通じて真藤と知り合い、ＮＴＴとの提携にすっかりのめり込んだ。回線リセール事業もその一環と言えた。

電気事業改革としては、旧電電公社から枝分かれした特殊法人「国際電信電話」改革というもう一つの流れもあった。国際電電の通信インフラはNTTと同根で、文字どおり国際通信を独占してきたが、中曽根政権が財界の要望に従い、第一種事業の新規参入を受け入れたのである。トヨタが国際電電や日本高速通信に経営参加したのがいい例だ。民営化されたNTTの誕生と同じ85年には、京セラ社長の稲盛和夫が音頭をとり、セコムの飯田亮などが賛同し、長距離電話通信を主体とする第二電電が生まれた。いわばNTTとは別に、国際通信事業における通信グループが生まれたのである。最終的に2000年10月、トヨタ系のKDDとIDO、京セラ系のDDIの3社が合併し、現在のKDDIに集結していく。

　リクルートの江副浩正の本当の狙いは、この国際通信事業への参入だった。回線リセール事業を始めたものの、しょせんはNTTから借りた電話回線網の再販事業であり、借り物の第二種事業でしかない。江副が目指したのは、トヨタや京セラのように自社で独自の回線を保有する第一種事業だった。

　しかし、江副は通信事業の第二グループの潮流には乗れなかった。財界からいつまでたっても新参者扱いされ、インナーサークルに入れない。それは、学生時代にいきなり会社を興し、老舗企業に勤めた経験がなかったせいかもしれない。実業界で江副が懇意にしたのは、先のウシオ電機の牛尾のほか、化粧品「ノエビア」社長の大倉昊《ひろし》や「大阪有線放送社」創業者の宇野元忠といった新興のベンチャー企業の経営者ばかりだった。江副には財界との交流がなかった、その焦りがあったのかもしれない。

　政界の裏事情を理解しない江副が、初代NTT社長の真藤恒に接触したのはある意味、自然の流れだった。単純に真藤という通信事業改革の新たな旗手に近づこうとしたその手段が、コスモス株の譲渡だったのである。

　そして米国から日本に輸入された金融緩和や構造改革政策は、バブルという空前のお祭り景気をもたらした。リクルートの江副浩正は財界の異端児として、バブル時代を生きた。江副が賄賂攻勢という無茶な手法をとったのも、後ろ盾がないゆえの悲哀の裏返しかもしれない。仮に江副自身に、政界や官界へ通じるパイプがあれば、ここまで極端な行動に出ることはなく、もっとうまくやっていたかもしれない。半面、日本の産業界全体が危うい波に乗っていたこの時代、江副は錬金術において、旧来の財界人よりずっと長けていた。それは、従来のルールの枠からはみ出さなければ、浮かび上がれない、という発想から身につけた術とも言えた。

創業者利得は412億円 元側近が明かした裏の顔

　リクルートブックに代表される斬新なアイディアで事業を拡大させてきたかに見える江副浩正は、みずからの事業をどう位置づけてきたのか。少なくとも日本社会における新たな産業の創造を生涯の目標に掲げたわけではなかったように感じる。そこについて、リクルート時代の元側近は、こう説明してくれた。

「リクルートといえば、世間ではもっぱら情報産業のイメージばかりがクローズアップされてきたけれど、むしろ江副さんが得意だったのは株と不動産を駆使した昔ながらの事業です。そこには社会貢献という建前は無用。だからこそ、バブルという時代の波に乗れた。利益至上主義というか、金銭に対する執着心が人一倍強かった経営者です」

江副の錬金術は東急グループの五島慶太や西武グループの堤康次郎、国際興業社主の小佐野賢治といった旧来型の経営者と似通っている、と元側近は言った。事件前は斬新なアイディアで事業を切り開いてきた時代の寵児として囃《はや》され、事件後は拝金主義者と非難された。その指摘はどちらも間違いではないだろう。ただし事件後の当人は革命児という顔を失い、資産形成に対する泥臭い執念だけが残った。

事件の舞台となったリクルートコスモスは旧社名を「環境開発」という。そこには、数多くのダミー企業がぶら下がっていた。「神宮不動産」「山形企画」「ルシェル」「日栄興産」……。いわゆる地上げ部隊であり、リクルートのみならず江副個人の資産形成のための重要な役割を担っていた。あの許永中が地元大阪でコリアンタウン構想を描き、リクルートコスモス社長とタッグを組んだことは別稿の「許永中編」（35頁参照）に書いた通りだが、江副にも裏の顔がある。

江副は事件後、水面下であがいた。公判中の92年6月、とつぜんリクルート株や経営権をダイエーの中内㓛《いさお》に渡し、世間を驚かせる。当人は創業者利得として412億円を手にした。私が江副本人と改めて会ったのは、ダイエーへのリクルート株売却があった2年後の94年秋である。新橋にあった奨学基金の財団法人「江副育英会」の事務所で彼は言った。

「今はもっぱら趣味の世界に生きています。得意のダンスに週2回程度通い、ゴルフやスキーを楽しんでいます。実はダイエーに株を譲渡した際、中内さんと交わした覚書があるんです。中身は、リクルートグループが運営する岩手県安比《あっぴ》高原開発について、私に一任するというもの。私は年に50回は向こうでスキーをし、夏には学生たちを連れてキャンプを張っています。事件のあとには囲碁と小唄を始めましてね。囲碁は小林千寿という女流棋士に師事して3年で二段をとりました。小唄は長生流で、長生松浩という名取にもなりました」

趣味のオペラなどに私財を投じ、事件後は文化人として生きているというのが彼のスタンスだった。しかし、それはあくまで表向きの顔でしかない。

江副の手から離れたリクルートはダ

イエーの経営危機に伴い、新経営陣が株を買い戻した。この時点でリクルートに対する江副の影響力はなくなった。

だが、生来の事業欲は尋常ではない。走り続けなければ不安に駆られるのだろう。事件で逮捕され保釈されてほどなく、株や不動産の取引を再開していた。兜町では江副を仕手筋ととらえる向きもあった。

「証券会社や不動産業者からは、江副銘柄などと呼ばれて、その動向を注目している、と聞いています。仕手筋とのつながりも」

本人にそう尋ねてみた。すると、ばれたか、と言わんばかりに苦笑いを浮かべた。

「株式投資は少しずつです。転換社債が中心で、現物株については巷間《こうかん》言われているような仕手筋とはまったく関係ありませんよ」

こう何度も弁明をした。

「株式投資自体は別に悪いことではありませんけれど、リクルートの社員感情を考えると、自分の会社を売った金でよその会社の株を買っているわけですから、表立っては言えません」

事件後、影の企業群を拡大し株、不動産、カネの亡者に

事件における賄賂の手段となったコスモス株は、リクルートグループとして数えられているが、そこにぶら下がってきた「神宮不動産」や「山形企画」、「ルシェル」「日栄興産」といった不動産会社の業務は、もともと江副の資産形成づくりという色合いが濃かった。裏方の仕事をしてきただけに、部外者からはその実態がうかがい知れない。江副にとっては、みずからの分身のように動いてくれる大切な影の企業群だ。

たとえばその一社である「ルシェル」はバブル経済期、南青山三丁目の地上げに乗り出した。都心の一等地として不動産デベロッパーの垂涎《すいぜん》の的だった土地だ。ただし、地権者の権利関係が複雑で、なかなか開発にいたらなかった地域でもあった。のちに米投資会社「サーベラス」グループが開発に乗り出し、土地取引に関する国会質問をした国会議員が銃弾を送り付けられたことで知られる。また取材をしていた新聞記者が、この議員との会話記録を元暴力団員に横流ししていたことまで判明した。曰《いわ》くつきのこの土地の地上げを最初に手がけたのが、コスモス社のダミー会社として江副が設立したルシェルだった。

江副は事件後、こうした影の企業群を使い、株や不動産取引に奔走した。なかでも目立ったのが、日栄興産だ。私が江副に会った94年当時の1年間で、江副は会社の資本金を1億円から一挙に30億円に増やし、事業拡大を図った。リクルート社内では、事件前から「江副商店」と呼ばれていた不動産会社だと日栄興産の元役員が話してくれた。

「日栄興産はそもそもコスモスで捌《さば》きされない小口の不動産物件を拾うため、

江副さんが個人的に出資して設立した会社です。事件前まで江副さんが会社の代表を務め、一時はみどり夫人も役員に就任していました。リクルート事件後は目立たないよう、江副さんの信頼する側近たちが代表に就き、94年には長谷工から社長をヘッドハンティングしたりした。ダイエーにリクルート株を譲渡するあたりから、事業を手広く広げていきました」

会社の設立は1978年5月、のちにスペースデザインと社名を変更し、都心で「ルミネ」や「リックス」と命名したマンションシリーズを展開してマンションやオフィスビルのデベロッパーとして名を馳《は》せていった。むろん当の江副本人にも、この会社の件を尋ねたが、「何をやっているかも知りません」と逃げを打つばかりだった。しかし、それは明らかな嘘だった。

不動産事業における江副の経営手腕は、さすがというほかない。個人資産の管理会社に過ぎなかった日栄興産をスペースデザインに衣替えしたあと、年商200億円ほどの中堅のデベロッパーに成長させた。だが、急成長の裏ではトラブルも絶えなかった。

2000年10月には改造銃を持った暴漢にスペースデザインの社長が襲われている。当時の社長は神奈川県内に一軒家を構え、唐突にフリーライターを名乗る男が訪ねてきた。

「御社の取材をしているけれど、オーナーの江副さんの話をうかがえないでしょうか」

そうインターフォン越しに話しかけられ、社長がドアを開けた。

「話すことはありません」

そう断りを入れてドアを閉めようとしたという。すると、いきなり拳銃を取り出し、社長に銃口を向けた。のちの調べによれば、手に持っていたのは改造銃で、暴漢はそのまま弾を発射し、弾は社長の脇腹をとらえたという。うずくまる社長を尻目に、暴漢は何事もなく去っていった、と神奈川県警の関係者が話した。

「社長は警察の調べに対し、社内のトラブルを匂わせたらしい。けれど、そこから先は心あたりがない、という話。結局、犯人は捕まらず、迷宮入りしています」

89（平成元）年2月に逮捕されてから14年が経過した03年3月、リクルート事件の主役にようやく1審判決が下った。東京地裁の裁判長は江副に対し、懲役3年、執行猶予5年の有罪を言い渡した。江副本人も判決を受け入れ、控訴せずに刑が確定した。主役の江副を含む4人が贈賄罪、8人の収賄罪の合計12人の刑事罰が確定した。

もとより東京地検の特捜検事たちにとって、リクルート事件最大のターゲットは中曽根康弘にほかならない。世間は、元首相を獄につないだロッキード事件の再来、と捜査に期待し、その成り行きに固唾をのんだ。だが、中曽根をはじめ多くの政治家や官僚たちは罪に問われなかった。（敬称略）

田中派秘書100人を養ったタニマチの怪物

佐川清

皇民党事件の大黒幕だった佐川急便の怪商

路線免許の認可もトラックの増車も角栄の口利きで意のまま。政界を利用して事業を急拡大、芸能・スポーツ界最大のタニマチとしても名を馳せた怪商の光と闇。

岩瀬達哉▼ジャーナリスト

「竹下さんは日本一、カネ儲けがうまい政治家。竹下さんを総理大臣にしよう」

右翼団体・皇民党が、街宣車十数台を連ね、拡声器でこう連呼しながら都内をまわりだしたのは、昭和62（1987）年1月の初旬だった。途中、根室での北方領土奪還運動に参加するため7月末から8月8日までの間、「ホメ殺し」は一時止むものの、その後再開され、10月2日まで続いていく。

後述するように、10月2日の午後、皇民党は「ホメ殺し」の目的を達する。霞が関の官庁街で「勝利演説」をすると、高速道路を乗り継いで大阪に向かい、大阪港からフェリーで本拠地の四国高松に帰っていった。

ホメながら、その言葉の裏でけなす「ホメ殺し」は、滑稽さが際立つ。と同時に右翼にカネを出して応援させているとの憶測を生み、顰蹙《ひんしゅく》を買い、広く国民の離反を誘う効果があった。続ければ続けるほど、竹下登へのボディーブローとして効いてくる。

高松に本部を置く皇民党は、この戦法を地元の老右翼から教えられ、昭和54（79）年4月の香川県会議員選挙で使い、効果を実感した。その成功体験が、竹下への街宣活動につながっていたのである。

「ホメ殺し」でダメージを受けたのは竹下だけではなかった。

皇民党は、街宣活動に必要な道路使

用許可を取っており、朝8時から夜8時までの活動が許可されていたため、警視庁もこれには音をあげていたのである。

途中から、警視庁の要望を聞き入れ、夕方4時で切り上げている。時間変更の理由を、皇民党幹部はこう言った。

「午後8時までホメ殺しをやると、その時間まで機動隊もわれわれに張り付いていなけりゃならんでしょう。それから宿舎に帰り、洗車して車両整備をして、その日の報告書も書かなければならないわけだから、仕事が終わるのが夜の10時、11時ころになる。これが1日や2日でなく、連日となると機動隊員のからだがもたない。だから、午後4時で止めてくれと言ってきたわけよ」

月400万から500万円だった皇民党の街宣費用

皇民党が「ホメ殺し」をはじめたのは、自民党総裁選の年であった。

自民党総裁は中曽根康弘で、その任期が終わる10月には「中曽根裁定」で後継総理を指名することになっていた。総裁選への立候補者は自民党幹事長だった竹下登のほか、総務会長の安倍晋太郎、そして大蔵大臣の宮澤喜一であった。彼らは全国行脚で、自らへの支持を訴えてまわるのだが、その渦中に皇民党が割り込んできたわけだ。

ほとほと困り果てた竹下は、警察に相談したものの、「道路交通法違反以外に取り締まる術《すべ》はない」とされ、これはじっと我慢するしかないと腹を固めた。のちの国会でそう答弁している。

しかし中曽根が、「右翼の動きも止められないようでは、後継者に指名できない」と発言したことで、竹下は、どうにかして皇民党の動きを止めなければならなくなったのだ。

そこでいろんな人物が、入れ替わり立ち替わり皇民党にやって来ては「ホメ殺し」を止めてくれと懇願《こんがん》するようになる。

ハマコーこと、浜田幸一衆議院議員もそのひとりで、中曽根裁定が数カ月後に迫った夏頃、わざわざ高松まで足を運び「8億円積むから、手を引いてくれ」と言っている。

悪い条件ではなかった。街宣活動にはカネがいる。皇民党の場合、自炊し、車中泊をしていたが、それでもひと月、400万円から500万円はかかっていた。

費用の内訳は、隊員35、6人分の食費が約300万円。街宣車15台へのガソリン代が160万円、ほかに駐車場代などを含めると、その金額になっていたという。

ハマコーが提示した「8億円」は、それまでの活動経費を差し引いても7億5000万円以上のカネが残る計算だ。カネが目的の「ホメ殺し」なら、じゅうぶん過ぎる見返りを手にできるのだが、皇民党はこの条件を蹴った。

ハマコーは激怒し、対応にあたった皇民党幹部に「お前らは、二番手じゃないか。なぜ、稲本を出さないんだ」と声を荒らげた。稲本とは、皇民党総裁の稲本虎翁である。

これに対し、皇民党の幹部は「お前も二番手じゃないか。竹下が来るんだったら、稲本を出す」と返したところ、ハマコーは憤然と席を立って帰っていったという。

田中邸謝罪訪問の映像を満足げに見ていた佐川清

「ホメ殺し」は、2年前の竹下の裏切り行為に起因するものだった。

昭和60（85）年2月、派閥の領袖《りょうしゅう》で、竹下を政治家として育ててくれた田中角栄を騙し、田中派内に派中派の「創政会（のちの「経世会」）」を旗揚げした。そして田中派の議員をごっそり引き抜いていったのである。

当時の田中は、ロッキード事件の刑事被告人として裁判闘争の渦中にあった。闇将軍として、自身の政治力保持のため無所属議員などを取り込み「田中軍団」と称される一大派閥を形成していく。

しかしいくら派閥を拡大しても、田中が刑事被告人であるかぎり、田中派からは総裁への道は開けない。人事面で割りを食い、大臣ポストや党の要職に就けない議員らの不満を後ろ盾に、竹下は「創政会」による田中派の乗っ取りにかかったのである。

田中は怒りを爆発させ、愛人で秘書だった佐藤昭に語っている。

「冗談じゃない。勉強会と言うから俺は許したんだ。俺が派閥を作ったのは、佐藤(栄作)さんが派閥を止めると言ったからだ。佐藤派を乗っ取ったわけじゃない」(『私の田中角栄日記』)

まさかの裏切りにあった田中は、朝からウイスキーを浴びるように呑み、「創政会」の旗揚げから20日後の昭和60年2月27日、脳梗塞で倒れた。言語障害と手足の機能マヒが残り、以後、国会議員ではあっても、一度も登院することなく平成2（90）年1月、政界をさびしく引退している。

一人娘の田中真紀子の憤りも激しかった。総裁選への立候補のあいさつと称して、竹下が目白の田中邸を訪問した時、門扉は固く閉ざされたままだった。

中曽根による後継総理指名の日が近づいてくるも、「ホメ殺し」は一向に止まない。焦る竹下に、救いの手を差し伸べたのが東京佐川急便の渡辺広康社長だった。この事実が明らかになるのは、平成4（92）年に渡辺ほか東京佐川の役員4人が、特別背任罪で東京地検特捜部に逮捕されてからである。

板橋のしがない運送屋でしかなかった渡辺は、佐川清に気に入られ、引き上げられたことでグループの中核企業である東京佐川急便の社長となり、永田町にカネをばら撒《ま》く役をまかされたことで政界から一目も二目も置かれる存在になった。

渡辺がダンボール箱にカネを詰め込

み、田中邸に届けるたび、角栄は「ナべちゃん、いつもすまんなー」と声をかけていたという。

しかし角栄が倒れるや、すぐさま竹下に乗り換え、竹下総理の誕生に貢献することで、佐川急便グループの創業者、佐川清を凌ぐ力を手に入れようとしたのだ。

渡辺は、広域暴力団・稲川会に頼み、皇民党の「ホメ殺し」を止めさせるべく立ちまわった。結果、皇民党の稲本総裁と、稲川会の石井進会長（当時）との会談が、赤坂プリンスホテルのスイートルームで行われている。

一度目の会談は決裂している。この時、石井会長は、脅しともとれる言葉をつぶやいていた。「ウチの若い者のなかには、何をしでかすかわからない乱暴者がいる」

これには皇民党も緊張し、一時、稲本は街宣車から降り、しばらく身を隠した。「頭を取られたら街宣活動ができなくなるからだ」（皇民党幹部）

刻一刻と、中曽根裁定が迫るなか、二度目の会談が10月2日に持たれた。この日の午後1時過ぎからはじまった会談の模様は、稲本の右腕だった人物によると、次のようなものだった。

石井会長「これだけの運動を、ただ止めてくれとは言えないのはわかっている。止めてもらうには、どうすればいいか。どんな条件をお持ちですか」

稲本総裁「条件などありません。竹下が田中角栄を訪ね謝罪すること。それだけです。このまま竹下が総裁選に立候補し、中曽根から総理に指名されるようなことになれば、裏切り者が天下を取ることになりませんか。だったらあの明智光秀も英雄ということになる。歴史を書き換えなくちゃならなくなる」

石井会長「わかりました。竹下に田中邸を訪問し、田中角栄に謝罪することが『ホメ殺し』中止の条件だということを伝えましょう。あと、何が条件ですか」

稲本総裁「これ以外にありません」

石井会長「エッ、本当にそれだけですか」

稲本総裁「それだけです」

中止条件を伝えられた竹下は、4日後の10月6日午前8時、目白の田中邸を訪問する。前述したように田中真紀子によって門前払いを食うのだが、その惨《みじ》めな姿がテレビ局のカメラに納められていた。

ニュース映像を見ながら、「あのバカ」と、いかにも満足そうにつぶやいていたのが佐川清だった。

佐川清の元側近は、「会長と皇民党の関係については、佐川急便のなかでも数名しか知らないことです」と断ったうえで、こう続けた。

「会長は、いつも、田中先生には足を向けて寝られないということを言っていた。まして情を大切にする人ですから、田中先生を裏切った竹下さんには、本当に腹を立てていた。このまま黙って総理にさせないという強い思いがあった。その思いを皇民党につないだのは、高松支店の店長です。

竹下さんへの『ホメ殺し』がはじまる前、そういう戦法があるというのを聞かされたことがある。国民感情なども考え合わせれば効果があるなと思ったものです。しかし、まさかあそこまで竹下さんが追い詰められるとは思わなかった。竹下さんも『ホメ殺し』の背景はわかっていたはずです。でも、会長の憤りもわかっていたので、何も言えなかったのでしょう」

欲をかいた東京佐川急便の渡辺は、稲川会に大きな借りをつくったことで、求められるままにカネを出さざるを得なくなった。

稲川会のフロント企業などに、返済見込みのない巨額の資金融資や債務保証などで、約1240億円を、佐川清に知られることなく拠出し、稲川会に食いつぶされてしまった。逮捕容疑は、約400億円の損害を会社に与えた特別背任罪だった。

渡辺は、逮捕から11年後に最高裁で懲役7年の刑が確定し、その1年後に69歳で病死した。

トビ、土工の親方だった佐川清が角栄と盟友関係になったきっかけ

佐川清と田中角栄の関係は、終戦の翌々年、昭和22（47）年にはじまる。

佐川急便の社内報『飛脚』の編集長だった松家靖は、ふたりの出会いを「佐川清の秘話」に書き留めている。

「角さんと初めて会ったのは、福島の飯場の風呂場でのことだ。湯船の中で浪花節を唸っている男がいたので『おい。なかなか上手いじゃないか。もう一曲やってくれ』と頼むと『そうか、よっしゃ』と二曲目を唸ってくれたのが角さんだった」

当時の佐川は、トビ職と土工職人を束ねた佐川組の親方で、全国の飯場を渡り歩いていた。福島の高木炭鉱や常磐炭鉱の工事に長期出張していた時、田中角栄と知り合い、田中の経営する「田中土建工業」の下請けに入ったのである。

しかし日本が高度経済成長に入った昭和32（57）年、佐川組を解散。京都―大阪間で小口荷物を扱う「飛脚業」をはじめた。佐川清35歳の時である。

ツテも資本もなかった運輸業界に飛び込んだのは、土木現場が急速に機械化されていくのをみて、人夫稼業に見切りをつけたからだ。旧制中学を4年で中退した佐川であったが、時代の流れを肌で感じ取る才には長けていたということだろう。

佐川と田中の、深い盟友関係を知るには、運輸業界に飛び込んでからの佐川の歩みと、その人となりを把握する必要がある。

夫婦ふたりではじめた「飛脚業」は、5年後の昭和37（62）年には有限会社になった。その3年後には株式会社となり、そして30年後の昭和61（86）年、年商3000億円の大企業へと成長し

ていた。

佐川は、自著『裸一貫の帝王学』で、創業当時を振り返り、はじめて仕事を受注した時の感慨を述べている。

「ああこれで食膳に二種類以上のお新香を並べてもらうことができる」

その日の生活にも困るなか、荷主から預かった250キロものベアリングを50キロずつ5つに小分けし、それをからだの前と背中に振り分けて担ぎ、大阪の部品工場と京都の機械メーカーの間を、電車と自転車で1日7往復する日もあった。妻の幸恵も荷を背負い、幼かった次男の手を引きながら京都と大阪を行き来していた。

「私が河原町通を自転車で走っているとき、反対側の歩道に大荷物を背負った幸恵を見つけた。……思わず自転車を停めて、妻子のすがたを見物していた私は、不覚にも胸があつくなった」

昭和31年の『経済白書』が「もはや戦後ではない」と謳《うた》った高度経済成長のなか、佐川はその波に乗った。作れば売れた時代から、顧客のニーズにあわせてものを作る時代となり、大量生産から多品種少量生産に切り替わっていく時期だった。小口荷物の輸送需要が急増する一方で、大手の運輸会社は手間がかかる面倒な小口荷物の扱いに消極的だった。それが幸いし、佐川は、成功のチャンスをつかみ取ることができたのである。

とはいえ、創業当初の佐川は、荷主の情に訴え、好意にすがりながら世を渡っていた。人に言えない辛酸をなめ尽くしてきたからこそ、浮き沈みの激しい世界に身を置く芸能人やスポーツ選手などへの同情の念が、タニマチを引き受けさせてきたのだろう。

佐川のタニマチぶりが世間の話題に上るのは、昭和61年に東京、大阪、名古屋、福岡などの国税局から60億円の申告漏れを指摘され、重加算税を含め約30億円の法人税を追徴課税されたことに起因する。その際、松竹新喜劇の藤山寛美の公演チケットを「年間8億か9億」買い上げ、バックマージンとして2億円のリベートを受け取っていたことが広く報じられたのである。

佐川本人も『週刊読売』のインタビューに答え、橋幸夫や北島三郎、千昌夫、大川栄策、森光子、輪島、アントニオ猪木など26人の後援会長を引き受けていると述べている。

全国の支店が蓄えた「裏金」をタニマチ資金に

平成2年4月、わたしは、68歳になった佐川にロングインタビューを行ったことがある。まさに、派手なタニマチぶりが世間の耳目を集めていた頃だ。

当時の佐川の納税額は6億5000万円で、個人推定年収は10億円を超えていた。タニマチ資金はポケットマネーのほか、全国の支店にプールさせていた「裏金」も使っていたという。「裏金」の集金は、自ら運転する白のロールスロイスに愛人をともない出かけていた。そんな時、佐川は「かまどの灰まで、わしのもんや」と嘯《うそぶ》いていたという。

「会長がくれば、最低でも500万円、愛人にも100万円渡さなければ機嫌が悪かった」と佐川急便の幹部のひとりは語っていたが、佐川本人はこれを否定した。

「そんなことはありません。(不正で)辞めさせられた人間が、悔しくて言っているだけですよ」

社内報『飛脚』には、しかし満足いく「裏金」を差し出せない支店長などを意識したと思われる佐川の言葉が載っている。

「(貢献度の低い)店長、及び管理職は全員役職手当を失くし、ドライバーと一緒の給与にするから、そのことをよく頭に入れておけ!」(平成2年2月号)

一代で日本通運に次ぐ業界第2位の企業グループを作り上げた「怪商」は、京都市左京区の東の外れ、臨済宗大本山・南禅寺にほど近い自宅に、わたしを招き入れた。敷地面積880坪、総檜《ひのき》造りの邸宅の日本間に通され、部屋から望む広大な庭園を優美に舞う2羽の丹頂鶴を眺めていた時だった。

「失礼します!」と気合のこもった声とともに障子戸が開くと、佐川は直立不動で立っていた。そして丁寧に一礼したのち、部屋に入ってきた。

紺のニットシャツにグレーのスラックス、グリーンのベルベット地のジャケットというラフな服装で、小脇に営業店の売上げ一覧表やドライバーの給与表などを束ねたバインダーを抱えていた。あとに続く恰幅のいい紳士に気を取られていると、佐川は新潟なまりの早口で紹介した。

「いすゞ自動車販売の社長ですわ。わし、ここでトラックを買うてるので、今日はいろいろアドバイスをしてくれと頼んで、来てもらったんですわ」

弁護士などではなく、気心の知れた取引先の社長を同席させたことに、佐川の素朴な人柄に触れた気がしたものだった。

実際、わたしの不躾《ぶしつけ》な質問にも、もったいぶることも、飾ることも、はったりもなく、驚くほど率直に答えてくれた。

「わたし、カネには淡白なんですよ。この3月いっぱいで解散した清和商事の株も、わたしの持ち分(36%)全部、比叡山の延暦寺にやるんですよ。まだ、渡してませんけど、8月にはやるんです」

清和商事は、佐川急便グループの統括会社として昭和50(75)年に設立。傘下のグループ企業から利益を吸い上げてきた。インタビューの前年の平成元年暮、運輸省から「営業実態が不透明」と指導を受け、数カ月前に京都佐川急便に吸収された会社である。

佐川と比叡山の関係は、織田信長の比叡山焼き討ちで焼失した東塔の再建費用約7億5000万円を佐川急便グループでまかなったことにはじまる。これも「タニマチ」の一つなのだろうが、清和商事の佐川名義の株式約2万2000株を寄付すると、当時の時価で298億円となる。

佐川は、この2年前から肺気腫を患っていて顔色もさえない。健康上の不安から、信仰にのめり込んだのかと問うと、こう返した。

「信仰心? 全然ありません。それ違うの。カネを寄付したのはどういうことかというと、比叡山のお坊さんに字書いてもらったらふつうなんぼ取ると思います。300万円は取りますよ。うちは(年間に)2000枚、3000枚書いてもらうんだもの。あたり前だと思うんですよ」

要するに「交通安全祈願」の色紙などを書いてもらっているのを、カネに換算したまでというわけだ。かりに3000万円の「交通安全祈願」を3000枚書いてもらえば、それだけで90億円。298億円寄付したとしても、約3年で元がとれるという計算なのだろう。

佐川のタニマチ精神は、金銭的な余裕と同情心からといった単純なものではなく、効率を考えた、したたかなソロバン勘定にもとづいていたのだ。

芸能人へのタニマチも、単にコンサートや演劇などのチケットを購入してやっているだけでなく、それらチケットを世話になっている得意先の荷主や、運輸関係者などに配り、営業活動に役立てていた。

わたしの質問に気分を害しながらも、佐川は最後まで気遣いを見せた。

当時、佐川は愛人のひとりから子供の認知を求めて訴訟を起こされていた。それを契機にパイプカットしたとの噂があったため、真偽を確かめようと質問したところ、むっとして立ち上がると、「もう、話はせん」と席を立った。しかし部屋を出るところでクルッと振り返り、「ボロンチョ(ぼろくそ)に書いてもいいよ」と言って障子戸を閉めた。

田中派の政治家秘書、100人の面倒を見ている

佐川清が、最初に田中角栄に助けられたのは、創業から10年目のこととされている。

当時の佐川急便は、運送業の免許を持たない「もぐり業者」であった。その時のことをインタビューで質問した時も、あっけらかんと語っていた。

「それまで白ナンバーでやってたけど、違反と知らずにやってたから。違反と言われたんで、そうか、と免許を手に入れましたよ」

運送事業に必要な「一般区域貨物自動車運送業の路線免許」は、通常、1年ほどの審査を経て認可されるが、佐川はほとんど申請と同時に認可されたという。以来、全国配送網を築いていくなか、各陸運局から簡単に路線免許を手に入れていた。

この辺の事情を、佐川の元秘書はこう語った。

「当時の佐川急便は、路線免許がなくても荷主の要請があればどこにでも運んでいた。当然、陸運局から営業停止処分をうける。ゴツンと頭をたたかれるわけですが、そのあと角栄先生が乗り出してきて免許が認可される。陸運局では、これを『ゴツン免許』と言っていました。営業停止でゴツンと頭をなぐるものの、結局免許を出すことになるというわけです。

まさに角栄先生のおかげで佐川急便の成長は止まることがなかった。だから会長は、角栄先生にはとても恩義を感じていた。佐川急便にとって角栄先生というのは、浅瀬に乗り上げてしまった船にロープをかけ、安全なところまで引っ張っていってくれ、再び運航できるようにしてくれた。まさに恩人なわけです」

佐川自身も、「田中派の政治家の秘書なら100人面倒を見ている」とインタビューのなかで自慢げに語っている。

これはどういうことかと言うと、田中派の秘書たちを佐川急便の社員として登録したうえで、給与だけでなく社会保険料なども負担する。そうすれば田中派の議員は、無給で秘書を雇える。議員にとって、とてもありがたい仕組みを提供していたわけだ。

だからこそ、トラックの増車申請にしても簡単に認められていた。通常は、各陸運局ごとに2、3台しか認められないものを、佐川急便の場合は一挙に100台規模で認可されていたという。

田中がロッキード事件で逮捕され、長期におよぶ裁判闘争に入ると、佐川は近しい側近に「角さんの面倒は最後まで俺がみる」と語っている。それほど田中角栄に恩義を感じていたのである。

佐川は、いったいいくら皇民党にカネを出したのか。元秘書は、この質問には答えようがないとばかり首を振りながら言った。

「常識で考えればわかるんじゃないでしょうか。会長の性格からしても、何らかのことはしてると思いますよ」

皇民党の元幹部も、カネの話については言葉を濁《にご》すばかりだった。

「稲本さんが死んだいま、カネの話など考えたくないね。あくまで、きれいな運動として記憶しておきたいから」

稲本は「ホメ殺し」から4年後の平成3(91)年秋、急死している。皇民党の二代目総裁の大島竜珉にも同じ質問をぶつけてみたが、「あんたは調べるのが仕事なんだから、調べたことを書けばいいんじゃない」と語るのみだった。

皇民党のイラク入国に助力した国会議員・アントニオ猪木

少し話は横道に逸れるが、佐川清と皇民党の親密な関係を象徴するエピソードがある。

元プロレスラーで参議院議員だった猪木寛至(アントニオ猪木)による、イラクからの在留邦人の救出劇だ。

イラクのクエート侵攻によって勃発した湾岸戦争で、イラクに駐在していた商社マンなどが出国を禁止され、人質状態に置かれていた。猪木は、単身イラクに乗り込み「平和の祭典」と銘打ったイベントを行うことで、イラクと日本の友好関係をフセイン大統領にアピールし、出国を足止めされている在留邦人を帰国させようとしたのである。

この件について、生前の猪木にインタビューしたことがある。

指定された時間にホテルニューオータニのバーに行くと、奥のソファーに深く腰掛けた猪木がいた。葉巻をうまそうにふかし、ウイスキーのロックグラスを口に運びながら、こう言った。

「あの当時は言えなかったことだけど、時間が経つというのは面白いね。たしかに俺が、皇民党さんをイラクに入国できるよう取り計らったのは事実としてありました。しかしそれは、俺の護衛のためじゃない。俺が、たいへんお世話になっている人から話があって、皇民党さんが平和のために自分たちも参加したいと言っているという。そりゃ、大いに結構じゃないですかと、駐日イラク大使を紹介するなど、いろんなチャンネルを整えてあげたものです」

猪木は、葉巻をマッチの火で炙り、一呼吸置くと話を続けた。

「皇民党さんには入国の手筈を整えてあげただけで一緒には行ってません。俺が、一緒に連れていく理由はないですから。ですから、俺らは先に日本を発っている」

この時、日本政府や外務省は、猪木が独走して人質の解放交渉をすることを面白く思わず、日本航空やANAにいろんな圧力をかけていたという。日本で航空機をチャーターできなかった猪木は、トルコ大使館のパーティーで面識を得たトルコのオザル大統領に窮状を訴え、トルコ航空機をチャーターしている。

日本の航空機なら、日本とバグダッド間を一往復すれば済むところ、トルコ航空機の場合は、トルコから日本に飛来させてからバグダッドに向かうため、この時点で一往復分のチャーター料金がかかる。さらに帰国の際は、猪木たちを日本に運んだのち、トルコに戻るため、ここでも往復のチャーター料金が発生する。つまり二往復分のチャーター料金を支払わねばならない。

この航空料金だけでも大変な出費だが、ほかのもろもろの経費も含め、すべての資金を猪木は「たいへんお世話になっている人」から出してもらっていた。

「佐川急便グループの佐川清会長ですよ。あの時は、あちこち寄付を集めて回っている時間的余裕はなかったですからね。京都のお宅に会長を訪ねてお願いした。会長は、ウン、わかったで終わり。あとは、事務方が具体的に動いてくれたわけです」

佐川は、猪木のタニマチでもあった。

猪木が社長を務めていた「アントン・グループ」が経営に行き詰まった時も佐川に助けられ「借金地獄から解放された」と語っていた。

「俺の命の恩人」と言ってはばからない佐川の口利きである。猪木は、現地でも可能な限り皇民党の面倒を見ていた。

「皇民党さんは、日本から同行していたマスコミに直接話をしたいと言うので、記者会見をセットしてくれと言ったんですね。これは、さすがに俺も考えたけどね。そこまでやると、やはり色がつくから、しんどいというのがあった」

しかし猪木は、会見をセットしてやっていたのである。

「ホメ殺し」以前の皇民党は、決して財政的に豊かな団体ではなかった。「タバコ銭にも困るほど、カネがなかった」と言う。

それが10年後の平成9（97）年3月には、高松市内に3階建ての本部ビルを保有していた。抵当権の設定はなく、自己資金での建設であった。

この建設資金は佐川急便から出ていた、と関係者のひとりは言った。

「資金提供の仕組みは、まず、皇民党に適当なトンネル会社を作らせておく。そして印刷会社が製作した佐川急便の定期刊行物を、このトンネル会社を通して納品するようにした。これだと皇民党は、何もしないでただ伝票を切るだけで、眠り口銭が転がり込む。年間4億円のカネを提供していたと聞いています」

佐川は一時的なカネだけではなく、ほぼ恒久的にカネが入る仕組みを作ってやっていたことになる。年間4000億円以上の売上げを誇る佐川にすれば、どうということのない金額だったのだろう。

ただ、このスキームについては皇民党の関係者は否定した。

「わたしは、いい話だからやろうじゃないと言うと、稲本は、カネで飼われて佐川清のワンワンになるのか。そんなんじゃ、自由な運動はできないよと諭《さと》された。この時、わたしは稲本という男に惚《ほ》れ直したものです」

日本の政治史に汚点を残した事件は、佐川清の田中角栄への深い恩義と、竹下への復讐心から引き起こされたものだった。その竹下に恩を売ろうとして佐川を裏切り、行く行くは佐川急便グループをわが物にしようとした東京佐川の渡辺は、その野望が仇《あだ》となって自滅した。

竹下もまた、念願の総理にはなったものの、暴力団の手を借りて総理になったという汚名を背負わねばならなかった。その後、リクルート事件によって腹心の秘書が自殺すると、「罪万死に値する」との言葉とともに、短命の総理に終わった。

佐川清の怒りは、それほど激しく渦巻き、政界と裏社会の闇を白日のもとに晒《さら》していたのである。

1兆円を溶かした「環太平洋のリゾート王」の末路

高橋治則

バブル崩壊の〝怪物〟が最後に手を染めた仕手稼業

高橋篤史▼ジャーナリスト

借りまくったカネで環太平洋の高級ホテルを次々と買収、油田開発も掲げた虚業家は、長銀破綻・二信組破綻で金融危機の戦犯となるも、新手の仕手として復活したが……。

2024年2月22日、年初から上がりっぱなしだった日経平均株価はこの日も急速に値を上げて3万9098円で取引を終え、史上最高値を更新した。1989年12月29日以来、ここまで要した月日は丸34年余り。平成バブルの傷痕は、日本経済にとって、それほど深く致命的だったということである。

かつてEIEグループを率い「環太平洋のリゾート王」との名をほしいままにした高橋治則は、まさにバブルを体現した希代の〝虚業家〟だった。日本長期信用銀行（長銀）をはじめとする金融機関から1兆円を超す巨額の資金を短期間に借り入れ、海外高級ホテルやゴルフ場、はては油田開発にまでそれらを投じ、あっという間にことごとくが泡と消えた。資金繰りに窮《きゅう》する中、二つの信用組合を貯金箱としてもてあそび、それら破綻処理は後に続く金融危機の震源地となり、その後、急速に振幅を増した荒波はかつてのメーンバンクをも一気に飲み込むこととなる――。

北海道の政商・岩澤靖と伝説の仕手筋・加藤暠の存在

高橋は45年10月、一家が疎開していた長崎県平戸市で生まれた。父・義治はその後、東京に戻ると、いくつかの事業を興したとされる。一家の暮らしぶりは豊かだったといい、その証拠に息子・治則は幼稚舎から慶應義塾に通った。もっとも、高校では不祥事を起こして放校処分となり、一念発起して受験に挑み、慶應義塾大学法学部に入学。68年春に卒業すると、進んだ先は誰もが羨《うらや》む日本航空だった。

この間、父・義治は57年に旺文社や東映の主導で設立された「日本教育テレビ」（現・テレビ朝日ホールディングス）に入り、技術局長などを経て68年11月に取締役へと昇進する。半年後、その取締役会に新たなメンバーが外部から加わった。系列の「北海道テレビ放送」で社長を務める岩澤靖《おさむ》だった。

岩澤はミニ政商のような存在と言えた。香川県出身ながら、明治大学を卒業すると、北海道に渡って北海道興農公社（後の雪印乳業）に就職。北の大地を目指したのは、実姉の義兄にあたる広瀬経一が大蔵官僚から北海道拓殖銀行副頭取（後に頭取）に転じ、その縁を頼ってのこととされる。すぐに会社を辞めた岩澤は48年、わずか5台でタクシー会社「金星自動車」を始め、やがて同社は全道を制覇した。56年に設立したトヨタ系販売会社「札幌トヨペット」も全国有数のディーラーに育ち大成功。そして67年、地崎組（後の地崎工業）の社長で自民党代議士でもある地崎宇三郎の協力を得て設立したのが北海道テレビ放送だった。これら許認可事業を中心に全盛期の岩澤グループは50社前後を数えた。

父・義治と岩澤とは公私を通じ親しかったようだ。というのも、高橋が73年に結婚した相手は岩澤の次女・滋だったからである。高橋は日本航空で国際旅客課に配属され、前年にはニューヨーク州立大学に留学し、エリートコースを順調に歩んでいた。

そうした中、転機が訪れる。父・義治は75年に日本教育テレビを退任するが、77年3月、取引先の経営再建を託され、そこの社長となった。48年に「エステート興業」として設立されたその会社は磁気テープの輸入販売などを手掛けており、英語表記をカタカナにしたその一風変わった社名は「イ、アイ、イ」といった。これが後のEIEグループの起点だ。この時、息子の高橋も日本航空を退社、相談役の肩書で父親の会社に合流することとなる。高橋は一緒に辞めた先輩社員も伴っていた。その河西宏和は副社長に就任。甲州の良家に生まれ4歳年上の河西もまた慶應OBだった。

「イ、アイ、イ」は手堅い商売を続け、高橋は78年、副社長となる。が、その他方で岳父にはとんでもない出来事が勃発した。

高橋は札幌トヨペットや金星自動車など岩澤グループで役員を軒並み務めていたから、岳父に学ぶところは少なくなかったに違いない。その岩澤が78年頃からのめり込んだのが株の世界だった。仕手集団「誠備グループ」を率いる加藤暠《あきら》に接近したのである。

41年に広島で生まれた加藤は地元の名門校、修道高校から早稲田大学に進んだ秀才だ。ただ、社会に出てからは岡三証券を振り出しにキャバレー、メンズクラブと職を転々とした。そんな中、73年にありついた仕事が黒川木徳証券の歩合外務員だった。口八丁手八丁に人脈勝負の世界は肌に合ったらしく、3年後、加藤は銀座に個人事務所を構え、顧客集めに励んだ。77年夏からは自分のカネも張るようになる。金融会社を設立し「誠備」を名乗るようになったのは78年初めのことだ。

加藤がターゲットとしたのは資本金15億～30億円、株価２００～３００円の中小型株だ。多数の仮名・借名口座を駆使して市場に出回る浮動株を買い集めると、需給逼迫《ひっぱく》で株価はたちまち上がる。そこで顧客を引き込んでさらに株価を吊り上げ、その裏で自身は売り抜けるわけだ。79年夏、加藤は顧客の中から資金力のある30人を選び、「ミリオン会」を作り、1億円の儲けを目指すと喧伝。さらに「廿日会」なども作って、ピラミッド型の顧客組織を標的の銘柄に総動員した。

そんな中、岩澤が資金を注ぎ込んだのは西華産業株だった。80年9月末、個人名義で第2位株主に躍り出るなど大量に買い占め、10月には会長として乗り込んだ。この時、第5位株主には高橋の名前があった。

解き放たれた山っ気……18億円の総資産が100倍に

しかし、肝心の仕手本尊・加藤は81年2月、所得税法違反で東京地検特捜部に逮捕されてしまう。誠備銘柄は暴落、岩澤も大損害を被った。同年3月、札幌トヨペットは負債３３０億円を抱え会社更生法を申請。岩澤本人も一時消息不明となり、グループは瓦解《がかい》した。岩澤は国政にも食い込み、とりわけ福田赳夫や安倍晋太郎と親しかったとされる。前年10月に日本電信電話公社の経営委員に選ばれたのも、そんな政治力が背景と見られたが、仕手戦で大損を被っては役立たずだった。

岳父の盛衰を高橋がどう受け止めたかは分からない。ただ、そこから学んだであろう山っ気は数年後、大きく解き放たれる。

83年に父親から社長業を譲り渡された後も高橋は「イ、アイ、イ」に関し堅実経営を続けた。同年、照明器具を手掛ける上場会社の森電機と資本業務提携を結んだが、あくまで本業の延長線上の施策だ。「イ、アイ、イ」そのものは86年8月に株式を店頭公開した。

その頃から高橋が軸足を移した先はその親会社にあたる「イ・アイ・イ開発」だった。同社はもともと父・義治が資産管理会社として72年に設立した「国洋開発」が前身で、「イ、アイ、イ」を傘下に収めたのと同時に社名変更していた。高橋はそこを拠点に不動産業を手広く始める。85年9月のプラザ合意後に緩和的な金融政策がとられると、株や不動産といった資産価格は急上昇を始めていた。岳父譲りの山っ気を剥《む》き出しに高橋は借入金をテコにこの大波へと果敢に飛び乗った。

86年9月、高橋は米領サイパンのホテル「ハイアット・リージェンシー・サイパン」を32億円で買収する。この時、融資を頼った先が長銀だった。鉄鋼や化学など川上産業に対する資金供給を担って発足した長銀はその頃、川下産業への展開を志向しており、そんな中、「エヌイーディー」や「日本ランディック」「日本リース」といった関連親密先ノンバンクも使い不動産担保融資に傾斜していた。ＥＩＥグループと長銀の取引開始は前年のことと日が浅かったが、両者の思惑は一致、エクスポージャーは急激に積み上がっていく。87年7月にはオーストラリアの高級ホテル「リージェント・シドニー」を１３０億円、同年12月には香港の「ボンドセンタービル」の1棟を３８０億円で買収といった具合だ。

88年4月に長銀の法人営業1部長だった平間敏行が入社するなど、両者の関係はより緊密になる。「イ・アイ・イ開発」は「イ・アイ・イーインターナショナル」(以下、ＥＩＥインター)へと社名を変え、買収を加速。オーストラリアの総合リゾート開発「サンクチュアリー・コーブ」を５２７億円、ボンドセンターの残り1棟を３８０億円、南太平洋の「ハイアット・タヒチ」を１５４億円などと、手当たり次第に買いまくっていった。

88年3月に実施した東証2部企業、日新汽船の子会社化は、株高と不動産高の一挙両得を狙った教科書的なバブル事案と言える。もともとジャパンラインの子会社だった日新汽船は貨物船を主体に8隻ほどを所有し、用船料が柱の中小海運会社。従業員は25人ほどだった。海運不況で債務超過に陥っていたところ、第三者増資約20億円を引き受け新たな支配株主となったのがＥＩＥインターだった。

増資割当価格の1株２４０円から株価はみるみる上がった。そこで高橋は日新汽船に再び増資を実施させる。89年7月、割当価格は1年前の7倍近い１６００円。結果、金融機関など23社から調達した額は２５６億円に上った。並行して日新汽船は長銀などから大金を借りまくる。88年3月末にわずか18億円だった総資産は91年3月期に１７３６億円と１００倍近くに膨張した。

そうやって調達した資金の大半は、じつのところ、日新汽船の前を素通りしていった。環太平洋で物件を買いまくっていた高橋帝国の傘下企業に次々と流し込んでいったからだ。同社はシーコムへと社名を変更するが、その実態は半ばハコ会社でありトンネル会社と言えた。

札付きの大蔵官僚とつるみ、山口敏夫の親族企業に貸し込む

岳父に倣《なら》ってか、高橋は政官界の要人と幅広く交遊した。自民党の衆議院議員、中西啓介は議員秘書時代からの長い付き合いで、高橋は傘下企業が東京・麹町に所有するマンションの1室をタダで貸したり、パーティー券６０

00万円を大量に購入したりするタニマチだった。中西を通じ親交を結んだのは「越山会の女王」と呼ばれた田中角栄の金庫番、佐藤昭子だ。また、自民党の「ニューリーダー」と目されるようになっていた前出の安倍とも近かった。自家用ジェット機で環太平洋を飛び回っていた高橋は、東京税関長を務めた大蔵官僚の田谷廣明と連れだって香港に行ったりもしていた。

そうした中、とりわけ親密だったのが元労働大臣の山口敏夫である。高橋は東京都千代田区の「麹町三番町マンション」に住んでいたが、同じフロアに居を構えていたのが山口だった。山口の実弟は埼玉県内で「プリムローズカントリー倶楽部」と銘打ったゴルフ場開発を手掛け、実姉も同様に「むさしの厚生文化事業団」なる会社などで開発を行っていたが、高橋はそれらに資金を流し込んだ。

その際、資金供給窓口として主に使ったのは二つの信用組合だ。84年5月、高橋はEIEグループの傍ら「東京協和信用組合」の理事長となっていた。東京・新橋に本店を置き、ほかに新宿と吉祥寺に2カ店があるのみ、職員50人弱という零細金融機関だ。預金量はせいぜい200億円台である。また、父・義治の時代からの親密先に「安全信用組合」があった。こちらの預金量も似たり寄ったりだ。いずれも吹けば飛ぶような規模と言えたが、当時、日本の金融界には不倒神話があり、信用組合と言えども潰れないはずだった。後に「二信組」と括《くく》られることとなる両者はその後のバブル興隆とともに、前述した佐藤など高橋人脈を頼りに高利の大口預金を集め、それをこれまた大口案件に貸しまくった。その一つが山口の親族企業というわけだった。

やがて、バブルは弾ける。90年が明けると株価は急落、3月に大蔵省が不動産融資の総量規制を導入すると地価も真っ逆さまに下がった。90年秋、EIEグループは資金ショートを起こす。同年12月、長銀は新たに「営業9部」を設置し、EIEグループの再建支援を本格的に行うこととなった。

この間、長銀は二信組も事実上の管理下に置いた。EIEグループとそれら相互の資金状況を日計表でモニターし、過不足があれば資金を融通させる綱渡りの毎日だ。91年4月に開始された第一次リストラ計画では41案件のうち18が処理案件とされた。オーストラリア北部の油田開発案件など高値摑みした資産は長銀主導で次々と損切りされていく。92年1月、EIEグループはかねて交渉中だったベトナム政府との油田開発で基本条件合意書の取り交わしまで進んだが、資産圧縮の中、結局これも権益の8割を帝国石油に肩代わりしてもらわざるを得なくなった。

EIEグループに駐留した長銀からの派遣要員はピークの92年6月、29人にも達した。が、両者の緊密な関係も翌年7月9日までだ。第二次リストラ計画の終了にあたり長銀が求めたのは法的整理である和議の申請だった。無担保債権の9割方をカットする用意はあり、それで問題に一区切りつける考えだった。が、高橋はこれを拒否した。結果、長銀は派遣要員を一斉に引き揚げることとなる。

金融危機の号砲となった「二信組」200億円の不正融資

長銀はじめ銀行に資金の蛇口を閉められ、なおかつグループの延命に拘《こだわ》った高橋が目を付けたのは、あの二信組だった。大口預金を集め、その資産規模は2500億円ほどに膨らんでいた。高橋は旧友である安全信組理事長の鈴木紳介とともに長銀の裏をかき、「長湯リゾートクラブ」や「エー・ジー・シー」といった大分県内のゴルフ場開発会社に融資を流し、それをEIEグループの資金繰りなどに充当していった。そうした不正融資額は200億円をはるかに超えた。

だが、高橋の悪あがきも終わりを告げる。94年6月、東京都と関東財務局は前年に引き続き二信組に対し合同検査に入った。その過程で例の不正融資など不良債権が次々と明らかになる。その額は東京協和で195億円、安全で730億円まで積み上がり、もはや自主再建は困難な情況だった。同年12月9日、二信組は破綻、日本銀行と民間金融機関が新たに設立する「東京共同銀行」に資産・負債を移管した上で不良債権を切り離し処理するスキームが始動することとなる。

これはその後に続く金融危機の号砲となった。東京共同銀行は96年に「整理回収銀行」へと改組され、さらに「住専問題」の処理機関として設立された「住宅金融債権管理機構」と99年に合併し「整理回収機構」となる。それらを不良債権の受け皿に破綻金融機関の処理は延々と続いた。当時の金融界に根強かった取引慣行による「メーン寄せ」で、長銀のEIEグループ向け債権はピーク時、3800億円にまで急増した。その処理で体力をすり減らした長銀は関連親密先ノンバンクを処理することができず不良債権の「飛ばし」に走り、結局は98年10月、一時国有化に至る。

他方、高橋はその間、国会で証人喚問に立ち衆目に晒《さら》された後、95年6月、二信組に対する背任罪であえなく逮捕された。この間、親しい中西は細川政権で防衛庁長官にもなっていたが、そうした政界人脈など岳父と同様、何の役にも立たなかった。事件は山口の立件にまで発展することとなる。こうした破綻金融機関絡みの事件もまたこの後何回も繰り返される「平成不況」のありふれた光景となる。

ハコ企業を食い潰すあくどい仕手筋として復活

さて、表舞台から退場を余儀なくされた高橋はその後どうなったのか――。したたかに生き残った先は、バブル崩壊後に不振企業が死屍累々と彷徨《さまよ》う株式市場の裏側だった。

99年頃から不振企業に接近する輩が次々と現れ始める。連中が目論むのは新手の仕手戦だ。不振企業に私募CB(転換社債)や新株を大量発行させ、それらをタックスヘイブン(租税回避地)などに設立したダミー会社名義などで安く仕入れ、新規事業などの提灯《ちょうちん》で株価を吊り上げて売り抜けを図り、注入した資金も迂回先から回収するようなあくどい手口である。やがて不振企業は株券を濫発するだけの「ハコ」と化していく。そうした主要プレーヤーの1人が高橋だった。

その手始めはジャスダック上場の日本エム・アイ・シー(後にファイ)だ。同社は99年9月、「クオリテックキャピタル」なる英領バージン諸島のペーパー会社を割当先に増資を行う。それを機に、「イ、アイ、イ」の後任社長だった河西を特別顧問に送り込むなど、高橋は同社を支配下に入れ、新株を濫発していくこととなる。02年には東証2部のユニオン光学(後にユニオンホールディングス〈HD〉)、05年にはジャスダックの都築通信技術(後にTTG)も支配下に入れた。この間、かつて買収した「伊豆シャボテン公園」を整理回収機構から取り返してもいる。

思わぬ復活ぶりに引き寄せられる者たちもいた。98年からジャスダック上場のオメガ・プロジェクト(現・伊豆シャボテンリゾート)で社長を務めていた横濱豊行や、ブローカーの中前祐輔、弁護士の椿康雄らである。03年頃から高橋は「スターホールディング」なる会社の顧問という肩書で東京・赤坂の「草月会館」に事務所を構え、緊密者の一部もそこに集結した。やがて彼らは「草月グループ」を名乗るようになる。グループの1社である「ユニオンセィビング証券」(後にUSS証券)で03年5月に代表取締役となったのは長銀の新宿支店長だった原惇一で、05年6月に取締役に加わったのは元大蔵官僚の田谷だ。

草月グループは瓦解し、盟友は株式市場の〝輩〟に

しかし、そんな矢先の05年7月18日、高橋はくも膜下出血により急死する。二信組事件を巡り、03年6月には実刑3年6月の高裁判決が下っており、当時は最高裁で審理が係属中だった。そんな中の前年5月、高橋には朗報がもたらされていた。EIEインターは破産前、不当な安値での資産売却など長銀管理によって損害を被ったとして米国サイパンの裁判所で訴訟を提起していたが、紆余曲折の末、それが和解に至っていた。EIEインター破産管財人が長銀を承継した新生銀行から218億円を受け取るとの内容だ。このことが最高裁の量刑判断に好影響を及ぼすことに高橋は過度の期待を持っていたとされる。死去から4日後、その葬儀は東京・西麻布の永平寺別院長谷寺でひっそりと営まれた。

それから4年後の09年10月2日、新

横浜駅からほど近いオフィス街の一角に佇む倉庫の2階で50代の男が首を吊って死んでいるのが発見される。倉庫はユニオンHD関連会社の所有で、3階には河西の事務所もあった。自殺した男は高橋の復活を間近で支えた1人だったものの、その頃は借金で首が回らなくなっており、それに加え翌日には証券取引等監視委員会による聴取が予定されていた。

その捜査は翌月4日、急展開を見せる。ユニオンHD株の相場操縦容疑で前出の横濱ら9人が監視委と共同歩調をとる大阪府警によって一斉に逮捕されたのだ。事件はさらに広がる。翌月2日に逮捕されたのは高橋と同様、ハコ会社を食い潰す仕手筋として勇名を馳せていた河野博晶だった。二信組事件で不正融資先となった大分県内のゴルフ場開発会社の実質経営者こそが、その河野である。

バブル崩壊後、やはり株式市場の裏側に住処《すみか》を見つけた河野は、東証マザーズ第1号のリキッドオーディオ・ジャパンが経営混迷を深めるとここぞとばかりに介入したり、金融ブローカーに差し出した担保株の流失で右往左往するクレイフィッシュの若き創業社長を手玉にとったりしていた。国会議員の小林興起とも近く、その実弟・壮貴を、実質支配するジャスダック上場会社A・Cホールディングスの社長に招いたり、同じく元秘書の秋元司(後に衆議院議員、19年にIR汚職で逮捕)を傘下のゴルフ場会社「ワシントン」の取締役にしたりと、その触手は政界の一角にまで延びていたほどである。河野は高橋に負けず劣らず、その道における実力者となっていた。

じつのところ、高橋の死後まもなく、草月グループは瓦解《がかい》を始めていた。まず起きたのは内紛だ。河西は05年暮れに草月会館内の金庫からオメガ・プロジェクト株などを大量に持ち出したとして、グループ傘下企業の役職から解任。また、高橋の長男・一郎も追い出されていた。また、中前は川上塗料やオー・エイチ・ティー株の相場操縦で07年6月に逮捕、その金主だった椿は海外に逃亡した(その後、タイで身柄拘束された椿は16年8月に逮捕された)。そして、グループの主導権を握った横濱も逮捕されたのである。

追放された河西のその後も空しいものだった。19年1月、リクルート株の架空売買を知人経営者に持ち掛けた詐欺事件により横浜地検に逮捕されたのだ。腰縄を結ばれ法廷に現れた河西の風貌は老いさらばえ、見え透いた出任せで無罪を主張する厚顔無恥ぶりには、関係者だろう、傍聴席から失笑が漏れた。

さらに23年、高橋の一族には新たな不名誉が加わることとなる。東京五輪汚職に絡み電通で専務まで務めた兄・治之もまた刑事被告人となったのである。

高橋が行く先々、そこは焼け野原となり、後に残されたのは数々の墓標だけである。

(敬称略)

昭和平成「総会屋」残侠伝

論談同友会、小川薫、小池隆一が企業の〝必要悪〟だった黒歴史

尾島正洋▼ノンフィクションライター・元産経新聞記者

1982年の商法改正以降、生き残ったのは強い総会屋だった。企業が彼らに利益供与を続けた真の理由とは? 四大証券・一勧事件で絶滅状態になるまでの栄枯盛衰。

小池隆一

昭和から平成の時代にかけて、企業の株主総会を舞台に、「総会屋」という黒幕たちが跳梁跋《ちょうりょうばっ》扈《こ》していた。上場企業の株を取得し株主として株主総会に乗り込み、演壇の中央に座る議長役の社長を相手に質問を繰り返して議事進行を妨害する「野党総会屋」のほか、こうした妨害から企業を守る「与党総会屋」もいて、時に双方は乱闘騒ぎも辞さなかった。

野党、与党のいずれも目的は企業から提供される黒いカネだった。このほかに企業から一括して資金提供を受けて与党、野党にばらまき株主総会の平穏無事な進行を促す「幹事総会屋」も存在した。

戦後の総会屋の起源は右翼の大物、最大のフィクサーなどと称された児玉誉士夫とされている。1960年代に神戸製鋼の社長人事の内紛に介入するなどして報酬を得るなど、水面下では大物総会屋としての隠然たる影響力を行使してきた。

この当時はほかに大物総会屋として久保祐三郎や田島将光、上森《かみもり》子《し》鉄《てつ》らが知られていた。上森は総会屋としての裏の顔だけでなく、鎌倉商工会議所会頭や文藝春秋監査役など表の顔も使い分けていた。少し下の世代の木島力也も大物総会屋として株主総会を仕切っていた。児玉の系譜を継ぐとされ、「その後の総会屋業界に隠然たる影響力を保ち続けた」(元総会屋)。木島は同時に左翼系雑誌『現代の眼』の発行者だったほか、名馬ハイセイコーの馬主だったことでも知られていた。

総会屋活動に対して企業から提供される資金は「賛助金」と呼ばれていた。時には株主総会で質問を繰り返すことがあるものの、議事進行に協力するなど

株主として企業の活動について賛同する人物たちに支払われるといった趣旨だった。

戦後の混乱期を経て高度経済成長期になると企業の資金が潤沢となり、賛助金も増額されていった。すると、企業の業績などについてしっかりと調査、研究して株主総会で質問したり意見を述べることができる実力派総会屋だけでなく、小遣い銭をたかるようなチンピラ総会屋まで現れて有象無象《うぞうむぞう》が群がることとなった。

武闘派の「小川薫」組織戦の「論談同友会」

総会屋がニュースとしてクローズアップされ世間に認知されるようになった人物として小川薫が知られる。1960年代のなかば、小川は上森や木島ら大物総会屋が仕切っていた株主総会に乗り込み、質問攻撃を繰り返した。それまでは30分程度で終了する「シャンシャン総会」が常態化していたが、ぶち壊す行動に出た。

小川は37年、広島県生まれ。野球賭博の借金の返済要求から逃れるために上京し独学で総会屋稼業を始めた。64年に小川企業を設立、乱闘騒ぎも辞さず大物支配の株主総会を荒らしまくった。次第に資金力を得て、小川グループとしての勢力を拡大していくこととなった。

後に国内最大の総会屋グループと称された、論談同友会を結成した正木龍樹は66年に上京した。正木は41年生まれ。小川とほぼ同世代で同じ広島出身だ。正木は当初は小川と総会屋活動をともにしていた。当時を知る論談同友会元幹部は、「小川は親分肌だが、何事にもいい加減で大雑把な性格でバクチ好き。対して正木は几帳面で慎重な性格。そりが合うわけはなく、間もなく袂《たもと》を分かった」と振り返る。

小川グループは、小川の実弟の明男や義弟の玉田大成らも加わったが、ほかの構成員の出入りが激しかった。小川は「来る者拒まず、去る者追わず」との方針で組織性は乏しかったが、当時は最も勢いがあった。

正木は論談同友会を結成後、和田長生や梶谷正幸、二宮紘一ら広島時代の高校の同級生を次々と呼び寄せて幹部に据《す》えた。広島出身者が多いため、組織内では広島弁が飛び交っていた。小川とは対照的に正木は理事会、幹事会などを置き内部を組織化。厳しい規律で統制した。構成員は最盛期で40人以上にのぼり、株主総会シーズンには準構成員のような立場の周辺者も集め200人ほどの動員力があった。

株主総会に向けた活動について、論談同友会の元幹部は、「株主総会集中日は6月下旬のため、その前に株付け（株の取得）して株主名簿に載せなければならない。5月に入ると毎週日曜日に会議を開き『問題がある企業はどこか』『誰をどこの総会に出席させるか』と相談していた。総会へ派遣するメンバーが決まると、会長（の正木）が了承することとなっていた」と明かす。

小川は自ら株主総会に乗り込んで議長役の社長に対して、「おどれー、ワシの質問に答えんかい！」と怒鳴り散らしていたが、正木は「お前ら、総会では格好つけて来いよ」と送り出すだけ。ほとんど出席せず、都内の本部事務所に陣取り、各総会に出席したメンバーからの報告を受けて、その上でさらなる指示を出していた。

正木は常々、組織について、「自分の目が届くのは50人ぐらいまで。論談の組織はこの規模で活動して行く」と述べて構成員に対して結束を求めた。メンバーが増加し始めたころにスーツの襟に付ける論談のバッジを作成したが、正木の方針に従い、50個までだった。正木のバッジナンバーは「0」。1番は組織のナンバー2で理事長の和田長生で、2番以降は和田に次ぐ最高幹部らから若手まで順番に割り振られた。会合などで意見が対立すると、先輩格は「ワシのバッジナンバーを知っとるんかい？」と後輩に対して威嚇するかのように格の違いを強調することもあった。

国内最大の総会屋といわれた論談同友会会長の正木龍樹

論談の幹部クラスで年収3億円は超えた

　数々の事件が摘発されてきたなか、野村證券をはじめとした大手証券会社や第一勧業銀行（現・みずほ銀行）が97年に商法違反容疑で東京地検特捜部によって摘発された事件が戦後最大規模だった。後に「四大証券・一勧事件」と称される。

　この事件で、野村證券社長らとともに逮捕された総会屋の小池隆一は当時、連日のように新聞やテレビのニュースで大きく報道された。小池の名は世間の記憶に刻み込まれた。

　小池は43年、新潟県で生まれた。高校中退後、飲食店などで勤務したが、傷害事件を引き起こして服役。出所後、上京して小川門下生として総会屋の修業を始めた。当時の小池を知る元総会屋は、「酒もタバコもたしなまず、とにかく地味な男だった。趣味といったら企業の業績などの勉強。几帳面な性格で緻密な理論派といってもよく、質問状などは細かい文字でがっちりと大量に書く。だから企業は参ってしまう」と人物評を語っていた。

　几帳面な性格と緻密な総会屋としての活動から、小池は次第に大雑把な小川と疎遠となりグループを離れることとなった。

　派手で目立ちたがり屋の小川、論談同友会という最大組織を編成した正木らは総会屋業界では一目置かれた存在で、企業からは畏怖の念を持たれていた。しかし、小池については、総会屋の間ではあまり知られた存在ではなかった。

　多くの総会屋が当時の小池について人物評を語っていた。

「（小川）カオルさんの下にいたヤツとしては知っていた。あまり目立つことはなかった」「総会屋というよりは学校の先生のようで地味な存在だった」

　ただ、小川グループを離脱後、すでに長老格となっていた大物総会屋の木島力也の知遇を得たことで人脈を広げることとなる。地道に企業研究を重ね国内有数の巨大金融機関に狙いを定め、水面下で着々と浸食していたのだった。

後々になって四大証券・一勧事件の主役として躍り出ることになり、最も有名な総会屋へと変貌する。

総会屋の活動が次第に活発化するなか、大物とされる総会屋は企業の経営方針や社内の人事にまで影響力を行使することもあったという。総会屋や企業の経営陣らの間で、名前を知らぬ者はいないほどの活動を続け、当時は大物と称されていた論談同友会の元最高幹部は、「当時の年収は3億円を超えていた」と明かし次のように述べた。

「バブル景気のかなり前から、1000社以上に株付けしていた。1社当たり年に10万円もらえば年に1億円になるが、毎月合計で3000万円ほど集めていた。年収にすると3億以上だ」

総会屋を必要悪にした経営者たちのプライド

それでは、なぜ企業は総会屋にカネをばらまき続けたのか。

建設関係のある上場企業の元総務担当者は、「総会屋と縁を切れないのは、すべてはトップである社長の責任だ」と言い切る。企業の総務部には株主総会運営の担当者がおり、このうち「特殊株主＝総会屋」の窓口を専門とする社員のことを総務担当者と呼んでいた。

総務担当者の業務は株付けしている総会屋たちと接触し、「株主総会に出席するのか」「質問をするのか」「質問する場合には、どのような内容になるか」などについて探りを入れることだった。宴席での接待も当然のように行われていた。

バブル景気の恩恵を受けて総会屋業界が全盛だった80年代後半〜90年代前半に、総会屋の間だけでなく、各社の総務担当者、警察にもよく名前が知られていた存在として、味の素の総務課長・石神隆夫がいた。

連日のように総会屋たちと高級料亭に繰り出し、高級クラブで飲み歩くのが日常業務だった。交際費はほぼ青天井とされ、年間で1億円もの工作資金を使っていた。次第に「社内総会屋」との異名を取るほどだった。しかし、97年3月、総会屋グループ、中村省三事務所の中村省三らとともに逮捕されることとなった。

総務担当者は総会屋とのパイプ役という企業の恥部を知る存在である特殊性のため、配属されると人事異動はほとんどなく、20〜30年といった長期間にわたり担当することもあった。資金提供する立場でもあることから、ある元総務担当者は、「逮捕要員でもあるとの恐怖感は常にあった」とも告白している。

前出の建設関係企業の元総務担当者が続けて当時の実情について自らの考えを示す。「大企業の社長たちは株主総会で総会屋たちからの質問攻撃で突き上げられたり、立ち往生させられるような醜態をさらすのが耐えられないのだろう。内心では『総会屋ごときが』と思っているような連中だからこそだ」

「だから、『総務部、何とかしろ!』となる。総会屋にカネをバラ撒けと直接的な指示はないが、裏で予算は計上しているから暗黙の了解だ。『(株主総会は)30分でも長い。15分だ』と無理な要求をしてきたこともあった。警察が絶縁を呼びかけても総会屋が生き残ったのは、社長たちのつまらないプライドがあったから。どこの社でも同じだろう。株主総会で総会屋から、『社長！お前、辞めろ！』などと怒鳴りつけられたこともあった。内心では総会屋に同調し、『そうだ！辞めてくれ！』と叫んでいた」

無理難題を押し付けられていた総務担当者たちだが、一部では総会屋の接待では自分たちも便乗してご相伴にあずかっていたのもまた事実だった。

賛助金欲しさの総会屋が企業の社屋ビルに大行列

総会屋の活動は70年代になるとさらに活発化した。当時は、二度にわたる石油ショックがあり景気は下降したが、企業は総会屋に賛助金名目で資金提供を続けていた。

独立系の元総会屋は、「このころは、どんどん総会屋が増えていった。決算明けなどのカネが配られる日となると、（東京の）丸の内のあちこちの大手企業の前に朝5時ごろから行列ができた。バーゲンセールでもないのに、『何だこの大行列は？』という感じだった」と語る。

前出の元最高幹部とは別の、長年にわたり活動を続けていた論談同友会の元中堅幹部が実情について打ち明ける。

「賛助金名目でカネをもらえると言っても、総会屋としての格というか、キャリアによって金額は大きく違う。駆け出しのころは封筒に入っているのは当時の金額で５０００円とか1万円。このころはタバコが1箱、80円ぐらいだった。受け取るカネをどれだけ増額させていくかが腕の見せ所だ。それと、企業からカネを受け取る回数を増やす。何かと口実を考えて交渉する。スキャンダルを持ち込むこともあった。人物の器量次第でどうにでもなった時代だった。古き良き時代だった」

警察庁の統計によると、81年の全国の総会屋は約６８００人が確認されていて、この時が最多だった。かねてより総会屋は暴力団とのパイプが指摘されており、論談同友会は国内2番目の勢力の指定暴力団住吉会の有力二次団体と親密な関係にあり、小川薫も多くの暴力団との接点が確認されていた。このため、総会屋への資金提供は暴力団の活動資金になるとして、警察当局は経済団体や各企業に対して「絶縁」を強く要請していた。

警察の絶縁要請にもかかわらず、次第に株主総会の場は、企業の活動方針についての質疑応答はそっちのけで暴力が吹き荒れる場となってしまっていた。

野党総会屋は質問にまともに答えない演壇の社長にウイスキーのポケット瓶を投げつける。演壇をよじ登って社長を殴りつける。質問を打ち切ろうとすると「質問を続けさせろ！」と騒ぎ立てる。与党総会屋は「議事進行だっ！」と怒鳴り散らす。野党、与党の総会屋が議事をそっちのけで取っ組み合いのケンカ、エスカレートして会場のパイプ椅子を投げつけ合うなど危険極まりない状態で、一般株主から大きな批判の声が上がっていた。

強い総会屋だけが残った商法改正の皮肉

こうした事態を改善するため、商法が改正されることとなった。大きな改正点は、利益供与罪の新設だった。これまで企業から総会屋への資金提供を規制する規定はなかった。しかし、「会社は株主の権利の行使に関し財産上の利益を供与してはならない」との規定が加わった。違反した場合には「6月以下の懲役または30万円以下の罰金」が科されることとなった。改正商法は82年10月に施行された。

　改正商法の施行で賛助金を受け取ることができなくなるとあって、総会屋業界はパニックとなった。企業に「手切れ金をくれ」「退職金をくれ」などと押しかけた。これで総会屋と縁を切れると企業は気前よく最後の賛助金を手渡した。改正商法施行の翌年となる83年に確認された総会屋は約1700人へと激減した。

　5000人以上が廃業した。ふたを開けてみれば、株主総会で発言して企業と駆け引きするようなことはできずに、多くはただ単に「カネをくれ」と要求するだけのタカリ屋のようなチンピラ総会屋だった。小川は「会ったこともないような連中がウチの『小川企業』の名刺を持って企業を回ってカネを受け取っていたようだ。これには困った」と証言していた。

　当時の状況について、前出の論談同友会の元中堅幹部は、「商法改正によって中途半端な連中は脱落し、強い総会屋だけが残った」と述懐し次のように指摘した。

「今までのように会社回り（訪問）をしていたら、すぐにパクられるのではないかという危惧はあった。改正後は法に触れないように企業と付き合うよう知恵をめぐらせる時代になった。企業と合法的なビジネスをするということだった。法改正で、警察は総会屋を撲滅できると思っていたはずだったが、強い総会屋だけが生き残ったという皮肉な結果を招いただけだった」

　こうした証言を裏付ける異常な株主総会が84年1月に開催された。総会前に、ソニーの5代目社長に就任した大賀典雄は改正商法の趣旨に則《のっと》り、「特定の株主への便宜供与はしない」と宣言したのだった。特定の株主とは、総会屋を名指ししたようなものだった。

　ソニーの株主総会には、大賀発言を聞きつけた実力派の総会屋が全国から続々と集結、入れ代わり立ち代わり存在感を誇示して執拗に質問を繰り返した。午前10時に始まった総会は昼食の休憩をはさんで延々と続き午後11時半にようやく終了、13時間半が経過していた。各社の総務担当者を震え上がらせるには充分過ぎるほどの見せしめだった。

　企業に絶縁を要請し続けてきた警察当局は法改正後、企業と駆け引きができる実力、株付けを続ける資金力を備えた「強い総会屋」との第2ラウンドの戦いに進むこととなった。

　ソニーでロングラン総会が行われてから4カ月後の84年5月、警視庁が伊勢丹（現・三越伊勢丹）を摘発した。罰則が加えられた改正商法の初適用だった。論談同友会会長の正木龍樹らが飲食代（1人当たり約5万円）と40万円相当の商品券の提供を受けていたとして、伊勢丹幹部らとともに逮捕された。

　伊勢丹事件が摘発されて以降、事件が相次いだ。91年にはイトーヨーカ堂が総会屋グループ、森本企業調査会代表の坂本勲愛らに2700万円を提供、93年にはキリンビールが論談同友会最高幹部の梶谷正幸や小川薫らに3300万円を提供したとしてそれぞれ摘発された。提供金額は事件が摘発されるたびに高額化した。96年、髙島屋から暴力団互久楽会会長・西浦勲に8000万円が渡されていた。いずれも総会屋側とともに企業側からも逮捕者が出ている。

97年には三菱自動車工業と三菱地所、三菱電機などによる「海の家」の利用料名目で中本総合企画の中本貞次への数千万円の送金が発覚して摘発された。

企業が持ちかけた〝悪だくみ〟〝悪知恵〟

改正商法が施行されてからしばらく経過しバブル景気の少し前のころ、総会屋と企業の間に変化が生じた。「年収は3億円以上」と打ち明けていた論談同友会の元最高幹部は、「80年代の中盤あたりになると、企業側からアプローチがあった」と証言する。

「（82年に）改正商法が施行されて、企業回りをしばらく控えていた。すると、総務担当者から『最近、来ませんね』と言ってくることがあった。『月に一度くらい顔を見せて』とか。担当者にしてみれば、会社の中で『あの人は何も仕事をしていない。いったい何をしているのだ』となる。とはいえ、会いたくない人、ようするに要求ばかりする総会屋には来てほしくない。話ができる人と会っていれば『お客さんと面会している』と、会社の中で立場を示せる」

「このときにカネの話が出るわけ。（商法改正後のため）現金を出すことはすでにできなかったから、『絵などを持って来ることができますか？』と持ちかけてくる。画廊である程度の名前が知られる画家の作品をかき集めて、1点につき20万円とか50万円とかで、いくつも購入する。これをそれぞれ200万円や300万円ぐらいで買い取ってもらう。すると数千万円になる。担当者にも手数料として200万円ほど渡した」

こうしたビジネスのほかに、「企業の支店だとか寮などの施設の解体でも儲けた」と錬金術についても語る。

「懇意にしている解体業者にまず見積書を作成させる。例えば、ある企業の支店の解体で、1億5000万円とか1億8000万円などの数字が出てくる。高額な値段を吹っ掛ければよいという訳ではない。ある程度、実態に即した金額にしなければならないから見積もりは重要だ。この見積書を2億5000万円にして書き直して持って来いというわけ。書き直した物を企業に持って行って、『これだけの金額が（解体に）必要だ』と提示する。それで会社側は認める。OKとなる。差額が懐に入る」

「銀行の支店の場合は、解体工事が難航した」と振り返る。「解体したら土地は更地にしなければならない。銀行の支店の地下には、鉄骨が組み込まれた1メートルの厚さのコンクリートで四方を囲んだ金庫があることが多い。金庫には40〜50センチメートルの厚さの鉄の扉が取りつけられている。コンクリートをドリルで壊していき、金庫を取り出すのだが、大変な作業だ。場合によってはこれだけで1週間以上かかる。これでは泥棒が忍び込んでも盗み出せない、手も足も出ない。『これほど頑丈に作らなくとも』というぐらいだった」

銀行の支店の解体工事は、三菱、住友、三井、第一勧銀、富士など大手を中心に行っていたという。

このほかの資金提供の名目として、「融資の形で何とかしましょう」との提案もあった。

「80年代の終わりのころだった。二束三文の土地でも買って所有権を登記して、会社を作ってくれればそれを担保に貸せますという提案が銀行から多かった。合わせて何十億円も融資してくれた。このような提案は多くの銀行からあった」

当時のさらなる錬金術を明かす。

「大手、中小を問わず証券会社からはさまざまな情報が入った。例えば『こういう未上場の会社が上場する』『増資する』とか。『社債を新規に発行する』といったことも情報提供された。これは完全にインサイダー情報。完全に違法だ。でも、だからこそ儲かる。そして『資金を用意できますか』となる。ここで、カネがないとは言えないから何とかして突っ込むことも多かったが、見返りはあった」

野村證券を狂わせた小池隆一１２０枚の質問状

罰則が新設された改正商法が施行された後も、実力派の総会屋たちは大いに恩恵を受けていた。背景には、どこの企業にもスキャンダルはあるし、トラブル処理を総会屋に依頼していたからだった。クレームをつける暴力団との交渉役など依頼される仕事は尽きなかった。

その後、時代は80年代後半からバブル景気を迎えるが、90年の年初から株価は下落を始めた。狂った歯車は逆回転を始めていた。証券会社の信用失墜の大きな要因となる「損失補塡」という前代未聞のスキャンダルが水面下で行われていた。証券会社が顧客の損失を穴埋めしていたのだった。

業界トップでガリバーと称されていた野村證券の補塡額は１６０億円だった。野村だけでなく証券各社で当時、明らかになったのは大和が１００億円、日興は１７０億円、後に自主廃業した山一は１００億円だった。四大証券以外に中堅証券各社も穴埋めをしていた。

損失補塡は91年6月に明らかになった。個人投資家をほったらかしにして、一部の法人投資家を優遇していたため大きな非難の対象となった。野村證券には同時進行的にさらに悩ましい問題が持ち上がっていた。指定暴力団稲川会の二代目会長、石井進が89～90年に東急電鉄株を２９００万株と大量に取得していたことに、野村證券が関与していたのだ。

こうした不祥事の責任を取って野村證券会長の田淵節也、社長の田淵義久が相談役に退いた。節也と義久は親族関係ではなかったが、２人は苗字から、「両田淵」「大田淵、小田淵」などと呼ばれていた。この人事で社長に就任したのは、両田淵の子飼いの酒巻英雄だった。

引責辞任したはずの両田淵だったが、禊《みそぎ》が済んだとばかりに、２人に恩義のある酒巻は95年の株主総会で取締役に復帰させた。ただ、野村證券の水面下での動きを総会屋の小池隆一は見逃さなかった。この株主総会が開催される前に、小池は「両田淵の野村證券に復帰することの是非について問いただす」といった趣旨で１２０ページにも及ぶ質問状を送っていた。

小池は野村證券株を30万株も取得しており、株主提案権を手にしていたことも明らかにしていた。一般株主とは発言力が各段違う影響力を持っていたことで、野村首脳陣に揺さぶりをかけた。

酒巻らが対応に苦慮していたところ、小池は「株主総会で質問はしない」と通告した。拍子抜けだったが、交換条件は、「もっと儲けさせてくれ」とさらなる難題だった。酒巻はさらに頭を抱えることとなった。

論談同友会の元最高幹部は、「あれほどのスキャンダルを引き起こして引責辞任したのは証券界永久追放という意味だ。それが復帰とは何事だ。許されてよい訳がない。自分も同じような趣旨の質問状を送っていた。この時の野村の両田淵の復権は総会屋に噛みついてくださいと言わんばかりだった。復帰の人事は、自らスキャンダルの種をまいたようなものだった」と口調を強める。

第一勧銀が提供していた小池の株取得資金

小池が質問状を取り下げた2年後となる97年5月、野村證券の元総務担当常務や小池らが東京地検特捜部に証券取引法違反や商法違反容疑で逮捕された。小池側に違法に5000万円を供与した容疑だった。

社長の酒巻は当初、総会屋との面識について「ありません」と断言、接触についても「ある訳がない」と頑強に否定していた。しかし、後に小池に野村證券本社で直接面会し、3億2000万円を手渡していたとして逮捕された。両田淵、酒巻の3人は事件の責任を取って辞職することとなった。

両田淵の復権が事件のきっかけだったと言っても過言ではないような失態だった。復帰がなければ違う推移をたどったことは間違いないだろう。だが、野村證券は自らの意志で自滅の道に進んだのだった。

小池は野村だけでなく、山一、日興、大和でも30万株ずつ保有し要求を重ねていたため、強制捜査は各社へと進められた。山一は7900万円、日興1400万円、大和6700万円の利益供与がなされていて、各社の幹部が小池とともに逮捕された。事件の過程で、山一証券は簿外債務が発覚、自主廃業に追い込まれた。

当時の証券各社の間では、「小池がなぜ大手証券4社の株を30万株ずつ取得できたのか？」といった謎について憶測が飛び交っていた。後に資金源は第一勧銀だったことが判明する。長老格の大物総会屋・木島力也の手引きで第一勧銀に食い込むことで資金を引き出していた。第一勧銀の歴代トップは人事などの面で木島に恩があり、その弟子の小池のバックに木島の幻影が見え隠れしていたことで勝手に怯え、呪縛を断ち切れなかったのが実情だった。

東京地検特捜部が立件した小池への違法な資金提供は118億円だった。だが、第一勧銀は後になって、公訴時効分も含めて総額で260億円もの資金を提供していたと自ら明らかにした。一連の事件では、野村證券4人、山一証券7人、日興証券5人、大和証券8人、第一勧銀11人で計35人が逮捕された。

日興証券の捜査の過程で当時は改革派政治家として国民的な人気があった自民党衆議院議員の新井将敬も小池同様に「儲けさせてくれ」と要求していたことが発覚、捜査が進められたが、自殺した。99年に小池に言い渡された判決は懲役9月の実刑、追徴金7億円だった。

総会屋よりもっと怖い勢力の台頭

「初めて摘発された伊勢丹から事件が続いた。総務担当者としての自分たちの活動が法律に違反することをやっていたという危惧はあった。後ろめたさもあった。もしかしたらウチの会社も摘発されるのかとも思っていた。でも、まさかが本当になろうとはという気持ちだった」

　総会屋への利益許与をしていたとして警視庁に摘発された企業の元総務担当者は述懐した。そして、「ある日、突然、警視庁から『お越しいただきたい』と事情聴取の要請があった。青天の霹靂《へきれき》。自分が逮捕されるのかと、体がブルブルと震えが止まらなかった」と当時の心境を語った。

　この元総務担当者は逮捕されなかったが、会社の幹部が何人も逮捕された。ここで非常につらかった思い出があるという。「逮捕されたうちの1人に対して、後になって自分が懲戒解雇の辞令を渡す役回りをやらされた。申し訳なかったし、非常につらかった」

　総会屋をめぐる事件では自殺者も出ている。前出の自民党衆議院議員の新井将敬だけでなく、第一勧銀の元会長・宮崎邦次も東京地検特捜部による連日の事情聴取のさなかに自宅で首を吊《つ》った。多くの犠牲があった。

　その後の総会屋は事件の摘発、罰則の強化などで絶滅状態だ。現在は約200人が確認されているが、ほぼ活動実態はないのが実情だろう。大型事件としては、西武鉄道が04年に警視庁によって摘発されたのが今のところ最後となっている。

　総会屋業界が絶滅状態になったのは四大証券・一勧事件が主な原因だった。その主役となったのは小池だった。かつて総会屋業界ではさほど名が売れていた存在ではなかったこともあり、多くの総会屋の間では、「小池はこれほどのカネを一勧から引っ張っていたのか」と驚きを持って受け止められた。同時に「小池の野郎の責任だ」「小池を殺してやる」と息巻いていた。

　ただ、小池は殺されることはなかった。沖縄県の土地をめぐる贈収賄事件で、2023年11月に逮捕され、久しぶりにニュースに登場した。80歳になっていた。報道での肩書は「元総会屋で無職」だった。

　近年、総会屋に代わって登場してきたのが「アクティビスト」「もの言う株主」などと呼ばれる、主に海外の投資ファンドだ。配当増額や不採算事業の売却、経営陣の刷新などを突き付け企業の経営に影響力を行使。過度な要求に、日本企業が振り回されている。

　総会屋たちと長年、渡り合って来た経験がある企業の元総務担当者は、「アクティビストにしても総会屋にしても、どちらも共通しているのは、目的はカネだということ」と指摘する一方で、「ただ、双方は大きく違う」とも強調する。

「かつての総会屋は、株主の権利の行使と称していたが、違法なカネの要求が目的だ」と強調した。そのうえで、「アクティビストの場合は、株主権を本当の意味で行使してくる。ここがまったく違う。『なるべく穏便に』などと袖の下は通用しない。正攻法で対処しなければならない」

　2024年は年明けから東京証券取引所は活況を呈している。バブル期の最高値を34年ぶりに更新しただけでなく、東証史上初の4万円台を記録した。失われた30年から変化の兆しが見え始めたが、元総会屋は、「かなり前に株はすべて売り払った。株を失えば何も残らない。最近の株高についても何の感慨もない」とだけ述べるにとどまった。

（敬称略、肩書、一部の企業名、法律名は当時）

第5章

政界の怪物

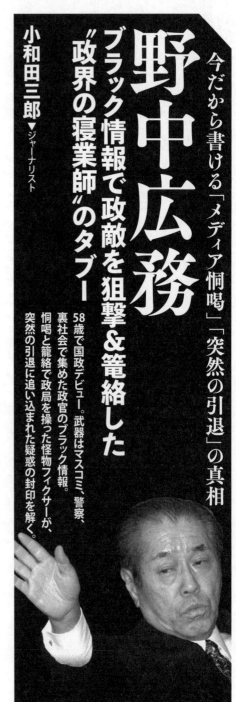

今だから書ける「メディア恫喝」「突然の引退」の真相

野中広務

ブラック情報で政敵を狙撃&篭絡した〝政界の寝業師〟のタブー

小和田三郎▼ジャーナリスト

58歳で国政デビュー。武器はマスコミ、警察、裏社会で集めた政官のブラック情報。恫喝と篭絡で政局を操った怪物フィクサーが、突然の引退に追い込まれた疑惑の封印を解く。

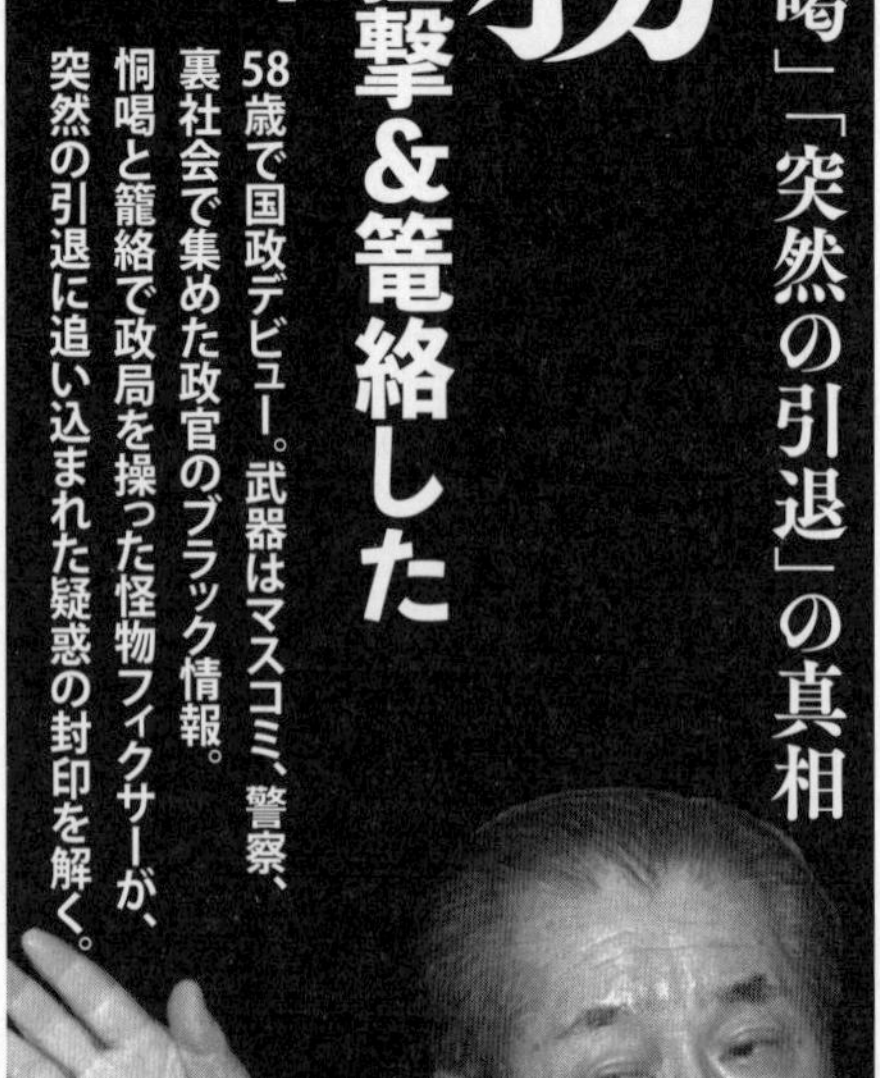

「フィクサー」とは、本来、表舞台に立つ政治家に用いられる呼称ではない。しかし、自民党が産んだ「野中広務」という政治家には、どうしてもこの言葉がついてまわる。

1983年に衆議院議員に当選した野中は、当選2期目から頭角を現し、当時の自民党最大派閥「経世会」（現・茂木派）に起きた92年の分裂騒動の頃にはすでに「政界の寝業師」として恐れられるようになっていた。以来、数々の政局を仕掛ける一方、逓信《ていしん》・郵政族、道路・建設族のドンとして権力を拡大。野中が官房長官を務めた小渕恵三政権（1998〜2000年）、自民党幹事長を務めた森喜朗政権（2000〜01年）では、政権や自民党を事実上支配し、「政界最大の実力者」「陰の総理」と評されるまでになった。

ただ、野中がフィクサーと形容されるのは、最高権力者である総理の椅子に就かないまま、長く国政を牛耳っていたというだけではない。謀略と恫喝を駆使するその政治手法が、きわめてフィクサー的だったからだ。

京都府下の田舎町である園部町町議出身で、大きな後ろ盾なども一切もっていなかった野中がどうやって短期間のうちに中央政界でのしあがっていったのか。その足跡を改めて検証してみると、この老獪《ろうかい》な政治家が「ふたつの武器」を巧妙に使っていたことがわかる。

野中が仕掛けたNHK〝シマゲジ降ろし〟

ひとつ目の武器は「裏情報」だ。

野中は政治家や官僚の弱み、スキャンダルを徹底的に調べ上げ、それを使って、政敵を引き摺《ず》り下ろし、反対者を封じ込め、協力者になるよう籠絡《ろうらく》してきた。

永田町に野中の名がはじめて轟《とどろ》いたのは91年の〝シマゲジ降ろし〟だったが、これもまさに情報を駆使した結果だった。当時、衆院逓信委員長だった野中は、NHKを独裁支配し、自民党や郵政省のコントロールも効かなくなった会長の島桂次を引き摺り下ろすため、当時の郵政官僚やNHK内部の反島派と連携して、通信衛星打ち上げ失敗をめぐり、島が国会で虚偽答弁していたことを追及。打ち上げ時に愛人女性を同伴してホテルに泊まっていたこと、隠し口座をつくっていたことなども調べ上げ、『朝日新聞』などマスコミを利用しながら最終的に辞職に追い込んだ。

経世会分裂騒動の際に、激しく対立して離党した小沢一郎やその側近のスキャンダルをちらつかせて、動きを牽《けん》制《せい》していたのも有名な話だ。野中は後に取材や対談で小沢に愛人がいたことを仄《ほの》めかしたり、「小沢さんについて明かすべきことを文書にして、あるところに預けてあります」と発言したことがあるが、当時から、小沢一派の金や女の問題を徹底調査して、恫喝の材料にしていた。

その後、細川連立政権が93年に誕生し、自民党が下野すると、野中は権力奪還のためにその力を使い始める。頭角を現しつつあった森喜朗や亀井静香と連携しながら、首相・細川護熙《もりひろ》のNTT株取得疑惑をはじめとする数々のスキャンダルを調べ上げて追及。政権を弱体化させる一方、社会党左派を籠絡して、自社さ政権樹立の立役者となった。

さらに、野中の手段を選ばない恐ろしさを知らしめたのが、橋本政権時代（1996〜98年）の創価学会・公明党切り崩しだ。当時、自民党は政権に返り咲いたもののまだ与野党の勢力が拮抗しており、小沢率いる新進党が公明党と合流する計画が進んでいた。ところが、公明党が突如、方針を転換し、合流を拒否。逆に自民党との協力姿勢を強め始める。

これは、野中が公明党の母体である創価学会に揺さぶりをかけ、裏取引に持ち込んだというのが定説になっている。当時、池田大作名誉会長の側近で公明党の常任顧問だった藤井富雄が山口組系暴力団組長・後藤忠政と密会しているビデオを野中が何らかのルートで入手。それを材料に学会に恫喝をかけていたことを、複数の関係者が証言したのだ。

野中のこうした政治手法は、小渕政権で官房長官になり大きな権力を手に入れたことで、さらにエスカレートしていく。小渕政権下では、手練手管で野党を籠絡してさまざまな法案を成立させ、小渕が病に倒れると、密室談合で森喜朗を首相に担ぎ上げ、自らは自民党幹事長に就任。森政権時代は、幹事長として不人気の森を守り続け、批判勢力を力で押さえ込んだ。加藤紘一による造反劇「加藤の乱」（2000年）が尻すぼみに終わったのも、人事の干し上げ、公認取り消しといった正面からの圧力に加えて、裏で野中が加藤のスキャンダルをつかんで、脅しをかけていたのではないかといわれた。

官房機密費によるマスコミ支配、警察、裏世界の人脈も

それにしても、野中はこうした政敵や籠絡対象の「裏情報」をどうやって集めていたのか。

まず大きな役割を果たしていたのがマスコミだ。

前述したように野中は〝NHKの天皇〟といわれた会長・島桂次の追い落としを仕掛けたが、その際、のちにNHK会長となった海老沢勝二をはじめ、NHK内部の反島派と連携していた。島追い落としに成功して海老沢らが権力を握ると、野中もNHKに深く食い込み、政治部や社会部が入手した裏情報が自分の元に集まる体制をつくりあげた。

もちろん、野中が築いたマスコミのネットワークはNHKだけではない。当時を知る全国紙の元自民党担当記者はこう語る。

「野中さんは当選2回生、3回生の頃から、番記者や政治部デスクの面倒を見て籠絡。自分の手足として動くよう手なずけていた。しかも、野中さんが力をつけていくにつれて、その影響力は増し、全盛期には、各社の政治部幹部を軒並み押さえていたんじゃないか。とくに、朝日と共同（通信）には、〝野中の代理人〟といわれるくらい親しい大物政治記者がいた」

さらに、官房長官時代には、内閣官房機密費を使ってメディア関係者を籠絡していたことも明らかになっている。

他でもない野中自身が2003年の政界引退後、その事実を明かしているのだ。10年、TBSの情報番組「NEWS23クロス」に出演した野中は、こんな発言をしている。

「総額は月に5千万円から7千万円。うち国対委員長に与野党対策として月5百万円、首相の部屋に1千万円、参院幹事長室にも配りました。政治評論家へのあいさつなども前任の官房長官からノートで引き継いだんです。1人だけ返してきたのが田原総一朗さんでした」

野中は講演でも「政治家から評論家になった人が、『家を新築したから3千万円、祝いをくれ』と小渕総理に電話してきた」と語っている。

もうひとつ、野中が情報源としていたのが、警察だ。自社さ政権で、自治大臣・国家公安委員長に就任。オウム真理教の地下鉄サリン事件や國松孝次

警察庁長官狙撃事件で陣頭指揮をとった経緯から、当時の警察庁や警視庁の幹部と太いパイプを築き上げた。

「とくに、野中が取り込んでいたのが、当時、警察庁長官官房長だった前田健治。前田は警視庁公安部長経験者で、のちに警視総監になったため、警視庁が野中の情報集めに全面協力しているのではないかと疑いをもたれていた時期もあった。公安部の一部は『野中機関』とまでいわれていた」（全国紙元公安担当記者）

一方、野中は裏社会にも通じていた。暴力団などとの直接的な関係は判明していないが、暴力団や反社会勢力に通じた複数の大物フィクサーと深いつながりをもち、自らの動きに協力をさせていたといわれている。

そのひとりが「京都のフィクサー」として恐れられた山段芳春《さんだんよしはる》だ。山段は、戦後最大の経済事件といわれるイトマン事件の首謀者・許永中と並んで、京都を舞台にしたさまざまな経済事件に暗躍した人物。国会議員初当選の頃から野中を支援し、許永中と親しい政界フィクサー・福本邦雄と相計って野中の初入閣を政権側に働きかけたことが、山段の死後、秘書の証言から明らかになっている。

野中の初入閣に暗躍したともいわれる政界フィクサー・福本邦雄

自らが受けた「部落差別」の告白 「同和利権」解体の隠された狙い

マスコミ、警察、さらに裏社会で集めた「情報」を武器に、政界でのし上がっていった野中。しかし、野中にはそれとは別にもうひとつ、大きな武器があった。

それは「同和」だ。「情報」が野中にとって〝裏の武器〟だったとすれば、「同和」は〝表の武器〟ともいえるものだった。

自著やいくつかの評伝で明らかになっているように、野中は被差別部落と呼ばれる地域の出身であり、その原体験から、政治家人生で一貫して「差別との闘い」「同和問題の正常化」を訴えていた。ターニングポイントとなる局面では、自らが被差別部落出身者であることを明かし、その差別体験を赤裸々に語り、政敵に対して「差別者」と迫ることもあった。

たとえば、京都府議として当時の社会党・共産党が支持する蜷川虎三府知事と激しく対立していた73年、府議会の質問に立った野中は蜷川に向かって「知事、あなたは重大な差別者でもあります」と詰め寄ったあと、日本国有鉄道の大阪鉄道管理局（現・JR西日本）での被差別体験をとうとうと語り、蜷川府政の同和対策の不健全性を批判した。

さらに、政界引退直前には、政敵だった麻生太郎の自分に対する差別発言を糾弾している。

魚住昭による評伝『野中広務　差別と権力』（講談社文庫）によれば、03年9月に開かれた自民党総務会で、野中がいきなり立ち上がり、当時、政調会長としてこの会合に参加していた麻生に向かってこう怒鳴ったのだという。

「総務大臣に予定されておる麻生政調会長。あなたは大勇会の会合で『野中のような部落出身者を日本の総理にはできないわなあ』とおっしゃった。そのことを、私は大勇会の三人のメンバーに確認しました。君のような人間がわが党の政策をやり、これから大臣ポストについていく。こんなことで人権啓発なんかできようはずがないんだ。私は絶対に許さん！」

もちろん、これは事実だった。さまざまな差別発言、暴言で知られる麻生だが、01年の総裁選前、野中に出馬の動きがあることを知ると、所属派閥である大勇会の会合で、野中の指摘通りとんでもない差別発言を口にしていた。

実際、09年には、米紙『ニューヨークタイムズ』が、初のアフリカ系大統領として差別と闘うオバマと対比するかたちで、当時、首相だった麻生のこの差別発言を取り上げている。その発言内容を詳しく紹介したうえで、問題の会合に出席していた亀井久興《ひさおき》衆院議員（当時）の「麻生の部落差別発言はあった」とする証言まで掲載した。

野中については、こうした同和問題への取り組みから、ネットなどで「同和利権の権化」などと批判する声もある。

だが、過去のマスコミ報道を洗っても、野中が同和対策事業などの利権を直接的に食い物にしていた形跡はない。唯一は、自民党総裁選直前の01年、スキャンダル雑誌『噂の真相』が京都市営地下鉄東西線の延伸工事をめぐり、野中が同和団体幹部と結託して事業を利権化したとする旨の記事を掲載したが、この記事も野中に名誉毀損訴訟を起こされ、1審の京都地裁では「真実と認められる証拠はない」として『噂の真相』側が敗訴。「500万円」という当時としてはかなり高額の賠償支払命令を受けている（控訴審で350万円に減額）。

実際、野中は表向き、同和運動の主軸を担う部落解放同盟の方針について「行政による特別扱いが差別を再生産する」と反対。同和対策事業の周辺につきまとう利権を解体しようとしていた。

それは京都府議時代から一貫したもので、前述した自分の差別体験を語った府議会質問でも、蜷川知事に対して「あなたがやってこられた同和行政は、子どもがアメを欲しいといえばアメをやり、ゼニがほしいといえばゼニをやる同和行政です」と批判した後、園部町長時代からの自分の姿勢をこう述べている。

「一般の人が理解するものでなければ、新しい差別を呼び起こすものであります。したがって、私は部落内の舗装をするときも同じときにそれに通ずる土の道路をなくすることを心がけました」

そして、国政で力を持つようになった野中が標的にしたのが「7項目の確認事項」だった。「7項目の確認事項」とは、1968年に部落解放同盟大阪府企業連合会と大阪国税局長らとの間で結んだ、解放同盟傘下の企業が行う税務申告は精査せず認めるという取り決めで、2年後には国税庁長官が「同和問題について」という通達を出して、全国的にこのルールが適用されるようになっていった。

93年10月、細川政権下の衆院予算委員会で、野党として質問に立った野中は激しい口調でこう迫った。

「こんな大蔵省のひきょうなことが現に続けられておるために新たな差別が行われて、増幅をしてきているのであります。私の40年余りにわたる政治生活のすべてをかけ、勇気をもって質問をするのであります」

野中は部落解放同盟の上杉佐一郎（写真）に同和控除の廃止を受け入れさせた

実際、自民党が政権に復帰し、自治大臣になると、野中はこの同和利権解体に着手する。

解放同盟中央執行委員長・上杉佐一郎を大臣室に呼び、同和事業の根拠になっている時限立法「地域改善対策特別措置法」を延長するのと引き換えに、「7項目の確認事項」廃止と課税の適性化を受け入れさせた。

道路・建設利権の制圧と立ちはだかった小泉純一郎

自らの被差別体験を原点に、「反差別」を掲げながら同和利権の解体を推し進めた野中の姿勢は、きわめて真っ当なものだったといえるだろう。しかし、それは野中広務という政治家の行動がすべて清廉潔白だったということとイコールではない。

野中の同和利権解体の背後には、当時の社会党支持勢力だった部落解放同盟を弱体化させることで、自身や自民党の同和問題への影響力を高めようという目的があった。

しかも、野中は、解放同盟の周辺が利権としていた同和対策事業などよりもっと大きなものを狙っていた。それは、この国の道路利権や土木建設利権だ。

府議時代、野中が「部落内の道だけ舗装しては、差別の再生産が起きる。部落内の道を舗装するときは、同時にそこに通じる道も舗装する」という旨の信念を語っていたことを先に紹介したが、それこそ「あらゆる道を舗装する」ような大規模公共事業を推し進め、それにまつわる利権を手中に収めようとしていた。

前出の魚住昭『野中広務　差別と権力』によれば、野中は国政に進出してまもない80年代半ばの時点ですでに、親しい京都府議に「やっと百パーセント土建を押さえ切った」と豪語していたという。しかも、90年代に入ると、その支配が及ぶ範囲は京都の土建業界にとどまらず、どんどん広がり、日本の高速道路・有料道路の建設、管理を行っていた特殊法人「日本道路公団」にも大きな影響力を持つようになった。

同時に、談合や新規業者の公共事業参入に野中事務所が関与しているとの噂もしきりに流れていた。「八条口」と隠語で呼ばれた地元事務所に、建設業者が口利きや談合の調整依頼のために日参。阪神大震災の復興工事では、いくつかの新規参入業者に野中の息がかかっている、秘書が金をもらっているといった噂が浮上していた。

しかし、その全盛期、野中を巡るこうした利権や疑惑についての報道はほとんどなかった。たまに週刊誌が書いても散発的で問題にならないまま立ち消えた。いったいなぜか。

それは、前述したように、野中が新聞・テレビをほぼ制圧していたからだ。

「当時、各社の政治部幹部には軒並み野中さんの息がかかってましたからね。しかも、野中さんはどんな些細《ささい》な記事にも目を通し、少しでも気に入らないと、あの甲高い声で『何を出鱈目《でたらめ》書いとるんじゃ』と怒鳴り込んでくる。政治部は異常に野中さんを恐れ、社会部が野中さんに触ろうとしても、止めに入って記事にさせなかった」（全国紙社会部元デスク）

また、コントロールの利かない週刊誌の記事などに対しては、すぐに内容証明を送りつけ、訴訟を起こすことも辞さなかった。

「ほとんどの週刊誌が野中から抗議を受けたり、訴訟を起こされたりした経験があるんじゃないか。ある時期からは、どこも『野中に触るのは面倒だからやめておこう』という空気になっていたね」（週刊誌ベテラン記者）

いずれにしても、自民党から官僚、警察、マスコミ、経済界、地下人脈まで押さえていた全盛期の野中は、誰もさからえないような存在になっており、このままいけば、日本の政界を完全に支配するのではないかと思えるほどだった。

しかし、その野中の権勢も２００１年の自民党総裁選を境に急速に衰えていく。

01年の総裁選は、辞任した森喜朗の後継を決めるもので、当初は野中の出馬が有力視されていた。しかし、野中は結局、出馬せず、かわりに自分が所属する橋本派の領袖《りょうしゅう》である橋本龍太郎を担ぎ出した。

野中は出馬見合わせの理由について

「私が出馬すると橋本派が分裂する」と語ったが、しかし、本当の理由はこうしたスキャンダル発覚を恐れたからではないか。

野中には、ここまで述べてきたさまざまな利権に加え、弟である野中一二三《かずみ》園部町長の不透明な資産形成や、衆院逓信委員長時代に義理の息子にテレビ制作会社をつくらせ利益誘導していた疑惑などもあった。

これまではメディアを黙らせることができたが、首相になれば田中角栄や竹下登のように、問題が次々にほじくり返される可能性がある。それよりは、橋本をもう一度首相にして裏でキングメーカーとして実権をふるったほうがいい、と考えたのではないか。

しかし、野中のこの目算は完全に外れた。総裁選では、小泉純一郎が予想外の圧勝。そして、首相に就任した小泉は道路公団民営化や郵政民営化などで、まさに野中の利権の本丸を次々と解体し始めたのである。

野中は小泉を「独裁的な政治手法」「弱肉強食の市場原理主義者」と批判して徹底抗戦したが、国民の小泉人気は圧倒的で、野中のほうが逆に「抵抗勢力のドン」のレッテルを貼られ、批判に晒《さら》された。

気がつけば、野中は自民党の中心から完全に外されていた。野中が支配してきた官僚や警察、マスコミの姿勢も一斉に小泉になびき、野中の力はどんどん弱体化していった。

「水谷建設から4000万円」疑惑報道直後に政界引退を発表

しかも、小泉政権下で起きたのは、たんに野中の権力が弱体化したというだけではなかった。官僚や警察、メディアも野中離れを起こし、それとともに、これまで触れられなかった野中事務所や野中一派のスキャンダルが表面化し、それがさらに野中を追い詰めていく。

まず、01年には郵政族系で子飼いの参院議員・高祖《こうそ》憲治が選挙違反で辞職に追い込まれた。

02年には、側近の衆院議員・鈴木宗男が逮捕された。同じく02年には、野中事務所の秘書が公共事業の口利きに関与したという問題を『朝日新聞』が報道。

さらに翌年8月、野中に決定的なダメージを与える記事が飛び出す。共同通信が、野中の大臣秘書官を務めた元公設秘書が三重の中堅ゼネコン「水谷建設」側から４０００万円の資金援助を受けたという事実をスクープしたのである。

水谷建設といえば、福島県知事汚職事件（06年）の贈賄側として摘発され、小沢一郎の資金管理団体「陸山会」の不正蓄財疑惑（09年）でも裏献金の当事者として登場した政界のタニマチだが、共同通信のスクープは、水谷建設の政界癒着を初めて報じたものだった。

しかも、野中の元秘書が癒着していたのは水谷建設だけではなかった。水谷側から後に４０００万円の返済を求められた元秘書は、ニチメン巨額手形詐欺事件の主犯として有名な後藤丹後之助に泣きつく。そして、後藤ゆかりの電子機器メーカーに債務を肩代わりしてもらい、その見返りに、旧通産官僚を紹介して補助金を受けられるよう手配していた。

　この件で野中は共同通信の直撃を受けており、そのやり取りも配信された。

　野中は取材に「利権では動かない、という私の政治姿勢を知りながら、あの男はなんてバカなことを…。晩節で恥をさらすことになる。情けない」と苦渋の表情を浮かべたという。

　ところが、元秘書が裏書きした4000万円の手形のコピーや、元秘書の妻に支払われた不透明な報酬明細書を記者が見せると、同席した女性秘書と驚いたように目を合わせた。

　電子機器メーカーについて聞かれると、女性秘書が「お付き合いさせてもらった支援企業」と答え、その社長の息子が野中の秘書になっていることも白状した。

　野中事務所ぐるみの癒着は明らかだった。実は、この記事が配信された翌日、野中は共同通信の編集局に直接、1本の電話を入れている。

「自民党の野中です。社会部長はいますかな」

　電話口に社会部長が出ると、野中はいきなり受話器の外にも聞こえるような大声で怒鳴り始めたという。

「あんたのところが小泉純一郎と組んで、私をはめようとしていることは、百も承知なんだ。このタイミングで、どうしてあんな記事を出すんだ」

「このタイミング」というのは、1カ月後に控えた自民党総裁選のことだ。この総裁選では、再選を目指す小泉純一郎と橋本派の藤井孝男が立候補。野中は藤井を推し、小泉との最終決戦に臨んでいたが、小泉の圧倒的優位は誰の目にも明らかだった。

　共同通信の記事は社会部の調査報道で、小泉サイドのリークでもなんでもなかったが、こんな謀略論を口走って八つ当たりをするくらいに野中は追い詰められていた。

　そして、野中は、この報道からまもない9月9日、突如会見を開いて、任期いっぱいで政界を引退することを発表する。

　野中は、引退の理由のひとつとして、目前に控えた自民党総裁選で橋本派会長代理の村岡兼造《かねぞう》や青木幹雄らが自派候補の藤井孝男ではなく、小泉を支持したことに失望したと説明。村岡に対しては、会見で「毒まんじゅうを食らったのではないか」と切って捨て、「毒まんじゅう」はその年の流行語大賞に選ばれた。

　しかし、実際の引退の理由は、くだんの共同通信の報道にあったのではないか、と見る向きも多い。

共同通信幹部との密会後、ボツになった野中疑惑の続報

　共同通信の「水谷建設から野中秘書

に4千万円」の記事が出て2週間ほどがたち、引退会見を直前に控えた9月初旬。野中は同社幹部と密会していた。当時の事情を知る政界関係者がこう話す。

「実は、共同通信は野中事務所について続報を用意し、取材を進めていた。その動きを知った野中先生が懇意にしている共同幹部に『引退の意向』を表明して、そのかわりに続報を止めるよう相談したのではないか」

実際にそのあと、共同通信が続報を取材しながら、記事の配信を見送っていたことが判明した。『週刊新潮』03年12月25日号がその事実をすっぱ抜いている。

『新潮』によると、共同通信がボツにした野中事務所の疑惑はふたつ。

ひとつは、当時、野中が推し進めていた「プレハブ駐車場」の普及政策を利用して、第一弾の共同通信記事でも登場した水谷建設の水谷功会長(当時)と野中事務所側がひと儲けをたくらんでいたという問題だ。

当時、道路交通法の改正で駐車違反の取り締まりが厳しくなり、駐車場需要が一気に高まっていた。ただ、用地には限りがある一方、立体駐車場は土台の基礎工事費がバカにならず、一般の建物と同じ建築確認もしないといけないところが難点だった。

そこで、業界の一部がエレベータを備えない自走式の2階建てプレハブ駐車場の普及を狙って「日本プレハブ駐車場工業会」なる団体を発足させるのだが、ここの顧問に就いたのが、ほかならぬ野中だった。業界関係者の話。

「野中さんには、プレハブ駐車場なら基礎工事もいらないし、建築確認も必要ないと認めてもらえるよう所管の国土交通省や警察庁への折衝に当たってもらうようお願いしました」

結局、プレハブ駐車場は建築確認が必要なくなり全国に普及したのだが、この要件緩和に乗っかるように、野中事務所が不可解な動きをしていた。水谷会長が資本金1000万円を用意し、野中事務所の元秘書の妻や京都の地元事務所所長を役員にして、プレハブ駐車場会社を設立していたのだ。

もうひとつは、野中が食い込んでいた警察と大手企業を組み合わせた利権漁りだった。発端は、京都競馬場周辺で、競馬ファンの車が引き起こす大渋滞の緩和のため、日本中央競馬会が費用を負担し、渋滞情報の電光道路標識を設置することになったことだった。事業費は20億円に上るものだったが、競馬会には、道路標識システムを設置する権限はなく、所管の警察当局と調整が必要になる。

そこで、国家公安委員長秘書官を務めたくだんの野中事務所の元秘書が動き、この事業は競馬会傘下の団体から警察庁の外郭団体へ事業委託され、最終的に大手電子機器メーカーが受注することになった。同社は野中の有力な支援企業だった。潤沢な競馬マネーがわざわざ警察の外郭団体を経由して、さらに野中の支援企業が巨額の競馬事業を受注する構図を作りあげたのである。

しかも、『週刊新潮』によると、この電子機器メーカーから取引先に工作資金が振り込まれ、そこから元公設秘書にマージンが渡った、とこの取引先の社長が証言をしている。

結局、このふたつの記事は表に出ることはなかった。しかし、野中がここまで共同の続報にナーバスになっていたのには、もっと深い理由があったといわれている。野中を知る前出の政界関係者はこう推測する。

「元秘書の問題を配信した共同通信の取材内容があまりに詳細だったものだから、野中先生は『バックに検察がいるんじゃないか』といぶかしんでいました。引退を決意したのも検察の動きを恐れてのことだったんじゃないか、という気がします」

実際、野中は東京地検特捜部のターゲットになっていた。捜査していたのは政界引退翌年の04年に発覚した日本歯科医師連盟事件のうち、橋本派への1億円裏献金事件ルート。1億円授受の当時、野中は橋本派事務総長の立場にあり、派閥実務の責任者として特捜部の取り調べを受けた。当時の全国紙検察担当記者がいう。

「立件されたのは、1億円の小切手を日歯連から受け取りながら領収書を発行せず、裏金処理した事務局長と、これを了承した会長代行の村岡兼造。野中は『小切手の受領を私は知らない』とシラを切りましたが、検察は刑事事件の公判で、小切手を受け取った現場に野中もいたと明かし、ウソがばれました。野中も立件寸前だったんです」

さらに06年、福島県知事汚職の捜査線にも浮上。贈賄側の水谷建設側から依頼を受けて根回しに動いた疑いがあるとして、野中の元秘書が複数回にわたり聴取を受けた。

しかし、どのケースでも最終的に野中自身が立件されなかったのは、やはり、政界を引退していたことが大きいのかもしれない。

引退後の爆弾発言も不発、フィクサー政治家の寂しすぎる晩年

いずれにしても、野中の政治生命はこの引退会見で終わったといっていい。会見直後の総裁選では当然ながら小泉が圧勝。野中は会見で話したとおり、この年限りで政界を引退した。

一応、野中は引退後も、テレビや雑誌に頻繁に登場して、小泉政治や長年の政敵だった小沢一郎を舌鋒鋭く批判。前述した官房機密費の暴露のような爆弾発言も時折口にして、何とかこの国の政治に影響を与えようとしていた。

しかし、野中は一見、爆弾発言をしているように見えて、本当に自民党にダメージを与えるところまでは踏み込まなかった。むしろ、政界引退後も、不都合な報道に対しては、封じ込める動きまでしていた。

たとえば、野中が官房機密費につい

て暴露した前出のTBS「NEWS23クロス」で、鈴木宗男が「(野中官房長官時代の)98年の沖縄県知事選で、機密費から3億円が投入された」と証言した際、野中は逆に番組に抗議。謝罪訂正をさせている。

「野中が語った『マスコミに官房機密費をばらまいた』という程度の話なら、立証もできないし、何の問題もない。でも、沖縄県知事選に使ったとなると、カネをもらった陣営側は選挙運動費用収支報告書に開示しないといけないから、選挙違反になる可能性がある。それで慌てた野中さんが、当時、鈴木発言を訂正しないなら出演していたTBSの長寿番組『時事放談』を降りる、と抗議をしてきたんです」(TBS関係者)

引退した元政治家が、身を切る覚悟のないまま中途半端な暴露をしても、いま、権力を持っている連中を揺さぶり、現実の政治に影響を与えることは難しい。

実際、野中は永田町ではほとんど相手にされなくなった。地元・京都でも〝農協のドン〟といわれたJA京都中央会会長・中川泰宏と袂《たもと》を分かち激しく対立したが、郵政解散総選挙で小泉チルドレンとして立候補した中川に野中の後継候補が敗北するなど、中川の牙城《がじょう》を崩すことはできなかった。

野中が影響力を保っていたのは、15年まで務めた全国土地改良事業団体連合会会長の立場から目を光らせていた農地転用問題くらいだが、これも時代状況からして、たいした力にはならなかった。

そして、18年1月の終わり、野中は92歳で静かに息を引き取った。

〝陰の総理〟と恐れられたわりには、あまりに寂しい晩年だが、田中角栄をルーツとする古い利権政治家の典型であり、裏から恫喝と謀略で政治を操ろうとしたフィクサー型政治家の退場は、ポピュリズムが到来する時代の流れを考えると、必然だったともいえる。

しかし、野中が去って日本の政治はよくなったのか、というと、そんなことはない。

そののちの小泉政権や安倍政権では、野中の指摘通り、弱肉強食の新自由主義政治で貧富の格差は広がり、人権や平和主義を踏みにじる政策が次々と推し進められた。そして、国民の批判から野中が身を挺《てい》して守ってやった森喜朗や、野中に対してとんでもない部落差別発言を口にした麻生太郎が、いまも「政界の黒幕」「キングメーカー」の座に居座り続けている。

いまの酷い政治状況に比べたら、野中がフィクサーとして君臨した時代の方がまだマシだった――そういいたくなるのは、ノスタルジーがすぎるだろうか。

(敬称略)

*参考文献:『野中広務　差別と権力』(魚住昭・講談社文庫)、『老兵は死なず　野中広務全回顧録』(文藝春秋)、『闇将軍』(松田賢弥・講談社+α文庫)

ロッキード事件の語られざる波紋と地下水脈

田中角栄×中曽根康弘

秘史！ 日本を変えたカネと権力の興亡

森功▼ノンフィクション作家

80年代に始まった中曽根の民活・市場開放路線。解体の本丸は田中派族議員の牙城・国鉄、電電公社ほか三公社五現業。両陣営の対立はロッキード事件、リクルート事件の明暗にも影を落とした。

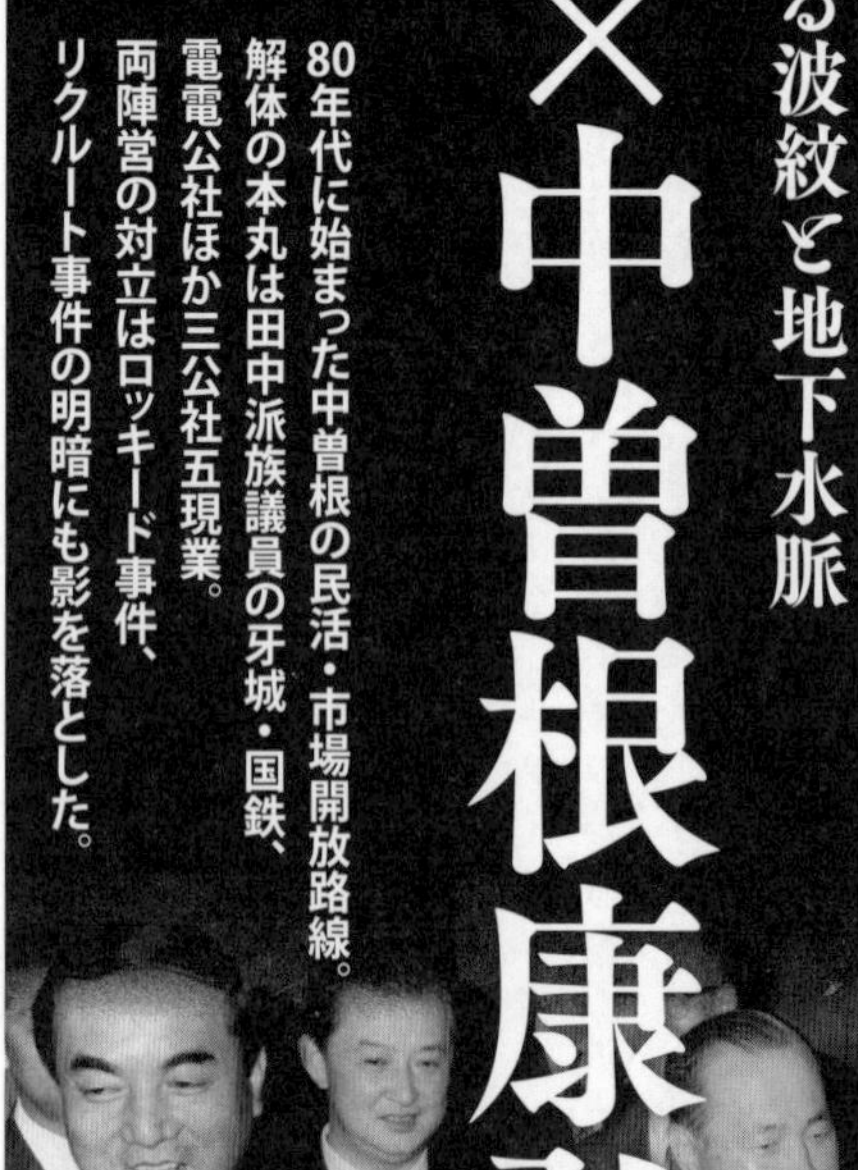

田中角栄と中曽根康弘。ともに1918（大正7）年5月に生まれ、衆院の初当選も47（昭和22）年4月の同期生である。2人はわずか23日違いで生まれた。だが、政治家としての歩みは大きく異なる。田中は72年7月に第64代内閣総理大臣となり、中曽根は田中に遅れること10年後の82年11月に第71代内閣総理大臣に就いた。

首相に昇りつめた順番が示すように、田中に比べると中曽根は遅咲きであるが、ともに戦後の自民党政治を語るうえで最も重要な国会議員と言える。中曽根政治は現在にいたる日本の姿に通じる。1960年代から70年代前半にかけた高度経済成長期に目覚ましい産業の発展を遂げ、対米輸出による貿易黒字を膨らませた日本に対し、米国は内需拡大と日本市場の開放を迫った。中曽根はその米国の期待どおり、市場の開放政策に舵を切った。欧米の規制緩和政策を取り入れた先駆者となる。

中曽根は英首相のマーガレット・サッチャーが唱えた新自由主義の流れのなか、米大統領のロナルド・レーガンと歩調を合わせて行政改革を推し進めた。中曽根とレーガンというときの日米首脳は、「ロン」「ヤス」と呼び合う間柄として評判になる。のちの安倍晋三は米大統領のオバマを「バラク」、トランプを「ドナルド」、ロシアの大統領プーチンを「ウラジミール」と呼んだが、それももとはと言えば、中曽

39歳で岸信介内閣の郵政大臣として初入閣した田中角栄（1957年）

根が先鞭《せんべん》をつけたものだ。

半面、中曽根の民需拡大、市場開放政策は、その実日本が米国の要求を実現してきたに過ぎない。ここから米国流の規制緩和が日本に上陸し、中曽根民活という流行語が生まれた。国鉄や日本電信電話公社、日本航空など、親方日の丸だった特殊法人の民営化へのレールが瞬く間に日本の国土に敷かれていったのが、中曽根政権の前半である。

そして中曽根政権の後半はバブル経済を呼び込んだ。85年のプラザ合意によって円高を容認し、内需拡大のために大幅な金融緩和政策に踏み切る。国内のカネ余りが火付け役となり、80年代後半から90年代初頭まで続いた狂乱のバブル経済は、株や不動産の価格を途方もない勢いで押し上げた。不動産や株の価格があぶくのように膨らんだ時代である。バブル期は変化の度合いが大きい分、極端なハレーションを生んだ。かつてない大型のバブル経済事件では、官庁による規制の変化の隙間を縫ってビジネスチャンスをうかがう大胆な政官界工作が顔を出した。その嚆矢《こうし》がリクルート事件である。

87年11月まで5年にわたった中曽根政治は、バブル崩壊から10年を経た２０００年代に小泉純一郎政権に引き継がれ、ＩＴファンドバブルが到来した。その後の安倍晋三や菅義偉、さらに現在の岸田文雄にいたるまで続く政権が進める規制緩和策の原型と言える。

なぜ、中曽根政治が現在も続いているのか。もとより欧米を中心とした先進国の世界潮流に乗ってきた側面もあるが、なにより日本国内の権力構造の変化がそうさせたと言っていい。中曽根康弘のライバルである田中角栄の凋落がその最大の要因とも言える。稀代の2人の政治家は見事なまでにあり様が違った。

同い年で同じ選挙で初当選　運命に影を落とした出自の違い

田中は１９１８年5月4日、新潟県刈羽郡二田村大字坂田（現・柏崎市）に生まれた。父は田中角次、母親はフメ（１８９１～１９７８年）といった。田中家は代々の農家で、父親の角次は牛や馬を売り買いする馬喰《ばくろう》でもあったが、一家の暮らしは楽ではなかった。二男として生まれた角栄は長男が夭折したため、事実上の嫡男《ちゃくなん》として育った。

上昇志向がひといちばい強かったのであろう。33（昭和8）年3月、二田尋常高等小学校（現・柏崎市立二田小学校）を卒業すると、上京する。のちにノーベル物理学賞を受賞した湯川秀樹や朝永振一郎などを輩出した理化学研究所の工場が新潟に設立されたことから、所長の大河内正敏の書生になろうとしたという。それがかなわず、東京・神田の中央工学校夜間部土木科に通い、37年に「共栄建築事務所」を設立して独立した。この頃、運よく理化学研究所の大河内とエレベータで乗り合わせ、戦時下の理研関連工事を受注して利益を上げた、と伝説的に語られる。

戦時中の田中は徴兵で陸軍盛岡騎兵第3旅団24連隊へ入り、士官候補生だった細井宗一と知遇を得る。徴兵された一兵卒に過ぎない田中にとって細井は上官にあたったが、細井が同郷の新潟県糸魚川市出身であることから仲良くなったという。

終戦後、シベリア抑留を経験した細井は日本国有鉄道（国鉄）に入り、国鉄労働組合（国労）の本部中央委員として、日本の労働運動を牽引する。一方の田中は終戦から2年後の総選挙で初当選し、運輸や建設の族議員として政界の足場を固めていく。典型的なたたき上げの政治家である。国労の細井との関係はのちに触れる。

かたや中曽根は、そんな田中と対照的に文字通りのエリート街道を歩んだ。田中より23日後の１９１８年5月27日、群馬県高崎市末広町の中曽根松五郎の二男として生まれた。中曽根家は関東有数の材木問屋「古久松」を稼業とし、当人は、１５０人もいる職人や20人の住み込みの女中に囲まれて育っている。

1947年、当時史上最年少の28歳で衆議院議員に初当選した中曽根康弘

戦前は旧制高崎中学（現・群馬県立高崎高等学校）や旧制静岡高等学校（現・静岡大学）に通い、太平洋戦争の始まった41（昭和16）年には、東京帝国大学法学部政治学科を卒業して内務省に入った。内務省は明治時代の大日本帝国憲法下、内政と民政を一手に担う行政機関として設置された。内務大臣は内閣総理大臣に次ぐポストに位置付けられ、省は警察と地方行政両方の統制機関として、「官僚の総本山」と呼ばれた。敗戦後、ＧＨＱによって解体され、警察庁と自治省に分かれた。

戦時中に内務官僚となった中曽根は海軍短期現役制度により、海軍主計中尉に任官して呉鎮守府に配属され、第二設営隊の主計長に任命される。終戦時の肩書は海軍主計少佐である。

終戦時の内務省の解体に伴い、47年の第23回衆議院議員総選挙で立候補して初当選する。田中角栄よりわずか23日あとに生まれた28歳の中曽根は当時、史上最年少当選となった。当選後は、保守思想の拠点となる青雲塾を立ち上げ、53年にはハーバード大学の夏期セミナーに参加し、大学院生だったヘンリー・キッシンジャーと出会ったとされる。以来、キッシンジャーとは半世紀以上の交友を重ねてきた。それもあり、中曽根は、自民党きっての親米保守政治家としてその名を売っていった。

80年代に起きた権力構造の大転換
田中の牙城崩しだった中曽根民活

米大統領のレーガンと「ロン」「ヤス」と呼び合った中曽根は、82年11月に政権をスタートさせると、三公社五現業の民営化政策を打ち出した。三公社は大蔵省所管の「日本専売公社」(専売)、郵政省所管の「日本電信電話公社」(電電)、運輸省所管の「国鉄」、五現業は郵政省による「郵政事業」、大蔵省による「造幣事業」と「印刷事業」、林野庁による「国有林野事業」、通商産業省による「アルコール専売事業」を指す。

中曽根政権時代の85年4月、専売公社と電電公社が「日本たばこ産業」(ＪＴ)と「日本電信電話」(ＮＴＴ)に民営化され、国鉄は87年4月に7分割された。さらに同時に運輸省所管で半官半民だった「日本航空」(ＪＡＬ)が完全民営化を果たす。ちなみに残りの五現業で言えば、郵政事業がのちの小泉純一郎政権時代に日本郵政グループとなっている。

日本は１９８０年代に一大転機を迎えた。それが市場開放路線を進める中曽根民活であり、政治の世界でも権力構造の大変化があった。闇将軍と恐れられた田中角栄から中曽根康弘へ権力が移った瞬間である。

80年代初頭の自民党は、「三角大福中」と称される派閥が覇権を争ってきた。三木武夫、田中角栄、大平正芳、福田赳夫、中曽根康弘という派閥領袖《りょうしゅう》の頭文字をとってそう呼ばれたのだが、実態は田中派「木曜クラブ」の力が突出していた。田中は76年2月に明るみに出たロッキード事件で逮捕されてなお、１４０人もの所属議員を擁《よう》して自民党最大派閥を率いた。１００人の議員を抱え、今年派閥を解散した安倍派「清和政策研究会」をはるかに凌ぐ大きな勢力だ。田中と中曽根は同期当選のライバルと目されてはいても、力の差は歴然としていた。中曽根内閣は田中のお墨付きがなければ誕生しなかったと言われる。それゆえ首相の座を射止めた中曽根は「風見鶏」、政権は「田中曽根内閣」と揶揄《やゆ》される始末だった。

圧倒的な数の力を誇る派閥を率いた田中は、大蔵、運輸、建設、郵政、外務、防衛といった主要中央官庁の幹部人事を一手に握り、実際に子飼いの官僚たちが出世してきた。田中はあらゆる政策に通じた自民党族議員の大ボスであり、霞が関の高級官僚たちは田中を頼り、政策を遂行してきた。

いわば行政サイドの総本山が田中派であり、その親玉が自民党最大の実力者である田中角栄だったのである。小泉流に言えば彼らは「抵抗勢力」になるのだろうが、行政にはそれなりの役割があり、すべてを民間に託せばいいというわけではない。首相に就任した中曽根にとっては厄介な存在だ。

中曽根民活の実現はある意味、田中と中曽根という両雄の覇権争いの果てに起きた。中曽根が欧米流の市場開放路線を進めるためには、田中派の族議員や霞が関の官僚たちを抑え込まなければならない。だが、闇将軍を前に、もともと中曽根の提唱した改革は危うかった。2人の争いの現場が国鉄改革やJAL、電電公社だったわけだ。

たとえば国鉄では、運輸族議員の元締めとして君臨してきた田中人脈が国鉄幹部の主流派や運輸官僚に張り巡らされ、それは日本最大労組の国労にまでおよんだ。戦時中の田中の上官であり、戦友だった細井は国労本部の中央委員として、田中と気脈を通じてきた。細井は目白の田中御殿にアポイントなしでふらりと訪ねることができる数少ない人物だと言われたものである。

かたや中曽根の国鉄改革の主眼は、日本社会党を支えてきた国労潰しでもあった。詳しくは「国鉄改革3人組」のひとり葛西敬之を描いた項（236頁参照）に譲るが、中曽根は第二次臨時行政調査会の委員に据《す》えたブレーンの瀬島龍三らとともに、国労を事実上の解体に追い込もうとした。結果的に国鉄が7分割され、国労が解体された背景がそれだ。

電電公社の民営化も構図は同じである。電電公社は戦後長らく郵政族議員のボスである田中角栄の牙城《がじょう》であった。奇しくも80年代に入り、電電公社では、近畿電気通信局による13億円の不正経理事件が発覚する。大平正芳の急逝を受けて発足した鈴木善幸内閣時代のことだ。鈴木内閣では土光敏夫を第二臨調の会長に据え、中曽根は第二臨調を所管する行政管理庁長官に就任した。そこで中曽根の唱える三公社五現業改革のうち、まずは電電公社の民営化が俎上《そじょう》にのぼる。そしてここから民営化の前哨戦が展開された。不正経理により総裁の秋草篤二が辞任、後継総裁選びが始まったのである。

中曽根政権下で動き始めた竹下登と金丸信のクーデター

電電公社の民営化に慎重姿勢だった田中は、技術系の電電公社副総裁だった北原安定を次の総裁に推した。北原は郵政省の前身である逓信《ていしん》省の元官僚である。むろん北原総裁となると、民営化そのものが危ぶまれる。そこで第二臨調の会長である土光が総裁候補として迎えようとしたのが、真藤恒《ひさし》だった。「リクルート・江副浩正の項」（120頁参照）に書いたように、「メザシの土光」と異名をとる土光は、石川島播磨重工業（現・IHI）や東芝の社長を務め、経営を建て直した手腕が評価されてきた。その石川島播磨の後輩社長であり土光の秘蔵子と称されたのが真藤であった。

真藤は70年代の造船不況のリストラにより、社員の反発に遭って社長の座を追われ、会長になれず相談役に退いた。土光は第二臨調会長に就任した81年1月、無聊《ぶりょう》をかこつその真藤を拾い、民営化をひかえた電電公社最後の総裁に登用した。

もっとも、それで民営化に向けた道筋が開けたわけではなかった。電電公社の民営化は、田中派と中曽根―土光―真藤という単純な対立構造だけでは語れない。実はそこには、田中派の分裂という政界に走った激震が暗い影を落としている。

もともと真藤と近かったのは、土光だけではなかった。政界で最も真藤を買っていたのが、田中派の金丸信である。1914（大正3）年9月生まれの金丸は、田中や中曽根より4歳も上の老練な政治家だ。いくら土光の推薦とはいえ、政権当初の中曽根は田中に気兼ねし、真藤の電電公社総裁起用にも慎重だった。それを認めさせたのが、金丸の後押しだったという。では、なぜ田中派の重鎮である金丸が派閥のボスである田中に盾ついてまで、真藤を電電公社に送り込んだのか。その理由はすぐに明らかになる。竹下登と金丸は中曽根政権ができたあたりから、すでに水面下で造反の動きを始めていたのである。

リクルート事件の「NTTルート」捜査により、真藤に1万株のリクルートコスモス株が譲渡され、その売却益が銀行口座に入金されていた事実が判明した。実はこのとき真藤が真っ先に相談した相手が金丸にほかならない。

「(NTT) 会長を辞任しなければならない事態になってきました」

電話でそう告げた真藤に対し、金丸は味のある言葉で真藤を慰めた。

「やむをえんでしょう。人生は布団をかぶって寝なきゃならんときもある」

そして、まさにNTT発足前夜の85年2月7日、竹下と金丸は田中派内の勉強会と称して「創政会」を立ち上げた。そこには、田中が実子のように可愛がってきた小沢一郎も参加していた。田中にはそれがショックだったのであろう。創政会の旗揚げから20日後の2月27日、闇将軍は脳梗塞に倒れた。このことが中曽根政権の民営化事業に大きな変化をもたらしている。

土光、金丸を後ろ盾とする真藤が85年4月、民営化されたNTTの初代社長に就く。田中は最後まで真藤の社長人事に反対したが、脳梗塞に倒れた直後だけに意思を伝えられない。田中の意向を押し切ったかっこうで、真藤の社長就任が決まったのである。田中の推していた北原は辛うじて副社長に就任し、田中派の郵政族議員の面目を保った形だ。が、ここから田中派は瓦解《がかい》していく。

実はこの間、新生NTTには分割民営化論まで浮上していた。のちの国鉄改革と同じだ。前述したように国鉄民営化では、北海道、東日本、東海、西日本、九州、四国という6つの旅客会社と貨物会社に7分割された。それは50万人近い組合員を誇った最大労組の国労潰しのためでもあった。だが、NTTはそうはならず、前の年の84年12月20日に成立した日本電信電話株式会社等に関する法律（通称NTT法）に基づき、東日本電信電話会社と西日本電信電話会社の2つに分かれただけだ。NTTはその持ち株会社であり、分割は避けられた。NTT法では新会社を次のように定める。

〈東日本電信電話株式会社及び西日本電信電話株式会社がそれぞれ発行する株式の総数を保有し、これらの株式会社による適切かつ安定的な電気通信役務の提供の確保を図ること並びに電気通信の基盤となる電気通信技術に関する研究を行うことを目的とする株式会社〉

　現在も日本政府が発行株式の3分の1あまりを所有しているのはこの法律による。政府の株式所有は、電気通信という国民のインフラを扱う会社だからである。

　ちなみに昨今、このNTT法の廃止を巡り、議論が沸騰している。「政府の財政再建に寄与しNTTの技術革新や経営の自由度を増すため、株を手放すべきだ」と主張する自民党の甘利明や萩生田光一に対し、楽天の三木谷浩史などが「国民のインフラを売り渡すのはけしからん、巨大企業が民間事業者の経営を圧迫する」と反発している。

　とどのつまり、NTTに経営の自由度を与えれば、楽天の脅威になると考えているからだ。日頃、規制緩和を唱える三木谷がNTTの自由化に反対しているところも面白い。もとよりNTTサイドは株を売却したいが、今も総務官僚の天下り先になっており、旧郵政族議員たちの利権が絡むので、揉《も》めている。

リクルート事件の地下水脈、田中派vs中曽根派の暗闘

　話を田中対中曽根の暗闘に戻す。当初、NTT法が成立した時点では田中角栄は健在であり、民営化後のNTTにも副社長として田中の推してきた北原が残った。二代目社長となる山口開生も北原と同じ逓信官僚から電電公社に天下っていた。ともに田中派の寵愛《ちょうあい》を受けた郵政官僚であり、郵政省の影響力は温存されていた。

　真藤のNTT初代社長誕生はあくまで田中が脳梗塞で倒れた後であり、その首脳人事の顔ぶれ自体はそれ以前の田中派と中曽根派の折衷案の産物ととらえていい。やがて電電公社改革の旗手と持ち上げられた真藤はNTT会長となり、山口が社長となった。田中が倒れる前だったから、電電公社の分割は立ち消えになったのである。

　そして権力は常に移ろう。田中派を割って飛び出した竹下や金丸は87年7月4日、経世会の旗を掲げ、田中派の大部分を引き連れて独立した。経世会は94年に平成政治研究会に改称され、現在の平成研究会に再び改称されて茂

木敏充が率いてきたが、昨年末に発覚した派閥の政治資金パーティー裏金事件で解散した。

リクルート事件が竹下政権を直撃したのは、中曽根が竹下に政権を譲った翌88年6月だ。東京地検特捜部の本丸が中曽根であり、捜査は中曽根政権のナンバー2である藤波孝生におよんだ。藤波は労働、文教族議員だが、事件の核心がNTTルートだったのは言うまでもない。電気通信事業に参入したかったリクルート創業者の江副浩正は、電電公社民営化のキーマンである真藤をかっこうの工作相手と睨《にら》んで、リクルートコスモス株を手渡した。だが、その裏に潜む複雑な政官財界の権力構造の変化には気づかなかったのであろう。手当たり次第に株をばらまいただけだ。当時の肩書で疑惑の政治家を並べると、壮観ですらある。

病に倒れて政界引退を表明した後、地元・新潟に里帰りし、支持者に大歓迎され涙する田中角栄

自由民主党では、竹下登首相、長谷川峻法相、宮沢喜一蔵相、小渕恵三官房長官、原田憲経企庁長官、小沢一郎官房副長官、安倍晋太郎自民党幹事長、渡辺美智雄自民党政調会長、愛野興一郎前経企庁長官、中曽根康弘元首相、橋本龍太郎元運輸相、梶山静六元自治相、森喜朗元文相、中島源太郎元文相、砂田重民元文相、塩川正十郎元文相、加藤六月元農水相、大野明元労相、栗原祐幸元労相、山口敏夫元労相、坂本三十次元労相、藤波孝生元官房長官、加藤紘一元防衛庁長官、渡辺秀央元官房副長官、原健三郎前衆院議長、浜田卓二郎代議士、伊吹文明代議士、愛知和男代議士、大坪健一郎代議士、有馬元治代議士、野田毅代議士、堀内光雄代議士、鈴木宗男代議士、尾形智矩代議士、椎名素夫代議士、志賀節代議士、藤田正明参院議長、遠藤政夫参院議員、倉田寛之参院議員、鈴木貞敏参院議員――。

野党では、日本社会党の上田卓三代議士、公明党の池田克也執行部副書記長、民社党の塚本三郎中央執行委員長と田中慶秋国会対策副委員長といった面々が株をもらっていたとされる。

そのなかで財界人として1万株を受け取った真藤には90年10月、東京地裁が懲役2年、執行猶予3年、追徴金2270万円の有罪判決を下した。そのまま刑が確定し、経済界から去る羽目になる。

郵政族のボスである田中角栄と民営化路線を進める中曽根康弘の対立構造を背景に、初代社長に就いた真藤率いる新生NTTには、自民党の郵政族議員や郵政官僚、さらにそこにぶら下がる経済界の経営者たちが取り巻いた。挙げ句に電気事業改革で主導権を握ろうとした真藤は孤立した。江副は政官財界の複雑な利害が絡んだそのあたりの裏事情を読み切れなかったのだろう。ただし、リクルート事件の本筋であるNTTルートは真藤の逮捕くらいで、不発に終わった。

NTTが国鉄のように分割されなかったのは、旧来の勢力が温存されていたからかもしれない。実のところ国鉄改革でも民営化後はJR東日本を中心としたハブ化構想があったが、JR東海の葛西敬之らの反対により、立ち消えになった。

しかし、その国鉄の分割民営化は必ずしも正解だったとは言えない。JR7社のうちうまくいっているのは本州3社と言われる東日本と東海、西日本くらいで、あとの経営は苦しい。わけても北海道や四国は赤字続きで、いまや国鉄改革見直しの必要まで囁《ささや》かれている。

民活路線を進めたその間、中曽根康弘は病に倒れた田中角栄との水面下の闘いを乗り切り、新たな権力構造が生まれた。自民党では田中派支配から竹下派へと権力が移った。が、リクルート事件により竹下政権は1年半の短命に終わり、中曽根自身も党内基盤を失っていく。しかし、その市場開放政策だけは橋本龍太郎、小泉純一郎へと受け継がれていった。

「自民党をぶっ壊す」

すっかり有名になった小泉のこのフレーズは、はからずも竹下派の打倒宣言と言えた。

34年後に判明した中曽根のロッキード事件もみ消し工作

善かれ悪しかれ中曽根と田中という稀代の政治家の闘いは、その後の日本を形づくる結果となった。

実は2人の闘いはロッキード事件から始まっていたのかもしれない。70年代初頭から始まった日米の貿易摩擦では、佐藤栄作内閣の通産大臣だった田中角栄が米国と渡り合った。三角大福中のライバルたちを蹴落として首相に就任した田中は72年9月、日中の国交回復を成し遂げる。ロッキード事件は、田中外交だ。米国に先んじた対中外交が米国の虎の尾を踏んで怒りを買った結果に起きた汚職と言われる所以《ゆえん》がそこにある。

ロッキード事件の仕掛け人は、ヘンリー・キッシンジャーだった。リチャード・ニクソン政権の大統領補佐官であり、72年2月の米中首脳会談を経て、79年1月の米中国交正常化に漕《こ》ぎつけた功労者とされる。キッシンジャーはニクソン政権で国務長官（外務大臣）を兼ね、ニクソン失脚後の74年8月に誕生したジェラルド・フォード政権でも国務長官を続けた。先に書いたように半世紀にわたって交友を続けてきた中曽根の盟友である。

ロッキード事件はフォード大統領就

任1年半後の76年2月、米上院の外交委員会多国籍企業小委員会公聴会（通称チャーチ委員会）でことが発覚した。公聴会で明かされた収賄側の「政府高官」が首相だった田中角栄であり、全日本空輸に自社の飛行機を売り込もうとした米航空大手のロッキード社から、田中に5億円の賄賂が渡っていた事実が判明する。

もっともリクルート事件と同様、ロッキード事件の本筋もまた、そこではなかった。ロッキード社は日米貿易摩擦の裏で、日本の自衛隊に次期哨戒機「P－3C」を納入すべく、政界工作を仕掛けた。このときの防衛庁長官が中曽根だったのである。米上院のチャーチ委員会でロッキード疑惑が浮上した16日後の76年2月20日、自民党幹事長だった中曽根は米国務省宛てに次のように打電している。

PAINFUL（KURUSHII）
HUSH UP（MOMIKESU）

丁寧に「苦しい」「揉み消す」との日本語訳まで添えられていたその公電が明るみになったのは、事件から実に34年後のことである。元朝日新聞社会部の奥山俊宏著『秘密解除ロッキード事件』（岩波書店）にはこう記されている。

〈その公電は二〇〇九年八月、私の目に触れて、二〇一〇年二月一二日、朝日新聞の記事で暴露された〉

公電は中曽根が国務長官のキッシンジャーに事件の揉み消し工作を頼んだものと見るのが妥当だろう。また、ロッキード事件では児玉誉士夫の暗躍も注目された。児玉はもともと中曽根のブレーンでもあった。実際、中曽根は特捜部の捜査対象から外れ、防衛庁への工作も藪《やぶ》の中に消えてしまった。

ロッキード事件とリクルート事件が、戦後最大級の政界疑獄なのは誰もが認めるところだろう。だが、その結末はどちらもすっきりしない。ロッキード事件で5億円の賄賂を受け取った田中はさらに権力を増して闇将軍となった。それを倒したのは、ライバルの中曽根ではない。身内の竹下や金丸による造反から来た心理的なストレスによる病魔だった。いわばうちなる敵に負けたと言える。

その隙に権力を奪取したかに見える中曽根は、竹下を後継指名して権力を保とうとしたが、リクルート事件で失墜した。そこから竹下と金丸は90年代に我が世の春を迎える。しかし、やがて東京佐川急便事件やゼネコン汚職により権力の座から転げ落ちる。

その後台頭したのが、小泉純一郎であり、安倍晋三だったのは念を押すまでもない。そして安倍の亡き後、足元の清和政策研究会から派閥パーティー問題が沸いて出た。まさに政治とカネを巡る権力の興亡であり、歴史は繰り返していると言うほかない。（敬称略）

政治の裏金上納システムの帝王

竹下登

談合の楽園に君臨した怪物の〝総理の椅子に100億円〟伝説

伊藤博敏▼ジャーナリスト

角栄を裏切り総理になった竹下登。
その座に投じた莫大な裏金の調達先は？
直前に集中した金屏風疑惑、
本圀寺跡地売却、青木建設株疑惑。
談合の怪物が残した爪痕。

自民党長期政権を支えた派閥の解消と約34年ぶりに最高値を更新した日経平均株価――。２０２４年の年初、政治経済界を賑わせたのはこのふたつのニュースだった。

ニュースに触れて想起したのは、ひとりの政治家の存在である。第74代内閣総理大臣・竹下登。在任中（１９８７年11月～89年６月）に発覚した政官財を巻き込むリクルート事件で、政治にカネがかかり過ぎると問題となり、89年１月、竹下は「政治改革委員会」を設置して党内刷新に取り組み、派閥解消を盛り込んだ「政治改革大綱」を作成した。また、当時はバブル経済真っ盛りで、89年12月末につけた日経平均３万８９１５円はその後急落し、結果としてこれまで破られなかった最高値となった。

政治改革大綱で打ち出した派閥解消は、何度も試みられながら温存され、株価は低迷を続けて「失われた30年」を象徴する指標となった。日本は、竹下元首相の残した「負の遺産」に取り組み続けたといえるのかもしれない。

竹下登とは何者か――。

自民党が5派閥を標準とし、総裁選でカネが乱れ飛んだ訳

竹下は、島根県飯石郡掛合村（現・雲南市）に父・勇造、母・唯子の長男として、24年２月26日に生まれた。竹下家は江戸時代から造り酒屋を営んで

おり、勇造も婿養子という女系の家系だっただけに、久しぶりの男子誕生となって大切に育てられたという。

　掛合小学校から旧制松江中学に進み、早稲田高等学校に入学する。やがて召集されて陸軍特別操縦見習士官となる。戦火激しき折、勇造は竹下家の血が絶えることを恐れ、入隊前に結婚させた。竹下は少年飛行兵の訓練教官となったことが幸いして、出撃することなく終戦を迎えた。だが、妻は45年5月に自殺していた。46年1月に再婚し3女を得ている。

　中学生の頃から政治家志望だった竹下は、帰郷すると政治家を志し、被選挙権を得るとすぐに県議選に立候補し、27歳で初当選する。2期務めた後、58年5月の総選挙に島根全県区から立候補してトップ当選を果たす。後に党副総裁となる金丸信が同期で、ともに佐藤栄作元首相が派閥領袖の佐藤派に所属した。

　当時、自民党は確立した議員育成システムを持っていた。

　当選1回の議員は見習いとしての扱いであり、2回から3回で国会常任委員会の理事、各省庁の政務次官、党政調会の副会長といったポストに就く。4回ともなれば、政調会の部会長職や常任委員会の委員長職が用意される。そうした経験を踏まえて、官僚・省庁の動かし方を覚え、得意分野の省庁の族議員として、政策や予算面で省庁をバックアップする見返りに、官僚から業界への顔つなぎ、選挙やパーティーでの支援を受ける。

　中堅代議士となって5回、6回と当選を重ねると大臣ポストが見えてくる。その際、どの派閥に所属しているかが主要閣僚や党三役に就けるかどうかのカギを握る。当時は定数が3議席から5議席といった中選挙区制の時代であり、だから派閥は5議席に合わせた5派閥が〝標準〟となった。派閥領袖は「カネとポスト」を与えてくれる有り難い存在だ。従って総裁選では、「親分（領袖）を総理総裁にしよう」と必死で頑張る。

　それが総裁選でカネが乱れ飛ぶ原因であり派閥解消論が生まれる理由でもあるのだが、議員育成システムという側面と、保守といっても右から左まで幅広い自民党にあって、思想信条の近い者同士が群れていたいという〝人の性《さが》〟のような側面もあって、なかなか派閥は解消しなかった。

2派閥からカネをもらう「ニッカ」
3派閥からもらう「サントリー」

　佐藤を師として国政に踏み出した竹下は、佐藤派5奉行のひとりである早大OBの橋本登美三郎元党幹事長のもとで政務と閥務に励み、初入閣は第3次佐藤内閣での官房長官だった。以降、実力派代議士への道を着実に歩み、建設相（現・国土交通相）、大蔵相（現・財務相）を歴任する。族議員としては建設族、大蔵族である。なかでも大蔵相は大平正芳内閣と中曽根康弘内閣で

5期務め、大蔵省への影響力は群を抜いた。

竹下が佐藤派で力を蓄えていた頃、8年近く続いた佐藤政権のもと、「三角大福中」と呼ばれた三木武夫、田中角栄、大平正芳、福田赳夫、中曽根康弘の5人の政治家が覇を競っていた。72年6月、佐藤首相の引退声明の後、総裁選に入り、田中と福田の一騎打ちの末、田中が勝利を収め、同年7月7日、第一次田中内閣を発足させた。尋常小学校卒の田中は足軽出身の豊臣秀吉に倣《なら》って「今太閤」ともてはやされた。

しかし太閤を目指す過程の利権漁り、地位利用の土地転がしなどは目に余るもので、庶民人気とは別に政界やマスコミで「金権田中」は評判だった。そこに『文藝春秋』(74年11月号)が切り込み、立花隆が「田中角栄研究」、児玉隆也が「淋しき越山会の女王」として作品を発表。国会でもこの問題は取り上げられ、田中退陣のきっかけとなった。

しかも76年2月、米国でロッキード社が航空機売り込みの際、政財界に賄賂を贈ったというロッキード事件が発覚する。田中はその賄賂を受け取ったとして同年7月、逮捕された。金権田中を証明したが、なぜそれほどカネが必要だったのか。田中は佐藤派5奉行のひとりとして「派中派」を持つ存在だったが、傘下議員へのカネの配り方は豪快だったという。

政界引退後に竹下が上梓した『政治とは何か　竹下登回顧録』(講談社)で次のように述べている。

「もう、角栄先生もいっぱしの資金力があったわけですから、田中角栄と名前を書いて、封筒に入ったものをホイッと言って渡す」

これは盆暮れの手当てなどの話だが、総裁選でのカネのバラ撒《ま》き方は凄まじいものだった。同じ書で竹下は田中vs福田の一騎打ちの際のエピソードを明かしている。

「いやぁ、熾烈だったです。そのときに出た言葉が、ニッカ、サントリーか。あれはその前か。ウイスキーに、ニッカウヰスキー、サントリーウイスキーがある。ニッカというのは両方から(カネを)もらう、サントリーというのは三つからもらう。四人からもらうものをオールドパーなんていってね(笑い)。激しかったのも事実です」

このウイスキーエピソードは、「角福戦争」の前に行われた池田勇人、石井光次郎らが争った60年総裁選のものだったが、公職選挙法適用除外の選挙だけに、角福戦争でも札束が飛び交った。

角栄切りの〝謀反計画〟「創政会」立ち上げの内幕

「三角大福中」の次は、安倍晋太郎、竹下登、宮沢喜一の実力者3人が、ニューリーダーだとして「安竹宮」と呼ばれた。だが、竹下には総理総裁への道は遠かった。派閥の最大の役割は、「親分を首相にすること」である。ところが田中はロッキード事件で刑事被告人の身。派閥維持は裁判対策上からも必要で、むしろ「数は力」とばかりに派閥膨張主義に走る。ロッキード事件の年の76年に75人だった田中派は、79年には83人となり、80年には100人、85年には140人を超えた。

後ろに隠れているがゆえにかえって力は増し、大平正芳や中曽根康弘といった首相を陰で操っていることから「闇将軍」と呼ばれ、5年の長きに及んだ中曽根内閣は「田中曽根内閣」と皮肉られた。それは竹下、金丸ら田中派中核議員の資金力と政治力を高めはしたが、「表に立てない」という意味で派内にフラストレーションが溜まったという。

「三木、福田、大平と続いたのだから、今度は田中派から総裁候補を出そうじゃないか。わが派には竹下がいる」

こうぶち上げたのは金丸信である。

80年夏、大平が首相在任中に急逝、政局が混迷をきわめていた時、仲間内で密かに根回しを開始した。当選同期というだけでなく、竹下の長女が金丸の長男に嫁いでおり、2人は親族だった。だが、その動きを察知した田中は激怒する。竹下を呼びつけ、「雑巾《ぞうきん》がけからやり直せ」と命じたのはよく知られている。

2人はしばらく人事で冷遇された。ただ、派閥も100人を超えると田中のコントロールが効かなくなる。竹下のもとには、小沢一郎、小渕恵三、羽田孜、橋本龍太郎、梶山静六、奥田敬和、渡部恒三ら7奉行といわれる若手が集まり、竹下政権を目指すようになった。金丸が参謀役である。

85年1月27日、目白の田中邸を訪れた竹下は、田中にこう切り出したという。

「実は政策勉強会のようなものを作りたいと思っているのですが……」

「結構じゃないか、おおいにやれ」

田中は意外にあっさり応じたという。

田中邸訪問までの間、根回しの得意な竹下は準備に怠りがなかった。料亭その他で何度も幹部会を開き方針を確認しあっていたし、派閥議員への個別交渉も行っていた。そのうえで田中の了解を取った。「創政会」という名の政策勉強会への入会署名は80名を超えるに至ったという。

総理総裁の椅子に投じたという100億円をどう集めたか？

だが、竹下の言葉に不審を抱き、動静を探っていた田中は、創政会が竹下首相実現のための派中派であることを突き止めると、猛烈な切り崩し工作に入った。田中の巻き返しにより、2月7日の創政会創立総会に出席したのは入会署名の約半分、40人だった。

裏に回らねばならない刑事被告人として酒量が増えていた田中は、創政会設立以降、ますますオールドパーの水割りをガブ飲みするようになったという。そのせいか、2月27日、脳梗塞で倒れて入院。半身不随で言語障害も残り、政界復帰は不可能となる。6月には永田町の事務所も閉じた。

「重し」が取れた竹下は、田中派を継承すべく働きかけを強める。田中内閣で官房長官を務め、「趣味は田中角栄」を自認する二階堂進ら反竹下派や元衆院議長の田村元ら中間派の存在はあったが、100人を超える議員が竹下のもとに集まった。その勢いで竹下は、87年7月4日、都内のホテルに120人の衆参議員を集め、竹下派（経世会）結成大会を開催した。

中曽根首相の後継指名を受けて首相に就任したのはその3カ月後である。怒りを表に出すことなく、粘り強く説得するのが持ち味の竹下が、田中に反旗を翻して総理総裁になるまでに費やした資金は100億円を超えるといわれる。そうした資金を竹下はどのようにして集めたのか。

政治資金には表と裏がある。数十人の派閥を抱える領袖は、裏で集めなければ派閥を維持・運営できない。2023年に派閥パーティー資金の裏ガネ化が事件化したが、竹下が首相を目指して奮闘していた約40年前は、派閥パーティーなどなかった。また政党助成金は、リクルート事件の後、東京佐川急便事件、金丸脱税事件とカネ絡みの政治腐敗が続き、94年に成立した政治改革4法で交付されるようになったものだ。その頃、派閥領袖に必要なのは、清濁、表裏を併せ呑む〝度量〟を持ち、集金することだった。

「表」の政治資金について竹下は雄弁だ。

「政治団体はありまして、佐藤さんが、要するに『おまえ、千つくってみろ』と。千社というか千口でもいいですね。それで月一万円で、十二ヶ月で十二万円ですね。それを千つくれば、一億二千万になると。それで少額多数方式のモデルをつくれと。それを神谷正太郎という（トヨタの）販売の神様ですね。彼がやってくれました」（前出『竹下登回顧録』）

神谷の支援を得て「広く薄く」の政治団体を作ったのは佐藤内閣の官房副長官時代（64年11月～66年8月）だった。この政治団体を「長期政策総合懇話会（長政懇）」という。トヨタが各県のトヨタ自動車販売を核にして全国に拡げていった。月に1社1万円の後援企業を1000社集めれば、確かに年間1億2000万円で理想的だ。竹下は、長政懇をコツコツと広げて行った。

「日本一の後援会（長政懇）が二十年ぐらいかかってできたんですけれど。（中略）月一万円で四千余社ありましたから、年に四億八千万円。自治省も、竹下さんの後援会が理想的ですと言う。すべて会費収入ですから」（前出『竹下登回顧録』）

この長政懇のほか、竹下には新産業経済研究会、永田町政経調査会、日本政治を考える会、登会、緑化政策懇話会、農村問題懇話会、きさらぎ会といった後援会組織があり、その総合力で派閥

トヨタ自動車販売の"神様"神谷正太郎。同社販売店が中心となって竹下登の表の政治資金が集められた

の経世会を支えた。

さらに竹下が実力政治家になっていくとともに財界とのパイプが太くなり、「囲む会」が増えていく。

盛田昭夫ソニー会長（肩書は竹下が首相在任時、以下同）、豊田章一郎トヨタ自動車会長などが集まる「竹下会」、加藤隆一東海銀行相談役、池浦喜三郎日本興業銀行相談役らがメンバーの「竹萌会」、塚本幸一ワコール会長、稲盛和夫京セラ会長など京都財界人の参加する「京竹会」……。

首相に上り詰めた大物政治家にふさわしいこうした政治団体、後援会を組織化する一方で、「裏」の徴収システムも必要だ。際たるものが中央と地方に確立した建設利権だろう。

盟友の金丸は、東京佐川急便事件を機に発覚した脱税事件により、93年3月に逮捕された。政界実力者の逮捕に報道は過熱したが、最大級のスクープが『毎日新聞』の「清水建設政治献金リスト」だった。盆暮れに献金を届けるためのリストである。

暴かれた清水建設裏献金リスト 最高待遇は竹下と金丸

「献金リストの原簿は手書きで、二十日に捜索されるまで東京都港区の清水建設本社に保管されていた。副会長、専務、常務ら十一人の担当役員別に五十七人の政治家名が記され、それぞれにSA、A、B、C、Dのランクが付いていた。関係者によると、担当役員は特捜部の事情聴取に対し、盆と暮れの政治献金先を書いたもので、SAは献金額一千万円、A五百万円、B三百万円、C二百万円、D百万円と説明。一部の政治家に対しては、ランクに基づいてカネを届けたとの供述を始めているという」（93年3月26日付）
献金リストのSAに名が記されていたのは竹下と金丸だった。Aランクが宮沢喜一首相（新聞掲載時、以下同）、渡辺美智雄外相、中曽根康弘元首相、小沢一郎元自民党幹事長、三塚博自民党政調会長、加藤六月元自民党政調会長の6名だったという。
もちろん清水建設だけでなく、鹿島など他のゼネコンも有力政治家に献金しており、建設業界の常態化した裏献金が明らかになっていった。当時、「ゼネコン資本主義」と評された。竹下、金丸のSAランクはその頂点に2人がいることを示している。
当時、大物建設族だったのは井上孝、中村喜四郎、村岡兼造、古賀誠の4人で、「建設4人衆」と呼ばれていた。

予算編成の時期になると建設省と大蔵省の官僚はこの4人との間で大枠を固める。そのうえで最後に調整を行い、決定するのが竹下、金丸だった。

実力者のもとには情報が集まり、その情報がさらに情報を呼び寄せ、それを狙って人もカネも集まる。官僚が行けば業者も行くということで、竹下事務所と金丸事務所は公共工事の決定に影響力をもつようになった。建設業者は盆暮れや選挙の時の挨拶を欠かさず、その関係が功を奏して「天の声」と呼ばれる口利きをしてもらい、それが受注を果たした時には数パーセントの謝礼（工事金額によって割合は異なる）を贈った。

竹下の秘書・青木伊平。談合・口利きなどで裏の政治資金作りに暗躍した

事務所を仕切るのは信頼のおける側近の秘書で、竹下には青木伊平、金丸には生原正久がいた。全てを任せられる金庫番で運命共同体だ。生原は金丸とともに逮捕され、青木は竹下利権を封印するように、89年4月25日の竹下首相退陣表明の翌日、自殺した。

島根県に張り巡らされた巨大な〝談合〟集金システム

竹下の地元・島根には、中央よりもっと精緻な集金システムが築かれていた。中核となる後援会は「きさらぎ会」である。竹下が2月に生まれたのでそう命名された。島根における竹下の土木・建設支配には長い歴史がある。竹下を政治的にバックアップしたのは、日本一の山林王で島根では「だんさん」と呼ばれる23代田部長右衛門だった。18歳年上の田部は、竹下が代議士となった翌年の59年に島根県知事となり、やがて2人で島根支配を確立し「田竹体制」と呼ばれるようになる。

名前は並んでいても田部あっての竹下だった。独り立ちするのは、知事を3期12年務めた田部が引退してからである。71年の知事選は、伊達慎一郎副知事と官僚天下り候補の一騎打ちとなり、県選出の代議士が天下り候補を支援するなか、竹下が伊達を推し、107票という僅差で伊達が勝利した。以来、竹下の県庁支配は揺るがぬものになった。県庁職員が竹下事務所を大切にし、そこに情報は集まり、情報を求めて業者が日参するという構図だ。建設業者はこぞってきさらぎ会に入会した。

島根県の建設業者は、その実績と事業規模により、特AからDまでのランクに分けられ、それぞれ体力に見合った規模の工事を受注する。小は数百万円から大は数十億円の工事にいたるまで、業者間の話し合いによって業者は決まる。県内各地の建設業協会の会館が話し合い、つまり談合の場だ。その談合組織は「研究会」と呼ばれていた。

公共工事の情報を持つ竹下事務所は規模の大きさによって、東京事務所関与分と地元分に分けていた。規模の大きな工事を差配するのはやはり東京の青木伊平で、地元分はきさらぎ会の幹部が捌《さば》いた。きさらぎ会の会長や事務局長は竹下の県議時代からの後援者で、2人とも竹下の生家である酒造会社「竹下本店」の役員に名を連ねていた。こうした島根支配によって、盆暮れや選挙の時に献金がもたらされるのはもちろん、口利きが発生した場合、公共工事の工事金額の数パーセントが〝上納〟された。

小口の会費収入による長政懇でのキメの細かい政治資金集めと、ゼネコン・土建業界に張り巡らせた集金システム――。

これが通常時に機能する竹下金脈だが、85年2月の創政会旗揚げから87年10月の中曽根首相による後継指名までの間に、尋常ではない資金が必要とされ、その金額は前述のように100億円以上といわれている。

尋常ではない部分のカネはどこから出たのか。

総裁選前に集中した金屏風疑惑、本圀寺跡地問題、青木建設株疑惑

当時、綱渡りのような、刑事事件化してもおかしくないような危険な資金調達が指摘された。そのうちのひとつが金屏風疑惑であり、理解するには住友銀行（現・三井住友銀行）と東京を本拠とする平和相互銀行（以下、平和相銀）との合併の経緯を知らなければならない。

バブル経済が本格化したのは、85年9月、米国のプラザホテルで開かれたG5（米、日、英、仏、独の先進5カ国）の蔵相・中央銀行総裁会議でのドル高を是正する「プラザ合意」だった。協調介入による是正のために急速に円高が進み輸出産業を直撃した。金利引き下げによる景気刺激策が取られ、過剰流動性につながってバブル景気が発生した。

蔵相だった竹下は金融政策全般を担っていたのだが、その頃、「疑惑の相銀」といわれた平和相銀で、オーナー一族と「4人組」と呼ばれた経営陣との間で経営権を巡る争いが発生していた。オーナー一族は、85年3月、旧川崎財閥の資産管理会社・川崎定徳に34％の持ち株を譲渡しており、4人組は経営を継続するためにも株を取り戻さねばならなかった。

その時、「通常のやり方では株は戻らない。私は大蔵にも、資産管理会社にも顔が利く。ついては金屏風を40億円で買って欲しい」と4人組に持ちかけた画商がいた。4人組筆頭の伊坂重昭監査役は、竹下への工作資金などを含むメモを見せられ、この話を信じて購入に至った。謎めいているが、伊坂監査役と青木伊平秘書が会って善後策を協議した事実はあり、疑惑は深まった。

東京地検特捜部は85年10月に事件着手のうえ、86年7月、特別背任容疑などで伊坂ら4人組を逮捕した。平和相銀は86年10月、東京進出を本格化させたい住友銀行によって合併され、疑惑は封印された。

　同時期、「竹下関与」が指摘されたなかに京都の本圀寺《ほんこくじ》跡地問題がある。86年7月、国家公務員等共済組合連合会が持っていたこの京都の一等地約6500坪が、随意契約によって隣接する西本願寺に売却された。坪単価で約166万円、総額約109億円だった。連合会は国が補助金を出している団体であり、準国有地としてこの土地は競争入札が原則だった。それが時価より2割程度安い価格で随意契約されたのはなぜか。次のように指摘された。

「竹下は西本願寺の門徒総代で依頼を受ける立場にあり、国有地売却の総責任者でもある蔵相だった。竹下事務所が政治的に動いたと聞いている」（取材に当たった記者）

株に絡む疑惑もあった。元暴力団組長で仕手集団「コスモポリタン」を率いる池田保次《やすじ》が保有する株式のなかに、準ゼネコン「東海興業」の約2000万株（発行済株式の約30%）があった。それを取得したのは青木建設であり、87年3月、1株当たり約1800円で約360億円を投じた。青木建設は「業務提携による協業」と発表したが、寝耳に水の東海興業は反発し膠着《こうちゃく》する。87年といえば、まだ敵対的買収など考えられない時期で、しかも入手先が仕手筋の元暴力団組長である。青木建設はなぜ二重に考えられない工作に走ったのか。証券業界の事情通が当時、こう解説した。

竹下のスポンサー青木建設の不可解な株取引に絡んだ仕手筋の元暴力団組長・池田保次。許永中とも親密な関係にあった

「青木建設会長は、元大蔵官僚で竹下と親しく、家業に戻ってからは竹下の有力スポンサーとなった。青木建設が池田から買い取った価格は、実は1800円よりかなり安かった。差額が竹下の総裁選資金になった」

昭和・平成の大型経済事件を呼び寄せた怪物の生き様

　金屏風に本圀寺に青木建設――。昭和の話であり疑惑のまま終わりもはや確認する術《すべ》はないが、竹下がもっとも「物入りの時期」に集中しているのは決して偶然ではあるまい。そして、こうした「竹下流カネ儲け」を〝もてはやす〟右翼団体が、87年夏に四国から上京し、街宣車でこう訴えた。

「日本一金儲けのうまい竹下さんを総理にしましょう」

「ほめ殺し」といわれる右翼の攻撃手法。行ったのは日本皇民党で総裁は稲本虎翁だった。ポスト中曽根を巡る大事な時期で、竹下サイドとしては「総理への道」の妨害行為をなんとしてでも止めなければならなかった。後に事件化した東京佐川急便事件の公判で、千葉県選出で暴力団にもルートがある浜田幸一代議士ら7人の政治家が稲本に接触、中断を要請したことが明かされた。だが、稲本は頑として応じなかった。

結局、ほめ殺しが止まるのは、広域暴力団「稲川会」の石井進会長という大物の登場によってだった。実業界に進出、不動産開発、ゴルフ場建設、株式投資などを手掛けていた石井を、東京佐川急便の渡辺広康社長は支援した。その渡辺と石井との関係を知った金丸が、「なんとかして欲しい」と渡辺に泣きついた。要請を受けた渡辺が石井に頼んで稲本工作が実現した。

「俺の顔を立てて欲しい」と暴力団社会の大物に依頼されては、稲本も応じるしかなかった。ただ、その条件が「親(田中角栄)を裏切った竹下が田中邸に詫びに行くこと」だった。門前払いされたものの、竹下は条件を呑んで目白の田中邸に行った。それを機に竹下攻撃は止み、中曽根裁定はなされた。

こうしたさまざま工作の末、竹下は87年11月6日、内閣総理大臣に就任する。だが、大きな代償を伴った。平和相銀と住友銀行の合併の背後に、創業者一族の株買い取り資金を系列のノンバンク経由で用意した総合商社イトマンの貢献があったが、イトマンはその後、反社会的勢力に食い込まれてイトマン事件を引き起こした。東京佐川急便の渡辺も石井への「借り」が、石井系企業などへの過剰な債務保証につながり、特別背任容疑で逮捕された(懲役7年の実刑)。その公判の過程で金丸への献金が発覚して金丸脱税事件につながっている。

つまるところ「数は力」「力はカネ」で派閥を膨張させた田中派＝竹下派の論理からすれば、構成員を養い総理総裁を目指すには、利権に走り資金を潤沢に用意するしかなかった。

「青木の自殺」について長く語らなかった竹下だが、92年11月の国会で「(青木氏のような)竹下氏の周囲で起きる悲劇と竹下氏の政治的体質との関係」(東京佐川急便事件の証人喚問)について問われ、次のように答えた。

「私という人間の持つひとつの体質が今論理構成されましたような悲劇を生んでおる。これは私自身顧みて『罪万死に値する』というふうに思うわけでございます」

バブル時代の最高値が34年ぶりに更新された2024年初頭に、自民党では政治資金パーティー券裏ガネ化の発覚で派閥解消論議が進み、竹下派(経世会→平成研究会)を継承した茂木敏充幹事長は派閥解消の意向を示した。「万死に値する罪」を生んだ派閥主導の自民党政治も終焉を迎えようとしている。

(敬称略)

〝日本の保守人脈〟歴史に葬られた真っ黒な汚点

統一教会の黒幕4人衆

笹川・岸・福田・中曽根の原罪

自民党との癒着は冷戦時代の勝共連合から始まった……この通説は間違っている。
原理運動を礼賛してきた政財界の重鎮、その恥ずべき言動録を発掘。

石井謙一郎▼フリーライター・元週刊文春記者

文鮮明と岸信介（『統一教會四十年史』より）

〈日本の政治、政界の有力者である岸首相を、岸信介という人が日本で信望がいいので（中略）、笹川爺さんとちゃんぽんさせて、私たちの計画通り躍らせたのです。それで大成功したので、私たちとかなり関連していて、その流れによって、原理研究会とか私たちの日本統一教会の幹部たちと接線できる道が開かれたというのです〉

〈日本の今度の選挙だけでも、私たちが推してあげたのが、百八議席当選しました。今回、私たちが援助しなければ、無所属で出てきた中曽根なんか吹けば飛んだよ。また派閥で見れば、中曽根派は六十二議席にもなって、安倍派は八十三議席です。私が全部そういうふうに作ってあげたんですよ。この二派閥を合わせるといくつになりますか？　それで安倍とか中曽根は、『原理のみ言を聞け！』と言ったら聞き始めました〉

どちらも、統一教会（世界基督教統一神霊協会、現在は世界平和統一家庭連合）教祖・文鮮明の発言だ。信者を前にした説教である点を割り引くにしても、日本の政界に大きな影響力を及ぼしていると自負していたことは疑いがない。

前者は1969（昭和44）年5月12日の説教で、韓国で出版された『文鮮明先生み言葉選集』に収録されている。〈笹川爺さん〉とは、大正・昭和の右翼活動家・笹川良一氏を指す。

後者は、90（平成2）年2月に第一次海部内閣の下で行われた衆議院選挙の結果を受けての説教で、統一教会が韓国で発行する雑誌『統一世界』の同年4月号に掲載されている。中曽根康弘元総理はこの前年、リクルート事件への関与で自民党から離党していた。安倍派とは、安倍晋三元総理の父・晋太郎氏が率いていた派閥「清和会」を指す。

安倍元総理の銃撃事件を機に、統一教会と自民党の長くて深い結びつきが明らかになった。その関係はいつ築かれ、なぜ強まり、どう変遷してきたのか。時間を遡《さかのぼ》って整理すると、笹川氏、及び岸、福田赳夫、中曽根という3人の元総理の存在が浮かび上がる。

国際勝共連合が発端ではなかった統一教会の〝日本浸透〟

統一教会は、関連団体のひとつである国際勝共連合を通じて、右翼や政界、中でも笹川氏や岸元総理と接点を持ったと言われてきた。しかし、この2人の大物が教団と関わるのは、文教祖が勝共運動を提唱するよりも前のことだ。

統一教会の歴史編纂委員会による『日本統一運動史』（光言社）には、60年に入信した別府美代子さんという女性が笹川氏を伝道したと書かれている。当時の事情を知る元信者によると、

「街頭で演説している別府さんをたまたま見かけた笹川さんが、その熱心さに感動したと言われています。統一教会の尾瀬霊園にある別府さんの墓石には、『日本統一教会の初期に笹川先生を伝道し、開拓者の先生を助けた人です』と刻まれています。

笹川さんは、文教祖よりも西川勝先生に惹かれたようです。西川先生が入管法違反で逮捕された際は、笹川さんが釈放に尽力したと聞きます」

西川勝先生とは、文教祖の命を受けて58年に密入国した宣教師・崔奉春氏の日本名だ。日本における統一教会の活動は、このときから始まっている。

笹川氏は、韓国で行われた国際合同結婚式にもたびたび参列した。70年には、夫人が詩吟を披露したという。この年10月10日付『東京新聞』のインタビューに答えて、笹川氏はこう語っている。

「文先生が韓国人だというので、日本では偏見をもつ者もおるようだが、釈迦はインド人だし、キリストはイスラエルの生れじゃないか。出身地で相手を評価すべきじゃないんだ。問題は本質だよ。とにかく統一原理はしっかりしたものなのだ」

64年7月に教団は東京都から宗教法人の認証を受け、11月に世田谷区代沢から渋谷区南平台へ本部を移した。岸元総理の邸宅が隣だったのは、偶然だとされる。本部は翌年8月に現在の渋谷区松濤《しょうとう》へ移転しているから、南平台にあった期間はわずか9カ月にすぎない。その短い間に、この政界の実力者と関係を深めたことになる。

のちに松濤の本部を訪れた岸元総理

は、「アジアの危機と青年の使命」と題する講演を行い、こう振り返っている（73年4月8日）。

〈私の友人である笹川良一君、戦時中の罪を問われまして、戦犯として巣鴨の監獄で三年余の起居を共にした、いわゆる獄友で人生のうちでも極めて思い出の深いお友達の一人で、非常に懇意の間柄であります。その笹川君が統一教会に共鳴してこの運動の強化を念願して、私に、君の隣りにこういう者が来ているんだけれども、あれは私が陰ながら発展を期待している純真な青年の諸君で、将来、日本のこの混乱の中に、それを救うべき大きな使命をもっている青年だと私は期待している。もっとも現在の数は非常に少なく、又ずい分誤解もあり、親を泣かせるとマスコミも騒いでいる。そういう話を聞き、お隣りでもありましたので、聖日の礼拝の後に参りましてお話したことがありました〉

文教祖は84年、脱税の罪でアメリカのダンベリー刑務所に投獄された。岸元総理はレーガン大統領に宛て、「不当に収監されている」として釈放を依頼する親書を送った。単なる隣人づきあいの域は、大きく超えている。

文教祖が勝共運動を唱え始めたのは、統一教会を立ち上げてから7年後のことだ。「反共」より意味の強い「勝共」という言葉は、オリジナルではない。61年の軍事クーデターによって成立した韓国の朴正熙《パクチョンヒ》政権は、反共法を制定し、「勝共民主理念の確立」を提唱した。これが「勝共」という言葉の初登場だ。統一教会は追随することで政権の庇護を受け、KCIA（大韓民国中央情報部）との関係を深めながら、教団を大きくしていった。

特に注意すべきなのは、67年夏の出来事だ。6月に文教祖が来日し、滞在は2カ月に及んだ。この間、日本統一教会の久保木修己会長に「勝共運動をせよ。教勢の拡大になる」と指示した。韓国での成功パターンを、日本へ持ち込もうとしたわけだ。

おりしも7月7日、『朝日新聞』の夕刊に「親泣かせの『原理運動』」と題する記事が載る。大学生になった我が子が親と連絡を絶ってしまう事例が相次ぎ、調べてみると原理研究会の活動に没頭し、学業を疎かにするばかりか退学したり家出したりするケースも多いことがわかったという内容だ。この記事を端緒として、統一教会への批判が高まっていく。

70年安保闘争の防波堤として歓迎された「原理研」の大学浸透

翌週の15、16日、富士五湖のひとつ本栖湖にある日本船舶振興会の施設で、重要な会議が開かれた。大きく報じたのは、8月1日の『競艇新聞』だった。タイトルは「アジア反共連盟結成へ盟主に笹川会長を韓国要望」。

〈いま全アジアに燎原の火の如く燃え広がる『原理運動』の創設者であり、韓国に於ける反共運動の第一人者として知られる文鮮明氏一行を迎え、日本側からは笹川会長をはじめ藤吉男（東京都競会長）、白井為雄（青年講座）、山下幸弘（天照義団）、畑時夫（庶民の生活を守る会）、市倉徳三郎（防人）の諸氏が出席して、韓国に於ける反共運動の実態、現状分析、これからの運動方法など、種々意見の交換を行った結果、アジアに於ける自由主義陣営は今後手を握って強力な反共運動を展開せねばならぬ、一九七〇年は日本だけの危機ではないと言う結論に達したものである。

韓国側、文氏から笹川会長のアジア全域における声望からして、運動の中心として活躍されるよう、強い要望が出された〉

白井為雄氏は、児玉誉士夫氏の代理だった。〈一九七〇年は日本だけの危機ではないと言う結論〉とは、70年安保に向けて予想された左翼の反対運動を指す。これに対抗するために右翼陣営の結束を図るのがこの会合の趣旨だったが、「アジア反共連盟」という組織作りは頓挫する。

翌68年1月に韓国統一教会が国際勝共連合を結成すると、日本も4月に続いた。発起人に岸元総理や児玉氏が名を連ね、名誉会長に笹川氏。会長は、統一教会の久保木会長が兼任。ここから統一教会の活動は反共色を強め、政治への具体的な介入も進んでいく。

久保木氏はこの年、統一教会の目的についてこう語っている。

「政界、財界、言論界、教育界等にどしどし人材をおくり込んで」「各界の浄化を図り、その中心人物として神の国建設の具体的大進撃の前衛としなければならない」（『成約週報』10月8日）

古参信者が解説する。

「勝共運動は、原理運動や霊感商法に対する向かい風をかわすのに、うってつけの盾になりました。しかし、統一原理を広めるための方便だったという解釈は間違いです。若い信者たちは、真剣に勝共を実現しようと考えていたんです」

68年といえば、「70年安保粉砕」をスローガンに掲げる全共闘や新左翼の学生運動が、全国の大学に広がった時期だ。60年安保に対する激しい反対を経験した自民党は、左翼の学生組織に対抗する実働部隊の必要性を感じていた。勝共連合や各大学の原理研究会は、まさにうってつけだった。

70年8月11日、岸元総理は松濤本部での講演で語っている。

「勝共連合の諸君のあふれるような熱情と実行力とに本当に心を打たれた。その力を次の世代までも存続していくには若い勢力が中心とならなければならない」

同年9月、日本武道館で「世界反共連盟（WACL）」日本大会が開かれる。名誉総裁に笹川氏。大会推進委員長は岸元総理。推進委員顧問に川島正次郎、福田赳夫、賀屋《かや》興宣《おきのり》らの国会議員。推進団体として神社本庁などの名もあるが、実際に仕切ったのは勝共連合だった。キューバのカストロ議長の妹が兄を批判する演説を行って喝采を浴びたこの大会の成功が、設立間もない勝共連合の運動に弾みをつける。

時を同じくして、現在に至るまであまり報じられていない動きが進んでいた。韓国の統一教会に統一重工業という関連企業があり、「鋭和BBB」という空気銃を作っていた。日本の統一教会傘下の中核企業「幸世物産（現在のハッピーワールド）」が、この鋭和BBB2500丁を輸入したのが、やはり68年だったのだ。

この件は、71年の衆議院地方行政委員会で取り上げられた。共産党議員の質問に対して、後藤田正晴警察庁長官が事実と認めた上で、

「幸世物産と勝共連合というのは極めて密接な関係がございます」

などと答弁している。

さらに1万5000丁を輸入しようという計画は認められなかったが、改造を加えて「鋭和3B」と名称を変えたのち、1万5700丁が輸入された。同時に信者が日本の各地で銃砲店を開業し、この銃を販売した。その当時、早稲田大学の原研の学生が韓国へ研修に行った際に、山中で射撃訓練を行ったこともわかっている。

87年に起こった赤報隊を名乗る犯人による朝日新聞阪神支局襲撃事件で、統一教会に嫌疑がかかった理由のひとつはこのあたりにある。

文鮮明の晩餐会で「アジアの大指導者」と称えた福田赳夫

勝共連合の二代目会長は、梶栗玄太郎氏だ。現在の正義会長の父で、のちに統一教会の第十二代会長も務めている。夫人の編による玄太郎氏の著書『わが、「善き闘い」の日々：自叙伝　遺稿』によれば、統一教会と福田赳夫元総理との接点は、梶栗夫人の父が同窓で親しかったことだという。

〈一九七〇年、岳父に、福田赳夫先生を紹介してもらいました。池袋の椿山荘での後援会の集まりに、岳父に伴われて参席し、そこで紹介してもらったのです。頭の切れる人でした。（中略）

福田氏が総理大臣の頃は、毎年元旦になると、久保木修己会長のお供をし、宮崎のフェニックス・ホテルで福田氏に会い、統一運動について話をしたものです〉

福田氏は、73年10月18日に神戸市の勝共本部を訪れて講演し、

「日本に最も欠けているものは精神的なものである。青年がすべて勝共の皆さんのようになりさえすれば、日本の未来は決して暗いものではない」

と語っている。

帝国ホテルに文教祖を迎えて「希望の日晩餐会」が開かれたのは、74年5月7日のことだった。出席したのは福田赳夫蔵相のほか、倉石忠雄農林相、中川一郎大蔵政務次官、安倍晋太郎元農林政務次官らの国会議員。植村甲午郎経団連会長、金永善韓国大使など、実に1700人。会場となった孔雀の

間には、10人掛けのテーブルが１７０も並べられ、宴会の規模は帝国ホテル始まって以来と言われた。

　名誉実行委員長の岸元総理は欠席したが、メッセージを寄せている。

〈欧米の精神的基盤である基督教の真髄を把握され、東洋の精神、思想との融合統一をはかられ、神は愛であることを身を以って守り抜き、世に訴えて、世界の人々の心に大いなる希望の灯をともして来られた文鮮明師の言葉は、人種を越え、国境を越え、世代を越えて、力強い響きをもって私達に迫って参ります〉

　挨拶に立った福田蔵相は、こう述べた。

〈アジアに偉大な指導者現る。その名は文鮮明。私はこのことをうかがいまして久しいのですが、今日は待ちに待ったその文先生と席を同じくし、又ご高邁なるご教示にあずかりまして、本当に今日はいい晩だなあと、気が晴ればれとしました〉

　自民党と統一教会、勝共連合との関係は、国会でもしばしば野党の追及を受けた。たとえば、78年4月3日の参院予算委員会だ。アメリカの下院に、ＫＣＩＡと統一教会傘下の非営利団体による関係機関への秘密工作活動、いわゆる「コリアゲート事件」を調査するフレイザー委員会が設置され、話題になっていたタイミングだった。２人の共産党議員が、

〈岸元首相が、勝共連合の会合に出席して挨拶しているのは、不見識ではないか〉

　と質《ただ》したのに対し、総理になっていた福田氏は、こう答弁した。

〈「勝共連合は、私も知っているが、反共という点では同じような考えを持っている。このため自民党の長老、中堅、若手がそのような会に出席しても問題はないと思う。勝共連合が反共を旗印にしている点に着目して、自民党が協力的関係を持っていたのは事実だ。勝共連合が悪い事をしていたというのなら反省するが、ＫＣＩＡとの関係については知らない」

　と述べた。首相が勝共連合について自ら公の場で見解を明らかにしたのは初めて〉（『毎日新聞』4月4日）

　個々の議員ではなく、党としての繋がりを認めたことになる。

　自身が74年の「希望の日晩餐会」に出席したかどうか訊かれると、

〈「自民党議員の案内で出席した。文鮮明氏が連帯と協調という私が共感する考え方を述べたので、これを歓迎する発言を行った」と答えた〉（同前）

　統一教会から勝共連合へ流れる政治資金については、自治省の担当者が、

「72年はゼロ、73年には４７８０万円、74年には４６１８万円、75年は４５１９万円、51年は１００万円で、全体で１億４０１７万円にのぼる。統一教会からの借入金は１６７２万５０００円だ」

　と答弁している。末端の信者が珍味売りや霊感商法によって集めたお金が、

勝共連合を通じて政治家たちへ流れて行ったのだ。

「コリアゲート事件」の関連では、76年6月14日号の米誌『ニューズウィーク』に、文教祖のインタビューが掲載された。

――あなたは韓国政府もしくはKCIAと、何らかの関係をもっていますか。

「それは全く根も葉もないことです。私たちは宗教運動をしているのであって、政府からの一切の指示は受けていません。実際は、過去においてはかなり政府関係者に運動を妨害されたり、規制されたりしたことがあります。しかし現在では、韓国の国家目的への貢献度があまりに大きいため、われわれの活動を認めざるを得ないところにきているのです」

――あなたは過去に韓国内や世界の反共主義グループから援助を受けたことがありますか。たとえば日本の児玉誉士夫のような。

「一ペニーたりとももらっていない。私は児玉誉士夫に一度も会ったこともなければ、彼の組織との連絡もありません」

80年代半ばから始まった自民党議員秘書の大量養成

日本で勝共運動が広がるにつれ、教団も影響力を強めていった。71年1月には教団の少女舞踊団リトル・エンジェルスが韓国から来日し、東京の共立講堂で公演を行った。文化庁と外務省が後援し、6日に佐藤栄作総理、8日には皇太子ご夫妻が観劇している。

73年7月2日には、橋本登美三郎自民党幹事長が松濤本部を訪れて講演し、「私は勝共青年の目の中にその信仰を見、新しい日本、アジア、世界の未来が開けているのを見る。勝共青年に期待する」と語った。

石原慎太郎環境庁長官が、「敬愛する久保木先生、私は同志として選挙運動を助けてもらいましたが、こんなに立派な青年がいまの日本にいるのかと思った」と挨拶したのは、76年の「希望の日晩餐会」でのこと。この挨拶にあるように、統一教会が個々の議員や地方の首長に食い込むきっかけは、選挙の応援や秘書の派遣だった。

大きな契機は、78年の京都府知事選挙だという。7期28年も府政を担った革新の蜷川虎三知事が引退。自民党と新自由クラブの推薦で出馬し、当選した林田悠紀夫候補への応援だ。自民党京都府連の会長だった前尾繁三郎元衆院議長は、著書『政治家の方丈記』に〈勝共連合の協力を求めて対抗した〉と書いている。統一教会系の新聞『世界日報』（4月8日）によれば、〈十九台の宣伝カーと二千人の会員を動員〉したという。信者たちは選挙事務所に詰めて電話をかけたり、戸別にビラを配ったりと、熱心に活動したのだ。

翌79年、「スパイ防止法制定促進国民会議」が結成された。勝共連合の久保木会長が発起人に名を連ねただけでなく、活動費の大半は勝共連合からの寄附でまかなわれていた。自民党と統一教会との関係は、さらに密接になっていく。

86年7月6日、中曽根政権下で衆参同時選挙が行われ、自民党は衆院で300議席を獲得する圧勝を収めた。この選挙について文教祖は、信者向けの説教で何度も振り返っている。

〈日本のカネで六十億円以上使った〉（88年2月18日）

〈百三十人の国会議員を当選させ、二十ある国会の委員会のうち、十三の委員会の長は、私が立てた人になりました〉（2004年9月16日）

この選挙直後の7月末、「チャーム・コンテスト」と称する面接を経て全国から選ばれた若い女性信者91人が、教団が保有する京都の旅館「嵯峨亭」に集まった。実際は、議員秘書の養成講座だった。お茶出しや電話応対のマナー、ワープロや英会話など、ひと月近い研修を終えると、文鮮明夫妻の写真の入ったペンダントが渡された。裏には「F（注：ファーストのこと）レディ一期生」と書かれていた。統一教会がこの頃から、議員秘書の大量養成を始めたことが窺《うかが》える。

（上）ソウルの金浦空港で笹川良一一行を出迎えた文鮮明夫妻　（中）リトル・エンジェルスの公演を観覧した皇太子ご夫妻（1971年）　（下）リトル・エンジェルス団員が首相官邸を訪問（1985年）　＊『統一教會四十年史』より

“文鮮明が待ち望んでいた安倍晋太郎首相”

前述した梶栗玄太郎氏の著書は、中曽根元総理や安倍晋太郎氏との関わりについても書いている。福田赳夫元総理によって79年に創設された自民党の派閥「清和会」は、86年の衆参同日選のあと、岸元総理の娘婿である安倍晋太郎氏へ引き継がれていた。

〈中曽根康弘氏とは、久保木会長と共によく会い、統一原理について説明しました。安倍晋太郎氏とも、毎月会って統一運動について説明しました。また、多くの国会議員に、勝共思想や統一運動について講義をし、軽井沢で研修会も開催していました。

一八六八年の明治維新から百二十年

と言われた日本の運勢の絶頂の時、一九八七年十月、日本の興亡盛衰を決する、運命の「中曽根裁定」がありました。
中曽根氏の次期総理は、その前日までは安倍晋太郎氏と目されていましたが、一夜明けると、何があったのか、後継者に竹下登氏が指名されたのです。
日本が国家的責任を果たせなくなったとき、国は滅びるしかありません。
神が準備された日本における基盤が、崩壊していきました。日本の運勢は一九八七年を頂点として、それ以降、下り坂に向かったのです〉

梶栗氏が〈国は滅びる〉と切り捨てた「中曽根裁定」は、文教祖にも大きな裏切りと映ったようだ。信者向けの説教で繰り返し、痛憤を吐露している。

〈中曽根、こいつが私の世話になっておきながら私に嘘をついて、日本の国会を台無しにしたんですよ。本来は中曽根が中心になって、安倍晋太郎という人が首相になることになっていました。ところが、首相を選ぶ五分前に、二百億円で売られたんです〉（91年2月2日）

〈安倍晋太郎は私と契約書まで書いたのです。これを発表すると、世の中がひっくり返ります。その時の約束が何かというと、自分が首相になれば、八十人から百二十人の国会議員を連れて漢南洞（注：ソウル市内の文氏の自宅）を訪問するということでした〉（95年10月22日）

総理の椅子が200億円で売り買いされたという話の真偽は不明だが、その後、中曽根元総理との関係は修復された。90年3月の「勝共推進議員の集い」に出席した中曽根元総理は、「勝共国民運動に感謝している」と挨拶しているし、92年3月31日には、来日した文教祖と東京のホテルニューオータニで密かに会談している。

勝共連合が発行する『思想新聞』に、105人に及ぶ「勝共推進議員名簿」が掲載されたのは、同じ月の25日。中曽根康弘、安倍晋太郎、森喜朗、麻生太郎、細田博之などの名前が並んでいる。「勝共推進議員」になれば統一教会から選挙の支援を受けられる代わり、3つの条件を飲む必要があった。

①統一教会の教義を学ぶため、韓国で開かれるセミナーに出席する。
②勝共連合系の議員であることを認める。
③統一教会を応援する。

晋太郎氏が失意のうちに病に倒れると、文教祖はその息子を総理の座に就けることを願った。03年1月17日の説教で、こう語っている。

〈私に後援して欲しいということです。日本の官房副長官が安倍晋太郎の息子なんですよ〉

それは岸、安倍晋太郎、安倍晋三という三代の血統よりも、福田赳夫元総理を挟《はさ》む思想的な繋がりを重んじた結果だった。

統一教会から離れた右翼……そして自民党議員だけが残った

89年にベルリンの壁が崩壊し、91年にソ連が解体され、同年暮れに文教祖が平壌を電撃訪問して金日成主席と抱擁を交わすに及んで、「共産主義に勝つ」という理念は宙に浮いていく。

初期の統一教会と勝共運動を支えた笹川氏は、72年5月に勝共連合の名誉会長を辞任していた。「直接的実践面の反共と絶縁する」というのが理由で、「これから先の私は武道、スポーツ、社会事業振興の三項目に目的をしぼ」(『国際勝共新聞』5月21日)るとしている。教団側には、統一原理を学ぼうとしない笹川氏に不満があったともいわれる。

笹川氏と共に本栖湖の会議に出席していた畑時夫氏も、勝共運動から離れた。のちに、こう語っている。

「勝共ということで日本の政治家はだまされた。これが統一教会ということなら、政治家もこれほどまでは接近しなかっただろう」(『週刊文春』91年9月19日号)

「勝共を応援する会」の責任者を長く務めた経済評論家の木内信胤氏も、袂《たもと》を分かった。

〈共産主義が今日の状態となったにも拘らず、引き続いて『国際勝共連合』と関係を持つといふことは、自然に文鮮明といふ方の特殊な宗教的な活動の片棒を担ぐことになる。そのことを私としては、厳密に避けたいと考へたからに他なりません〉(『私の宗教観』91年)

エバ国家の日本はアダム国家の韓国に奉仕しなければならないと教える統一原理をベースにする勝共運動が、生粋の右翼や民族派と齟齬《そご》を来すのは、自明の理だったといえよう。

統一教会の政治活動は、勝共連合から「世界平和連合(FWP)」や「天宙平和連合(UPF)」へ軸足を移していく。右翼は離れて行ったが、自民党の議員たちは残った。政策協定を受け入れる代わり選挙の際に利用するという、実利的な旨味があったからだ。

自民党にとって統一教会は、たくさんある支援団体のひとつにすぎなかった。とはいえ、保守と相容れるはずのない教義に向き合おうとせず、霊感商法や高額献金、正体を隠した勧誘などの反社会的行為から、意図して目を背けてきた罪は大きい。2022(令和4)年7月8日の大和西大寺駅前における悲劇は、その結果もたらされたのだ。

*参考文献:『日本の狂気1 勝共連合と原理運動』『日本の狂気3 原理運動の謀略と自民党 岸信介原罪論』(以上、荒井荒雄・青村出版社)、『原理運動の研究』(茶本繁正・ちくま文庫)、『増補合本 原理運動の研究 資料編Ⅰ・Ⅱ』(茶本繁正・晩聲社)、『統一協会の策謀 文鮮明と勝共連合』(成澤宗男・八月書館)、『神の国の崩壊 統一教会報道全記録』(有田芳生・教育史料出版会)

「8年長期政権」の歪な官僚支配、そのカラクリ

安倍晋三の官邸官僚

政官&検察を"忖度"漬けにした安倍守護神の所業

新設された内閣人事局を介し官僚の生殺与奪権まで握った「官邸一強」。
黒幕は杉田和博、和泉洋人、今井尚哉、黒川弘務……
森友・加計学園問題のもみ消し工作にまで累は及んだ。

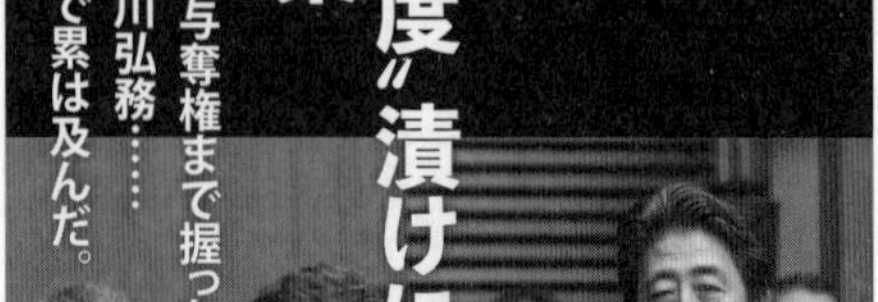

森功▼ノンフィクション作家

　岸田文雄政権が発足して3年目を迎え、派閥の政治資金パーティー問題できりきり舞いしてきた。自ら立ち上げた政治改革本部の議論もなく、いきなり派閥の解消を言い出したはいいが、岸田はそれを政権の後ろ盾になってきた自民党副総裁の麻生太郎や党幹事長の茂木敏充にも知らせていない。そのせいで麻生の反発を食らい、ますます立場を危うくした。

　実は岸田による突然の派閥解消発言の裏には、『朝日新聞』の取材があったと囁《ささや》かれる。

「岸田派、宏池政策研究会は捜査の対象外」

　そう安心しきっていたところへ、朝日の記者から裏金に関する質問があり、パニックに陥って派閥解消を言い出した、という永田町話である。ことの真偽は不明だが、一方で混乱の原因は岸田のもとに東京地検特捜部の捜査情報がまるで入ってこないことにある。それはそれで捜査当局としてはやりやすい。が、過去の自民党政権では、多かれ少なかれ政局を揺るがすような捜査情報は官邸に伝わってきた。

　法務検察には「最高検察会議」と呼ばれる捜査の決定機関がある。そこには、検事総長以下、最高検の次長検事や刑事部長、担当検事、高検の検事長や地検の検事正、特捜部長といった捜査検事のほか、法務省からも官房長や刑事課長などが参加する。ときの政権

を直撃するような事案は、そこで検事総長から捜査方針が伝えられる。

最強の捜査機関と称され「バッヂを挙げること」、つまり国会議員の摘発を旨とする地検特捜部に対し、内閣の行政機関である法務省は総理大臣の支配下にある。立法の際も与党自民党と組む。それゆえ、法務検察トップである検事総長も首相官邸とのバランスをとりながら捜査を進めなければならないのが実情だ。首相官邸は法務省官房長に法務検察との調整役を期待し、官邸内では事務担当の内閣官房副長官が法務検察とのパイプ役を担う。

なかでも中央官庁の最高ポストと位置付けられる内閣官房副長官は、警察庁をはじめ、総務（旧自治）、厚労（旧厚生）といった戦前の内務省系統の省庁出身のエリート官僚が登用されてきた。ことに警察官僚は同じ捜査機関として海外研修などで法務検察官僚との交流があるため、官邸は検察との調整役を頼み、官房副長官に起用する。

岸田政権で言えば、元警察庁長官の栗生《くりゅう》俊一がその任を担っている。だが、先の派閥解消の一件では、特捜部の捜査状況が官邸の主である首相の岸田に届いていない。もとより権力の不正を摘発する特捜部の捜査状況が首相官邸にダダ洩れしていたのでは、もっと問題であるが、官邸は捜査の気配すらつかめなかった。

結果、東京地検特捜部は岸田派に残っている3000万円あまりの裏金をつかんだが、岸田自身はそこに気づかない。そうして特捜部は今年1月19日、政治資金パーティー収入の一部を収支報告書に記載しなかったとして、安倍派（清和政策研究会）、二階派（志帥会）の当時の会計責任者を政治資金規正法違反（虚偽記入）罪で在宅起訴し、さらに岸田派の元会計責任者を略式起訴した。岸田がパニックに陥った原因がそこにある。

安倍晋三、菅義偉と10年近く続いた官邸一強政権ではありえなかった事態だ、と霞が関の高級官僚は指摘した。一強の反動とでも言えばいいだろうか。岸田政権運営の迷走は、大きすぎた安倍・菅政権の歪みに対処できない帰結と言ってもいい。

加計学園問題の封殺に暗躍した「官邸の守護神」の正体

2012（平成24）年12月に首相にカムバックした安倍晋三の第二次政権は、06年9月から07年9月までの1年で幕を閉じた第一次政権のリベンジを目指したと言われる。事実、二次政権における首相官邸の主要メンバーは、一次政権の顔ぶれとほとんど変わらない。首相の筆頭秘書官に位置づけられる政務秘書官には、第一次政権時の事務担当秘書官だった経産省出身の今井尚哉、首相補佐官には内閣広報官だった長谷川栄一、内閣情報官に事務担当秘書官だった北村滋といったところが並んだ。霞が関のキャリア官僚でも、官邸という権力中枢に近づけるのは、首相に近いごく一部のこれらのポストに限られる。なかでも第二次安倍政権ではその傾向が強かった。従来の「官僚」像とは異なる存在だ。官邸を根城に絶大な権力をふるう。私はそれを「官邸官僚」と呼んだ。

もっとも20年9月まで7年9カ月続いた第二次安倍政権には、一次政権にはいなかった新たな官邸官僚も加わった。内閣官房副長官に就いた杉田和博、首相補佐官の和泉洋人《ひろと》の2人である。わけても杉田は官房副長官として、首相の秘書官や補佐官といった他の官邸官僚たちの上位に立ち、内閣情報官に就任した警察庁の後輩、北村とともに杉田・北村ラインで安倍政権のインテリジェンス情報を握り、「官邸の守護神」として機能してきた。

加計学園問題では、「総理のご意向」文書の存在を告白しようとした元文科事務次官の前川喜平の出会い系バー通いが、突如不自然な形で『読売新聞』に報じられた。この件について、前川に従前から再三警告を発していたのが杉田であり、読売のネタ元ではなかったかとも囁かれた。

終戦4年前の１９４１年4月、埼玉県に生まれた杉田は、埼玉県立浦和高校から66年3月に東大法学部を卒業して警察庁に入庁した。警察キャリア官僚の出世街道である警備・公安畑を歩んだ。在フランス日本国大使館の一等書記官を経験し、80年に警備局外事課の理事官となる。以来、警備・公安畑のなかでも、もっぱら外事関係の任務をこなしてきた。その歩みは後輩警察官僚の北村とも重なる。

北村は東京の名門、開成高校から東大法学部に進み、80年に警察庁入りした。同期には元警察庁長官の坂口正芳や元警視総監の高橋清孝がいる。92年から3年間、在フランス日本大使館の一等書記官として勤務し、95年に警察庁警備局外事課理事官となる。このときの警備局長が杉田だ。師弟関係とされた理由は、こうした経歴にもある。ともに外事、インテリジェンス分野のスペシャリストとして鳴らし、ことに第二次安倍政権で目立ってきた。

北村の師にあたる杉田は１９８２年、中曽根康弘内閣で官房長官を務めた後藤田正晴の秘書官となり、そこから首相官邸とかかわっていく。若い頃の杉田のライバルが同期入庁の田中節夫だ。田中と杉田は、将来の警察庁長官と警視総監という警察の二大ポストを争うと目されてきた。

鳥取県警本部長を経て88年に外事課長に就任した杉田は、89年警備局公安第一課長、91年警務局人事課長と順調に出世してきた。杉田にとって大きな転機は、92年に警察庁長官官房総務審議官としてカンボジアの視察に赴いたときかもしれない。

「警察庁次長で長官目前だった城内康光さん一派で、呼び声の高かった1人が杉田さんでした。オウム事件のときに公安部長になる櫻井勝さんやのちに防衛庁の審議官になった石附《いしづき》弘さんたちとともに、将来の長官候補と呼ばれていました」

　そう説明してくれたのは、92年からカンボジア平和維持活動（ＰＫＯ）で日本の文民警察隊長を務めた山﨑裕人（76年警察庁入庁）だ。ちょうど杉田の10年後輩にあたる。

「ところが、杉田さんはそこから神奈川県警本部長に飛ばされた。私が橋本龍太郎総理から直接聞いた話では、それはカンボジアの一件で城内さんの逆《げき》鱗《りん》に触れたからだったらしい。総務審議官として杉田さんがカンボジアの現地視察をし、大変厳しい状況だとレポートに書いた。それが派遣した親元の警察庁にとって批判めいたものに映り、城内さんの怒りを買ってしまったという橋龍さんの解説でした」

官僚たちが震え上がった霞が関の監視役

　杉田は93年3月、神奈川県警本部長として赴任する。この頃の神奈川県警本部長は大阪府警本部長と同様、警察庁内における上がりポスト扱いだった。もはや杉田は警察庁長官、警視総監という2トップに昇りつめることが望めない。あとは防衛庁など他省庁への出向が待っているだけだ、と噂された。

第2次安倍政権の"官邸の守護神"
前内閣官房副長官の杉田和博

　だが、そこからもう一度運が回ってきた。警察庁では、杉田の神奈川県警本部長就任から1年経た94年7月、國松孝次の長官体制が発足した。杉田はその3カ月後の10月、警備局長という花形ポストに返り咲く。なぜ本庁の警備局長としてカムバックできたのか。その理由はいまひとつ定かではないが、國松と城内との確執の産物だという説も囁かれた。

　そして杉田は警備局長として、オウム真理教事件や95年3月の國松長官狙撃事件に遭遇した。長官を狙撃されてしまったこと自体は、本来、警備局長としての大失態と言える。だが、今度は飛ばされることはなかった。

　杉田は97年4月、大森義夫から後継指名され、後任の内閣官房内閣情報調査室（内調）室長に就く。52年に内閣総理大臣に直結する日本版ＣＩＡ構想からスタートした内調は、長らくインテリジェンス情報機関として機能せず、組織強化を悲願としてきた。杉田はそこで力を発揮した。先の山﨑が語る。

「かつて内調室長の格は低かったんです。給与の指定職で言えば、省庁の事務次官級が警察庁長官で、総監がその一つ下。給与の格付けで言えば、内調室長は局長級に過ぎませんでした。ところが橋本政権時代の大森室長が、その内調室長の格を上げ、警視総監と同じにした。以来、内調室長は他省庁の審議官級より格上、海上保安庁長官や消防庁長官と同クラスになり、次官級になったのです」

内調の格上げは、すでに政界から引退していた後藤田正晴が、政府のインテリジェンス機能強化を働きかけた結果だとも言われる。後藤田が戦前の情報局復活を目指し、元秘書官だった杉田を抜擢《ばってき》したと伝えられた。

01年1月の中央省庁再編に伴う内閣法や内閣官房組織令の改訂により、内調室長はそれまでの政令ではなく、法で定められる法定の内閣情報官と組織的に改められた。と同時に、内調室長だった杉田は、初代の内閣情報官に任命される。さらにこの年の4月、内閣危機管理監となる。

内閣危機管理監は官房長官を補佐し、危機管理に関するものを統理するポストとして98年に新設され、歴代の警視総監が就いてきたが、杉田は異例の人事として遇された。こうした杉田の抜擢は、官邸強化の一環でもあったと言われる。

もっとも、杉田が警察幹部として官邸に勤めてきたこの間は、橋本政権から小泉政権時代にかけてのことである。杉田本人は安倍とは縁が薄い。したがって04年に危機管理監を退官すると、内調の外郭団体である財団法人「世界政経調査会」の会長に天下り、政権中枢から外れた。

杉田和博を内調の室長に抜擢したと言われる後藤田正晴

同時期、杉田は民間数社の企業顧問として迎えられる。再就職先の一つがＪＲ東日本であり、ＪＲ東海だった。旧国鉄の民営化に携わった関係者が打ち明ける。

「杉田さんは、まずＪＲ東日本グループの非常勤嘱託になりました。元々、東日本には柴田善憲（元警察庁警備局長）という先輩が天下っていて、杉田さんを東日本に呼んだとされています。ＪＲ側にとって彼ら警察官僚の天下りは、労働組合対策でした」

民営化後のＪＲ東日本では、新左翼過激派の革マル派元副議長・松崎明が率いた労働組合「ＪＲ総連」が、ＪＲ東日本元社長の松田昌士と手を取り合い、総連以外の労働組合排除に動いた。警察庁出身の柴田は過激派や組合対策を担っていたが、その実、相手方への情報漏れも囁かれた。「国鉄改革3人組」と異名をとったＪＲ東日本の松田に対し、ＪＲ東海を率いた葛西敬之は松田へのライバル意識をむき出しにした。その葛西はＪＲ東日本の松田と同じく、警察官僚時代の杉田の手腕に目をとめ、ＪＲ東日本から杉田を引きはがそうとした。表向き杉田のプロフィールに「ＪＲ東日本」の記載は見当たらないが、実のところ、杉田はその後程なく、Ｊ

R東海に非常勤顧問として迎えられ、しばらく東日本の役職と兼務し続けた。旧国鉄関係者がこう続ける。

「たまたま東大で地震関係の学科を専攻していた杉田さんの息子が、JR東日本と東海両方の就職試験を受けた。それで葛西さんが息子を東海でとろうとなり、実際、人事の担当部署にまで話が下りてきました。JRでは就職の口利きが多いけど、東大卒なので断る理由もありませんしね」

財界の首相応援団「四季の会」を主催している葛西が、第二次安倍政権発足後、新幹線の輸出やリニアモーターカーの建設事業で政府と連動し、NHKの会長人事にまで口を出してきたことは広く知られている。12年12月、第二次政権の発足にあたり、その葛西が杉田を官房副長官に据《す》えるよう、安倍に強く薦めたのだという。

杉田に取材を申し込むと、「息子は実力でJR東海に入った」と言葉少なに語るのみだった。杉田は第二次安倍政権における霞が関の監視役として、官僚たちを震え上がらせた。当人は人あたりがよく、はた目には温厚に見えるが、その強引な手腕をしばしば見せつけた。

高級官僚の生殺与奪権を握った「内閣人事局」の3人

そんな杉田の力の源泉が内閣人事局である。第二次政権の発足1年半後の14年5月、内閣法によって設置された内閣人事局は、中央官庁における部長候補以上680人の人事を決定する。内閣人事局には、首相と官房長官、内閣人事局長（官房副長官）の3者以外は参加できない任免会議があり、話し合いの中身は非公開で、外に漏れないことになっている。文字通り官僚の生殺与奪権を握る部署であり、首相が官房副長官の中から局長を任命すると定めている。

初代の内閣人事局長は加藤勝信、二代目が萩生田光一という政務の官房副長官が務め、17年8月から杉田和博がその任に就いた。もともと国会議員に霞が関の細かい事情がわかるはずもなく、当初から杉田がここを牛耳ってきたのは間違いない。杉田は内閣人事局長に就任した4カ月後の17年12月、後輩の栗生俊一が警察庁次長から長官に昇格する人事を認めた。次長から長官への就任は順当である半面、ここではひと悶着あった。警察庁人事を巡る怪文書騒動だ。

〈これは告発文です〉

何通もあった怪文書の1通はそう始まる。文書を額面通りに受けとめれば、杉田の子飼いである警察庁次長の栗生が警察庁所管のパチンコ業者と癒着しているという趣旨だ。

〈(パチンコの）管理遊技機の導入にはまず警察庁の規制をクリアーしなければなりません。そのため、A氏（原文は実名）は長年にわたり、警察庁に対してさまざまな工作を続けていましたが、まともな幹部は全く相手にしませんでした。
　ところが、栗生次長だけは違いました。警察庁出身の内閣官房副長官である杉田氏から5年前にA氏を紹介されると、栗生次長はA氏とすぐに親密になり、頻繁に会食を重ね、盆暮れには高価なお中元、お歳暮が送り届けられるようになりました〉

　怪文書は官邸が推していた栗生の警察庁長官への昇格を阻止する動きのように見える。

　そして第二次安倍政権では「守護神」と呼ばれた官邸官僚がもう1人いた。法務検察の黒川弘務である。東京地検特捜部の捜査と因縁が深い。黒川は「安倍政権の守護神」との異名をとり、東京高検検事長のときの定年延長ですっかり有名になったが、そこには前段がある。

　検察庁法15条には、〈検事総長、（最高検）次長検事及び各検事長（中略）の任免は内閣が行い、天皇がこれを認証する〉とある。制度上、法務検察の首脳人事も内閣が任免し、検事正以下の検事や検察職員、法務省職員の人事は法務大臣が人事権を持つ。安倍政権では、内閣官房（首相官邸）に設置した内閣人事局に部長級以上の人事原案を提出するよう規定してきた。だが、あくまでそれは形の上での規定に過ぎなかった。

　事実、16年9月の検事総長人事を前にした7月、法務省が検察の幹部人事案を内閣人事局に提出した。検事総長だった大野恒太郎が翌17年4月に65歳の誕生日を迎えるにあたり、前年の16年9月に退官し、東京高検検事長の西川克行が検事総長に昇格する。と同時に、事務次官の稲田伸夫の仙台高検検事長への異動が決まった。稲田は次期検事総長候補であり、仙台高検検事長の次には東京高検検事長ポストが用意されていた。法務検察組織では、検事総長の待機ポストが東京高検検事長に位置づけられている。

　検事総長候補である超エリート検事はかつて、大阪や名古屋など地方の高検に異動することなく、法務事務次官から東京高検検事長、そして検事総長へとストレートに階段を駆けあがるケースが多かった。だが、それだと捜査現場の指揮や統括を経験できないため、一度は地の高検検事長を経験させる方針に変わってきた。稲田のケースはそれに倣《なら》ったものだ。

　従来は、法務省が内閣人事局にその人事案を提出し、官邸も検察の意向を尊重してきた。それは捜査機関である検察庁が、政治から独立していなければならないからにほかならない。つまり、このときまではしごく順調な検察人事であったわけである。

　もっとも法務検察人事における官邸の関心事は稲田のことではなかった。黒川弘務と林真琴という2人の司法修習35期同期の扱いだ。もともと法務検察の首脳は、稲田の後任の法務省事務次官に刑事局長だった林をあて、官房長の黒川を地方の高検検事長に異動させる人事案を内閣人事局に提出していた。

ところが、官邸がそれを差し戻したのである。国会担当の法務省の官房長は官邸と検察のつなぎ役と先に書いたが、その上司にあたる事務次官も同様だ。法務検察の序列で言えば、事務次官は検事総長、東京高検検事長、大阪高検検事長、その他六つの高検検事長に次いで、最高検次長検事と同じナンバー5に位置する。が、むろん軽いポストではない。検事総長への登竜門とされる。

「黒川官房長は、ぜひ法務省内にとどめておいてもらいたい」

安倍官邸のもう1人の“守護神”だった、元東京高検検事長の黒川弘務

官房長官の菅義偉がそう強く要望した、とある自民党の代議士秘書が明かした。その意味は二つある。一つは検察とのパイプ役を続けさせること。もう一つがライバルの林を出世させないためだ。

森友学園問題の捜査終結と法務省事務次官人事の黒い霧

「16年7月の終わり頃、事務次官だった稲田さんが官邸に人事原案の了承を求めるため、菅さんと会った。ところが菅さんは、その場で黒川さんの地方異動人事を差し戻した。それどころか、逆に黒川さんの官房長から事務次官への昇進を求めてきたといいます」

そうして黒川の官房長から事務次官への昇進が決まった。本来、政治から独立しているはずの検察人事が、ここから狂い始める。内閣人事局が法務省人事をいじることにより、将来の検察首脳人事までを操れる典型がこれだ。

そもそも黒川と林という2人の検事総長レースは、05年に黒川が法務省の刑事局総務課長に就いた段階で、矯正局総務課長だった林を一歩リードしたとされる。実際、林が刑事局総務課長になったのは06年だ。そこから年月を経て16年9月の人事で、林が事務次官に昇進すれば、黒川を逆転して検事総長に一歩近づく。法務省人事原案にあるとおり、それが法務検察首脳の希望でもあった。

ところが、官邸がそこに待ったをかけたのである。結果、黒川が事務次官となり、林は14年1月に就任した刑事局長のまま留め置かれた。首相、官房長官、内閣人事局長の協議の場となる内閣人事局任免会議の決定だ。法務省の官房長として政権の窓口役を果たしてきた黒川の事務次官昇進は、官邸の意向というほかない。が、検察内部での評価は別だ。

「同期の林君が法務省と捜査現場の検察庁勤務の割合が6対4とすると、黒川君は8対2くらいで、法務省勤務が長い。官房秘書課長や審議官を務め、政治と密接にかかわっています。地方の検察庁で指揮を執ったのは松山地検検事正時代くらいでしょう」

ある検察ＯＢの黒川評はこうだ。

「黒川君が松山地検のとき、大阪の特捜部で証拠改ざん事件が起きた。それでわずか2カ月で法務省に呼び戻されて永田町対応をしてきました。すごく社交性があるので、たしかに政治家にも食い込んでいます。法案の作成から国会対応をそつなくこなす。政治との折衝には抜群の能力を発揮する。過去、3度も廃案になった共謀罪を安倍政権で成立できたのも彼の功績で、官邸はあからさまに黒川君に感謝しています。ただし法務省の要職を重ねてきた結果、政治に近いと現場の検事から疎まれて可愛そうなところもあります」

黒川と林はともに将来の検事総長候補と目されてきた赤レンガ組だが、色はかなり異なる。黒川はもっぱら、法案作成や国会対応といった与党政治との窓口として実力を発揮してきた。その分、政治に近いとされ、官房長、事務次官とキャリアを重ねるうち、安倍政権の守護神と揶揄《やゆ》されるようになったのである。

そして第二の問題が起きる。17年12月26日、年明けの1月に行われる法務検察の人事異動が閣議決定された。内閣人事局の任免会議後、大方の予想を覆し、法務省事務次官の黒川が留任、事務次官就任が固いと言われた刑事局長の林は名古屋高検検事長への異動が発表されたのである。黒川は第二次安倍政権誕生前年の11年8月から5年以上も官房長を務めた。安倍政権との関係に限って言えば、官房長として3年10カ月、事務次官として19年1月まで2年4カ月の合計6年あまり、法務省にいて安倍政権を支えてきた。

この事務次官留任人事について、ある大阪地検関係者はこう解説した。

「さすがに官邸といえども、検事総長や高検検事長の検察人事には介入できない。しかし法務省内の事務次官人事なら、内閣人事局の管轄だから、思いどおりになる。世間の風当たりを気にしたのか、この人事は表向き上川陽子法務大臣が決めたことになってはいますが、官邸に無断でここまでの人事ができるわけがない。というより、官邸の意思で黒川さんを事務次官に留任させたと見たほうが正しいでしょう。ここまで見せつけられると、森友捜査は地検マターではなく、政治判断になったという話になります」

官邸の最大の懸案が世に聞こえた森友・加計事件である。折しも黒川の事務次官在任中、大阪の森友学園問題に火が付いた。森友学園が小学校を建設すべく、9億5600万円だった財務省の所有地を8億円も値引きしてもらい、1億3400万円で購入したという一件だ。安倍晋三の妻・昭恵が小学校の名誉校長に決まっていたことから、土地取引に安倍政権との疑惑が浮かんだのである。大阪地検特捜部が17年4

月以降、土地取引や財務省の公文書改ざんなどについて市民団体から、背任罪、証拠隠滅罪、公用文書毀棄《きき》罪、虚偽公文書作成罪といった六つの容疑で刑事告発を受け、捜査をしてきた。だが結局、18年5月、捜査対象だった佐川宣寿《のぶひさ》ら38人を不起訴処分とし、捜査の幕を閉じた。大阪地検の関係者はこうほぞをかんだ。

「この年の4月には東京から参加した応援検事を元の地検に戻すという異動が決まっていたから、2月中に最高検は財務省の佐川さんたちを不起訴にする判断をしていました。特捜部の山本真千子部長などは、最初からやる気を感じませんでした。もともと彼女は17年夏の異動が決まっていた。なのに告発されたせいで、いかにも捜査をやらされている、といった感じ。それでは現場の士気が上がるはずもありません」

まさに、「政治判断による捜査終結」という以外に言葉が見あたらない。案の定、不起訴の理由は詳《つまび》らかにせず、「捜査を尽くした」と繰り返すその言葉がむなしく響くばかりだった。

黒川の事務次官在任中に森友学園の捜査が展開され、事件はすべて不問に付された。これが安倍政権の守護神と永田町や霞が関で皮肉を込めて呼ばれる所以《ゆえん》である。

小泉今日子も憤慨した高検検事長の定年延長工作

安倍政権が黒川を頼もしく思っていたのは間違いない。それを決定づける出来事が21年1月に起きた。黒川と林を巡る検事総長人事である。黒川は19年1月、東京高検検事長に就任した。通常なら検事総長目前のポストなのだが、検事総長の稲田をはじめとする検察首脳は林の総長就任を諦《あきら》めていなかった。

検察の首脳人事は、検事の定年と密接にかかわっている。検事総長の定年は65歳、高検検事長は63歳だ。人事の慣習として、検事総長には2歳下の東京高検検事長が後釜に座る場合が多い。たとえば54年2月20日生まれの西川の次の検事総長が、56年8月14日生まれの稲田である。しかし黒川は稲田と半年しか年齢が離れていない。2人は同学年で、黒川は57年2月8日が誕生日の早生まれだ。かたやライバルの林はこの年の7月30日に生まれている。どちらも81年3月に東大法学部を卒業した司法修習35期だが、学年で言えば林のほうが一つ下となる。2人も半年足らずの年齢の違いでしかない。この3人の年齢差が、検事総長レースに微妙な影響をおよぼした。

稲田が65歳の総長定年を迎える日が21年8月だった。黒川の誕生日は2月だから、すでに64歳となり、高検検事長定年の63歳を超える。とすれば、黒川が稲田の後釜に座るには稲田が1年半以上も定年を前倒しし、20年1月までに辞めなければならない。そうなると稲田の総長任期は、わずか1年半足らずになる。一方、林なら稲田は20年

7月まで務められる。すると、稲田の総長任期はほぼ従来どおり2年となり、こちらのほうがスムーズだ。検察首脳はそう考え、林を稲田の次の検事総長にしようとした。

しかし林は検事総長の待機ポストである東京高検検事長を経験していない。そこで稲田をはじめとした検察首脳は19年11月、黒川の20年2月の検事長定年を前に、林の東京高検検事長就任の人事案を官邸の内閣人事局に持ち込んだ。ところが、それを差し戻される。繰り返すまでもなく、法務省人事ならいざしらず、検察首脳人事について官邸が異を唱えること自体が異例である。ここから12月以降、安倍政権による検察人事への政治介入が囁かれ始めた。

官邸では官房副長官の杉田が中心となり、検事総長の稲田に黒川の定年前の20年1月までに退任するよう、説得を繰り返した。早期に稲田さえ退任すれば、黒川が検事総長に就けるからだ。法務省事務次官の辻裕教《ひろゆき》も稲田の説得にあたった。ところが、稲田はやがて彼らの呼び出しにも応じなくなる。

そうして焦った官邸側の繰り出した一手が、20年1月31日の高検検事長の定年延長という閣議決定だったのである。黒川は半年間の定年延長となり、8月の稲田の定年まで検事長を勤めれば総長に就任できるというギリギリのタイミングだ。しかし、まさにこれは過去例のない「禁じ手」というほかなかった。

「ついに安倍政権は検察人事にまで介入した」

タレントの小泉今日子まで反対の狼煙《のろし》をあげ、騒然となったのは念頭を去らない。騒動はむしろ黒川自身を追いつめた。挙げ句、この年の5月に新聞記者との賭けマージャンが発覚し、定年延長期間を待たずに検察庁を去る。

司法への政治介入は、官邸一強と恐れられた安倍政権の驕《おご》り以外にない。と同時に、それが落日の始まりではなかったか。

短命に終わった第一次政権の遺恨を晴らそうとした第二次政権の安倍晋三は、アベノミクスなる経済政策を引っ提げ、ある意味、順風満帆にスタートした。「総理の分身」と称された政務秘書官の今井尚哉が、経産官僚たちを率いて自由奔放に自らの政策を提言し、政権は経産内閣と呼ばれるまでになった。さらに官房長官の菅義偉の懐刀である国交省出身の和泉洋人もまた、首相補佐官として沖縄の基地建設や海外へのインフラ輸出、さらには先端医療分野にいたるまでを手掛けた。和泉は愛人問題まで取り沙汰されてなお、どこ吹く風だった。官房副長官の杉田をはじめとしたこの3人の官邸官僚が一強政権の要だった。

そして政権は菅に引き継がれ、さらに岸田文雄政権が誕生した。だが、岸田政権に安倍・菅政権のような官邸官僚は存在しない。安倍・菅の官邸一強が歪めた負の遺産の対処に追われる悲惨な姿を露呈している。

（敬称略）

歴代総裁22人に仕えた自民党の闇を握る金庫番

元宿仁

岸田首相が唯一頼る「陰の自民党幹事長」の正体

小和田三郎▼ジャーナリスト

国会中継を見てます。

党の金の流れを知り尽くした自民党本部事務総長は、安倍政権のネトウヨ工作から、衆院解散を左右する選挙情勢極秘データの独占まで、暗部を握り続けてきた。

2023年11月7日の正午前。官邸から自民党本部に入った首相の岸田文雄は、自身の執務室である自民党総裁室で、ある男と向き合っていた。

「衆院を解散できるチャンスは、どうですか、まだあるんですか」

岸田がそう問いかける。すると、相手の男は、柔道で鍛えたかっぷくのいい体を背もたれに預け、しばらく考えると、鋭い目を見開いて言った。

「総理。この1年で3度も解散のチャンスはありましたよ。どうして、決断されなかったのですか。ここまで内閣支持率が低くなってしまうと、われわれ事務方の努力では、何とも党勢を立て直すのは、難しいんですよ」

まるで岸田を諭《さと》すように語ったのは、自民党本部事務総長の元宿仁《もとじゅくひとし》。78年の齢を重ね、党本部の在籍は実に55年。22人の総裁と38人の幹事長に仕え、党の政治資金をすべて統括し、政界ウオッチャーたちから「自民党の金庫番」「陰の幹事長」と呼ばれてきた御仁だ。

この人物がいかに自民党で重用されているかは、自民党本部事務局の最高位が「事務局長」であるにもかかわらず、「事務総長」という特別な肩書を与えられていることからもうかがえる。しかも、近年は、解散の可否や内閣改造の時期などを首相に直接アドバイスし、「裏で政局を動かしている男」とも呼ばれるようになっていた。

ただ、そうはいっても、元宿はこれ

まで一貫して裏方に徹してきた。最も近いと言われていた安倍晋三が首相だった時代も、その後継の菅義偉の政権も、首相や幹事長を立て、おおっぴらに首相と会うことはそう多くはなかった。ところが、この元宿が岸田政権になると、やにわに表舞台に出てくるようになる。

新聞の「首相動静」をチェックすると、昨年だけでも7月25日、8月22日と29日、9月5日と12日、そして11月7日に岸田は党本部入りし、元宿と会談していたことが分かる。

さらに、3月15日と7月4日は東京・赤坂の日本料理店「赤坂梢」に所を替え、2人切りで2時間にわたって酒を飲み交わしている。

今年に入ってからも会談を重ね、2月8日と4月4日に30分近く会談を行っている。岸田との親密な関係を知る全国紙の官邸担当記者が言う。

「実は、元宿さんは首相官邸にも堂々と姿を現すようになりました。安倍内閣や菅内閣ではなかったことです」

岸田首相は元宿のことをいま、最も信頼し、政局やさまざまな問題の対応を相談しているという。冒頭のシーンのように、まるで主客逆転したような2人のやり取りも周囲に漏れ伝わるようになってきた。

「『陰の幹事長』というのが元宿さんのキャッチフレーズでしたが、いまは『陰の自民党総裁』と言ってもいいかもしれない」（前出・官邸担当記者）

いったい自民党事務総長・元宿仁とは何者なのか。なぜ一介の職員が「自民党の金庫番」「陰の幹事長」と呼ばれるようになったのか。そして、岸田首相はなぜ、これまでの首相・幹事長と比べ物にならないくらいこの人物に頼るようになったのか。

経団連副会長に食い込み、党の「金の流れ」を握る存在に

まずは、元宿仁の自民党事務総長に至る来歴を振り返っていこう。

元宿は群馬県立沼田高校を卒業後、大学に通いながら自民党でアルバイトをしていた。卒業後に党本部に採用されて以降、経理畑一筋。公認会計士を志していたほど数字にはめっぽう強く、やがて事務局内で頭角を現す。

元日本テレビ政治部長・菱山郁朗が元宿の当時の様子をこう証言している。

〈彼は経理部の職員として、いつもアタッシュケースを大事そうに持ち歩いていた。その中には田中総裁が遊説に行く先々の、候補者への多額の陣中見舞いと宿泊費や交通費、交際費などの現金が詰め込まれていた。夜の懇親会には彼も顔を出し、飲み会が終わるなり、ササっと支払いを済ませる姿があった〉（「自民党金庫番の「もらい湯」、日本記者クラブHP）

また、1989年、『毎日新聞』が財界と自民党の金の流れについて特集した際、当時、経理局副部長だった元宿のことを〈政局が緊迫したり選挙となると、現金の詰まった紙袋を持って

四階の幹事長室に入るのが、しばしば目撃された〉と描写している。

しかし、元宿の〝存在〞を知らしめたのは何よりも財界に食い込んだことだ。大手紙の政治部OBが語る。

「元宿さんは20代のころから自民党経理局の職員として献金集めに必死だったんです。なかでも、大手企業の企業献金を差配して『財界政治部長』の異名を取った経団連（経済団体連合会）の花村仁八郎副会長に食い込もうとして、何度も失敗した。それが、あまりに熱心なものだから、途中で気に入られてツーカーの仲になった」

花村が「財界政治部長」と形容されるようになったのは、１９５０年代に起きた「造船疑獄」がきっかけだ。逮捕者71人を出し、後に首相になる佐藤栄作の逮捕状執行を法務大臣の指揮権発動で阻止したことで知られる戦後最大の政界疑獄の一つ。これで政治不信が高まり、それまで企業が個々別々に行っていた献金スタイルを変え、経団連を通じて自民党に献金する仕組みに変えたのが、ほかならぬ花村だった。

この花村が主導して作ったのが、現在、自民党の企業・団体献金の受け皿となっている政治資金団体「国民政治協会」。２０２１年実績で、実に24億円もの企業・団体献金を集めている。自民党の若き職員だった元宿は花村に食い込み、国民政治協会から自民党に献金が流れるルートを作った立役者となった。以来、長年にわたって巨額の政治献金を差配し、「陰の幹事長」と呼ばれるようになるのである。

だが、その「陰の幹事長」として君臨するようになった元宿は２０００年代半ば、検察に狙われ、逮捕寸前まで追い込まれる。それはまさに、現在の岸田政権を揺さぶる「パーティー券裏金事件」の原点とも言える事件だった。

自民党事務局長時代、日歯連事件で取り調べを受け、逮捕寸前に

「あなたは国民政治協会を使って迂回献金をしようとした。1億円の裏金処理を指南したのもあなたじゃないか」

東京地検特捜部の調べ室で、くちひげをたくわえた長身の検事が、当時、自民党本部の事務局長だった元宿にこう迫っていた。

発端は、04年に起きた日本歯科医師連盟（日歯連）事件だった。日歯連会長だった臼田貞夫から、自民党の最大派閥だった「平成研究会」（現・茂木派）会長の元首相・橋本龍太郎に1億円の小切手が手渡されたという疑惑を特捜部が突き止めた。ただ、当時の橋本には職務権限がないため、賄賂での摘発をあきらめ、政治資金規正法の不記載、すなわち裏金処理した容疑へと切り替え、平成研事務局長・滝川俊行と会長代理・村岡兼造《かねぞう》を起訴に持ち込んだ。

しかし、検察は、この闇献金＝裏金処理の背後に自民党本部の組織ぐるみの不正があり、事務局長である元宿が深く絡んでいると見ていた。賄賂性のある闇献金を、元宿の牛耳る前出の国

民政治協会を使ってマネーロンダリングしているという疑いを持ち、元宿の聴取を行ったのだ。

任意の取り調べは1週間にわたり、連日深夜に及んだ。聴取後、党本部が元宿と連絡が取れないときもあり、「逮捕されたのでは」とやきもきさせたという。当時の捜査を知る大手紙の社会部デスクが言う。

「取り調べ検事は、元宿氏を徹底的に追及していました。しかし、がんとして認めようとしない。最後は、自民党の屋台骨を自認し、党を必死に守り抜こうとするその姿勢に、検事が根負けしてしまった」

結果、元宿を起訴することはできず、自民党本部による組織ぐるみの裏金処理システムも解明されることなく捜査は頓挫してしまった。

ところが、元宿は起訴を免れたものの、東京地裁の法廷で闇献金に関与した事実が明らかになる。

05年7月14日、村岡兼造の公判でのことだった。元宿は検察・弁護双方から証人として呼ばれたのだが、日歯連が平成研に献金した1億円の領収書を平成研が発行しているかどうか、が焦点になった。発行されていなければ、それは裏金ということになる。今回のパーティー券裏金事件と同じ構図だった。

当然ながら、元宿は証人尋問では、懸命に自らの潔白を主張した。02年3月、平成研事務局長の滝川と日歯連常務理事だった内田裕丈にそれぞれ党本部で面会。平成研の滝川から「上の方で領収書を出さないと決まって困っている」と相談を持ちかけられたが、すでに銀行口座に献金の痕跡が残っていたため、日歯連との間で領収書をやり取りするよう勧めたと主張。翌03年2月、日歯連の内田から「領収書を受け取っていない」と聞かされて驚くが、その後、「処理が全部済みました」と言われ、ホッとした――元宿は法廷でそう証言した。

ところが公判中、捜査段階で作成された元宿の調書が読み上げられると、そこにはまったく違う供述が載っていた。

「平成研に代わって自民党の政治資金団体『国民政治協会』名義の領収書を出すことを、滝川元事務局長に一応、了解した」

これに対し、元宿は「滝川元事務局長との雑談で出たかもしれないが、領収書を出すことは無理だということを最終的には了解してもらった」と必死に弁明した。しかし、少なくとも捜査段階では、国民政治協会の領収書を使って裏金処理に手を貸そうとした点を認めていたことになる。

関与の証言が次々飛び出すも「事務総長」という特別職に

村岡の公判だけではない。日歯連事件で起訴された各被告の公判は暴露合戦となり、元宿の関与が次々と明かされていった。

例えば、前出・日歯連理事の内田は

公判で、別に起訴された元自民党議員の吉田幸弘を名指しして「国民政治協会を通じて五千万円を迂回献金した」と暴露した。このときには「(元宿から)国民政治協会名義の領収書を受け取った」と述べている。

さらに、内田が捜査段階で「自民党の五議員あての四千万円を自民党に持参し、国政協（国民政治協会）の領収書をもらった」と供述したことも明かされ、法廷は騒然となった。

日歯連会長の臼田に至っては、「献金額は自民党の元宿仁事務局長の指示を受けて決めた」と発言。「当時、橋本派は最大派閥で、議員も百人ぐらいいたので、いくら献金すればいいか分からなかった」と言い、元宿と接触した内田から「『一億円ぐらいだろう』と言われた」と報告を受けて、献金額を1億円にしたと明かした。

日歯連による1億円裏金事件は、元宿の仕切りだったといわんばかりの証言が公判で相次いだのだ。

しかし、これは同時に、元宿を起訴できず、逃げ切りを許した検察の不甲《ふが》斐《い》なさを改めて浮き彫りにした。ちなみに、当時、東京地検特捜部の一線検事として捜査に当たっていたのが、現最高検刑事部長の森本宏だった。森本は、このとき果たせなかった自民党ぐるみの裏金処理の実態を暴くことを心に期し、東京地検の特捜部長や次席検事を歴任したうえで、23年7月に最高検刑事部長に就任。その直後から自民党のパーティー券裏金事件の捜査が始まり、立件を全面的にバックアップしたと言われている。

それにしても不可解なのは、元宿のその後だ。日歯連事件で逮捕寸前だったにもかかわらず、自民党は元宿を切ろうとしなかった。それどころか、06年には定年を延長し、前述した事務総長という新しいポストを設けて就任させている。

09年に民主党が政権を奪取し自民党が下野すると、10年7月に一旦退職したが、12年に安倍が自民党総裁に返り咲き、政権を奪還すると、日歯連事件で手負いの人物を再び自民党の事務総長に就かせている。

元宿と同じ群馬が地元で、安倍にも近い群馬県知事の山本一太は、自身のブログに〈安倍総裁が自民党の歴史を熟知した元宿氏を党の事務総長として呼び戻したのだ〉と記述している。

そして、自民党事務総長に復帰した元宿は安倍との関係を深め、まさに安倍の裏の実行部隊として活発な動きを見せ始める。そのなかで、大きく注目されたのが、あるネット右翼アカウントとの関係だった。安倍政権がネット右翼を応援団につけた戦略をとっていたのは有名な話だが、元宿はその戦略においても黒幕とおぼしき動きを見せていた。

中傷ネトウヨアカDappi
運営会社は元宿の親族が代表

「日本が大好きです。偏向報道するマ

スコミは嫌いです。国会中継を見てます」

こんなプロフィールを掲げたツイッター（現・X）が開設されたのは15年秋。サングラスをかけた丸顔のイラストがシンボルマークで、アカウント名を「Ｄａｐｐｉ」と名乗った（当初のアカウント名はＤＡＰＰＩ）。フォロワー数は17万人。当時首相だった安倍や自民党に所属する保守系議員の発言に賛辞を贈る一方、「野党『ギャーギャー』」などと立憲民主党や共産党、あるいは政権に批判的な新聞やテレビなどに対する誹謗中傷めいた投稿を続け、投稿数は５０００本に達した。なかには明らかなデマ、フェイクも多数含まれていた。

その極めつけが、立憲民主党参院議員の小西洋之と杉尾秀哉を標的にした投稿だった。投稿は、20年10月に「近畿財務局のある職員は、小西洋之らが1時間つるし上げた翌日に自殺した」というもので、明らかに、森友学園への国有地売却をめぐる公文書改ざん問題で2議員が職員を自殺に追い込んだ印象を与える内容だった。

しかし、これは全くのフェイクで、小西と杉尾は、発信者情報の開示請求をしたうえ、損害賠償を求めて提訴した。裁判は小西、杉尾の請求が全面的に認められ、東京地裁はＤａｐｐｉの発信元に２２０万円の支払いを命じた。

問題の核心は、発信元の正体だった。小西、杉尾の情報開示請求で発信元が東京にあるウェブ制作会社『ワンズクエスト』であることが分かり、さらに同社の社長が、自民党事務総長である元宿の親族であることが判明したのだ。

この事実を明らかにしたのは『しんぶん赤旗 日曜版』。同紙21年10月24日号によると、ワンズクエストの社長は事務総長の親戚を名乗り、自民党本部や国会などに出入りしていたという。自民党関係者は「その社長とは会ったことがある。『元宿さんの親戚』と紹介され、本人もそう名乗り、名刺交換もした。自民党本部や都連を闊歩していた」とも証言した。さらに記事はこんな事実も明かしていた。

「ここに、元宿氏の家族（群馬県在住）の不動産登記簿があります。問題の会社社長は17年5月、同地に建物を新築していました」

つまり、Ｄａｐｐｉ運営企業の社長は、元宿の親戚であるばかりか、元宿の家族の土地に家を建てるほどの関係だったのだ。

また、『赤旗』は、「社長はその際、住宅ローンを組み、その取引先が、りそな銀行衆議院支店」だったとも報じている。衆議院支店は衆議院第一議員会館内にあり、国会通行証を持っていないと入店できない支店だ。

小西らが提起した裁判の判決で、東京地裁は「投稿は会社の業務として、社長の指示の下、ワンズクエスト社の従業員あるいは社長によって行われた」と認定しており、この会社や社長が元宿と深いつながりがあったのはほぼ間違いないだろう。

自民党から年間4000万円が流れるダミー会社と取引

しかも、Ｄａｐｐｉを運営するワンズクエストはたんに元宿の親戚が社長というだけでなく、自民党から多額の金を受け取っている事実も明らかになった。政治資金収支報告書には、自由民主党東京都支部連合会(東京都連)から同社に「サーバー代」や「テープ起こし代」「ＷＥＢサイト制作費」などの名目で、１０００万円以上の支出が記載されていた。

さらに疑惑を深めたのは、ワンズクエストに関する民間調査機関の調査資料に、取引先として「システム収納センター」なる会社があがっていたことだった。

この「システム収納センター」は、自民党が複数持っているダミー会社のひとつで、実際、首相の岸田や元幹事長・甘利明ら自民党幹部が過去に代表取締役を務め、大金が支出されている。19年の政治資金収支報告書では、自民党本部から「システム収納センター」に対して合計４０８６万８６８２円、21年も合計４３７７万２４３２円が支出されている。

そして、この「システム収納センター」で10年以上にわたって取締役を務め、役職を退いた後もずっと大きな影響力を持っていると言われるのが、自民党事務総長の元宿なのである。

こうしたさまざまな状況証拠から、野党への中傷投稿を続けたＤａｐｐｉの運営会社を資金面で支えたのは自民党本部であり、党のカネを握る元宿が深く関与した疑いが濃厚になった。

そして、Ｄａｐｐｉをめぐる裁判は、東京地裁で「会社ぐるみ」という全面敗訴判決を受けたにもかかわらずワンズクエスト側が控訴せず、敗訴が確定し、Ｄａｐｐｉのアカウントも閉鎖された。この対応も、自民党の関与や元宿という黒幕の存在をこれ以上追及させないよう無理やり事態を収束させたとしか思えないものだった。

とはいえ、Ｄａｐｐｉ問題は、元宿にとっては、ほんの余技程度のことにすぎなかったのではないか。

再び検察が、元宿に重大な疑惑への関与を疑ったからだ。それは19年の参院選広島選挙区で起きた、安倍の側近である元法相・河井克行と案里夫妻による大規模な選挙買収事件だ。

この事件では、１億５０００万円もの巨額の選挙資金を自民党本部が案里陣営に投入したことが判明。それが巨額買収の原資になったのではないかと疑われたが、その公判で検察が河井克行に対して、「２０１８年11月上旬に自民党の事務総長、官房長官、首相と会い、案里氏の公認を相談したのではないか」と追及する一幕があったのだ。

克行は「よく覚えていない」と答えたが、検察側が公認候補選定の経緯をただす中で「事務総長の同席」のことを持ち出したのは、自民党本部から出た1億5000万円の一部が選挙買収に回り、その経緯を元宿が把握していたのではないかと疑ったからだった。

解散権を差配する「選挙情勢極秘データ」を独占的に握る男

政治資金の差配から情報戦まで――まさに安倍の手足となって動いていた感のある元宿だが、しかし、冒頭で述べたように、現職首相の岸田とはその安倍以上に密接な関係にあると言われる。

それは、元宿が「金庫の鍵」以外にもうひとつ、「政局を左右する重要情報」を独占的に握っていることと大きく関係している。

新聞・テレビは国政選挙の期間中に「全国選挙情勢調査」を実施するが、実は自民党も、この情勢調査を密かに、かつ日常的に実施している。そして、その膨大な「極秘データ」の全容を把握しているのは、党本部の中でも事務総長たる元宿とその部下数人しかいないと言われる。

「極秘データ」と呼んだのは、単に調査サンプルを与野党比較するような単純データとは違うからだ。自民党本部関係者の話。

「例えば衆院選挙を調査する場合、1選挙区で1000以上のサンプルを集め、トータル40万サンプルに達します。これは選挙調査に強いNHKや朝日新聞よりも多い。しかも元宿さんは数社の調査会社を巧みに使い、毎週と言っていいほど何らかの調査をして注目選挙区の票の推移をウオッチしている。これまで自民党本部に蓄積された過去のデータを基に解析をかけ、できるだけ実勢に近い数値をはじき出しています」

全国調査ともなれば、1回につき数千万円もかかると言われる。自民党のような潤沢な資金がないと頻繁には行えない。その実施権限を握るのが元宿なのだ。

与野党候補の当落判断に直結するデータだけに、ひとたび漏れると政局につながりかねない。このため、自民党内の議員には全容を開示されず、幹事長でも子細を把握しているわけではないという。前出の党本部関係者は「機密性が高いがゆえに、事務総長から党総裁に直々に伝えられるしきたりになっている」という。

つまり、元宿は「極秘データ」を独占的に扱うことのできる立場にある。言い換えると「首相の専権事項」である衆議院解散権を左右できる、ということなのだ。

しかも、元宿はときに、その機密データを党内に流すことで、政局を作り出していると言われてきた。

疑われたのは、21年8月末、時の首相だった菅義偉降ろしのきっかけをつくった出来事だった。当時、総裁任期満期を控えた菅はその前に解散に打って出ることを考えた。ところが、「このまま解散・総選挙になれば40～70議席滅」という衝撃的な自民党の調査データが党内に流出。一部のマスコミがこれを取り上げ、騒ぎになった。

この調査結果に自民党内では「菅政権では選挙が危ない」という危機感が広がり、逆に菅降ろしの機運が高まった。そして、菅は解散を封じられ、辞任。結果的に、それが岸田首相誕生につながった。大手紙の政治部デスクの話。

「実は、この選挙情勢調査の結果を流出させたのは、元宿さんではないかと言われたんです。元宿さんとしては、自民党の負けが明らかな解散を阻止しようということだったのかもしれませんが、少なくとも、岸田さんは、自分が総理大臣になる道を元宿さんが切り開いてくれたととらえたようです。首相になると、岸田さんは政局に関するさまざまな問題を元宿さんに相談するようになった。この背景には、周りに頼れる人がどんどんいなくなっていった、ということもあるでしょう。岸田さんは当初、元宿さん以外にも、北村滋元内閣情報官や岩田明子さんなど、安倍さんからさまざまなブレーンを引き継いだんですが、ほとんどの人とうまくいかなかった。加えて、側近の木原誠二さんが文春キャンペーンで官房副長官を追われ〝精神安定剤〟だった長男の岸田翔太郎さんも不祥事を重ねて秘書官を外されましたし。頼れる相手はもう、元宿さんしかいないということです」

元宿が「解散」を三度進言するも岸田首相は踏み切れず

もっとも、元宿を重用している岸田がその力を有効に使えているかとなると、そうとは言いがたい。

それを象徴するのが、冒頭で紹介した、元宿が岸田に語ったとされる「3度もの解散のチャンスがあった」というセリフだ。元宿はまさに、3度、岸田に解散を進言していたという。

23年6月の「通常国会会期末」と「9月の内閣改造時」、そして「10月の臨時国会冒頭」。とくに、3度目はかなり強く進言していたという。全国紙の政治部デスクが言う。

「あまり知られていませんが、3度目のチャンスというのは、23年10月の臨時国会冒頭で解散するというもの。岸田さんがニューヨークの国連総会出席を終えて帰国した9月22日の直後、自民党が9月中旬に行った全国調査で得られた極秘データを示して、岸田さんに『これが年内最後のチャンスです』と進言しています」

元宿が示した昨年9月中旬に実施の「極秘データ」にはこんな数字が並んでいた。

自民258（現有議席261）
公明　17（32）
立憲　88（96）
維新　79（41）
国民　10（10）

「このデータは9月末になってようやく自民党幹部にも回りました。当時、総務会長の森山裕さんが自民党の獲得議席を山﨑拓元幹事長に打ち明けたところ、山﨑さんが『朝日新聞』に『いま選挙なら自民は3議席減るだけ』とリークし、大騒ぎになりました」(前出・政治部デスク)

しかし、結局、岸田は解散に踏み切れなかった。昨年9月といえば、最側近の木原が妻の元夫をめぐる不審死を追及する『週刊文春』のキャンペーンやSNSでの「増税メガネ」炎上に見舞われており、それが弱気の原因だったのかもしれない。

結果的に、そのあと、岸田内閣の支持率は急落。解散しようにもできなくなってしまった。岸田は改めて元宿の政局観に感服し、なんとか劣勢を挽回するため解散のタイミングはないかどうか、その後も頻繁に相談をしているという。冒頭で紹介した、今年2月と4月の会談もそれが目的だったと思われる。

だが、率直に言って岸田政権の再浮上の可能性は限りなく低く、早晩、総理の椅子から引き摺《ず》り下ろされるのではないかと言われている。

岸田政権が倒れたら、「陰の幹事長」元宿はどうなるのか。

「元宿さん自身もさすがに万策尽き果てたようで、周囲に『自民党本部を守るために捨て石になる』と、引退を仄《ほの》めかしているようです」(前出・大手紙政治部デスク)

だが、一方で、自民党が元宿をすんなり引退させせないのではないかという見方もある。

普段はほとんどメディアに出ることがない元宿だが、08年、一度だけ新聞のインタビューを受けたことがある。1月9日付『毎日新聞群馬版』の「上州政治風土記・聞き書き」という連載に登場したのだ。

このなかで、元宿は「私個人がインタビューを受けるのは、たぶん初めてですよ。ずっと裏方でしたから」と前置きし、こう語っている。

「だから世間の〝裏〟が私にとっては〝表〟。これまで多くの国政の難局があり、その度に裏で総裁を支えてきました。公にされていないことも多々あります。それを今、私が話すと政界への影響が大きすぎる。知りすぎていますから。だから裏話は一切話さない。これは私が事務総長の立場を離れた後も同じです。墓場まで持っていきますよ。上州人の使命感にかけてもね」

裏方の矜持を語っているように思えるが、この発言に自民党幹部は震え上がったと言う。

そう、元宿の頭の中には、表には出せない自民党の闇、裏面史がすべてインプットされている。だからこそ、さまざまな疑惑が浮上しても、自民党は元宿を切ることができず、守ってきたのだろう。

流動化する政局で、「陰の幹事長」、いや、「陰の自民党総裁」はどう動くのか。今後が注目される。(敬称略)

第6章

政商の怪物

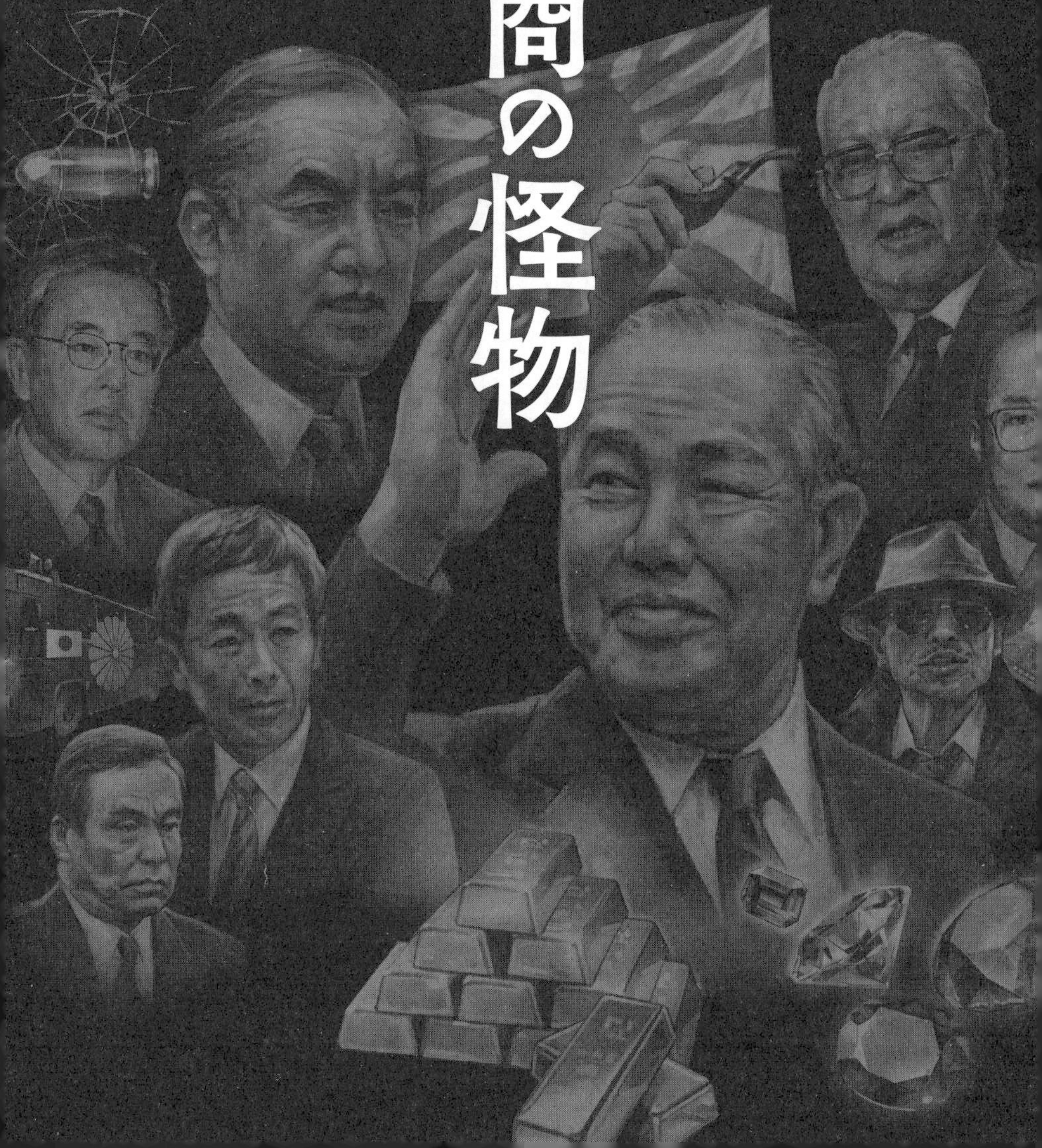

小泉構造改革&格差社会の隠微なブレーン

宮内義彦と竹中平蔵

規制緩和で日本の利権をつけかえた政商の暗躍秘録

米国の外圧〝規制緩和〟の追い風で
一大金融帝国を築いた元オリックスの宮内義彦。
〝御用学者〟の歪な野心で国策を操った竹中平蔵。
旧田中派の利権解体・奪取に暗躍し、
新自由主義と格差社会に日本を塗り替えた内幕。

森功▼ノンフィクション作家

「薬物対応に追われるこの間、林（真理子）理事長に『まずは澤田（康広）副学長のクビを差し出せ』と知恵を授けた人物がいます。林理事長と和田（秀樹）常務理事がその提案に乗ったと聞きました。提案したのが、ほかならない、宮内さん。それがさらに混乱を呼び込んでしまいました」

　日本大学の複数の関係者がそう嘆く。

　日大名門アメリカンフットボール部「フェニックス」の部員が大麻事件で逮捕された。それを受けた2023年8月8日、理事長の林真理子や学長の酒井健夫、副学長の澤田康広がそろって記者会見に臨んだ。

「澤田副学長の処置は適切でした」

　日大理事長の林は当初の記者会見で、薬物の調査にあたった副学長の澤田をそう庇《かば》っていた。

　澤田は記者会見からひと月前の7月6日、アメフト部の寮で大麻片と覚せい剤を発見しておきながら、それを12日間も保管したまま警察に届け出なかった。この行為それ自体が薬物不法所持の疑いを招きかねない。おまけにそのあと警視庁の捜査が始まって情報が漏れだすと、林は8月2日、ぶら下がりの記者たちを前に自ら「違法薬物が見つかった事実は一切ない」と否定してみせた。

　だが、その直後の3日に部員が逮捕され、大学トップとして林はやむなく記者会見を開いて言い放った。

「隠し立てなどしていない」

　しかし、隠ぺいという大きな罪を犯しているのは誰の目にも明らかだ。そこから日大本部執行部の稚拙な事件対応に世間の批判が巻き起こる。すると林は一転、調査した澤田に副学長および理事の辞任を迫り、文字通り醜い責任のなすりつけ合いが始まり、双方のいがみ合いがさらなる混乱を招いた。

　副学長切りを進言したのは誰か。実は宮内義彦だったと事情を知る職員やOBなどの日大関係者たちが口をそろえるのである。

林真理子〝日大改革〟のブレーンがなぜ宮内義彦なのか？

　宮内義彦とは、言うまでもなく、「オリックス」の社長、会長を歴任してきたリース業界の大立者《おおだてもの》を指す。日大では22年7月、作家の林真理子が理事長に就き、新体制が発足した。林が常務理事に精神科医の和田秀樹を招聘《しょうへい》して話題になった。その4カ月後の11月、顧問として大学入りしたのが、オリックスの宮内だ。

　あれだけ騒がれた薬物事件で、宮内の存在はほとんど触れられていない。だが、その実、宮内は慣れない私学経営に足を踏み入れた小説家の林が最も頼りにしてきたブレーンにほかならない。薬物事件の対応において裏から糸を引き、暗い影を落としてきたように感じる。ある日大の幹部職員は、宮内が日大顧問に就任した経緯について説明してくれた。

「もともと林さんが22年7月に理事長

に就任するときに常務理事として呼んだのが、精神科医の和田さんと昭和女子大学ダイバーシティ推進機構キャリアカレッジの熊平美香学院長でした。そのうち熊平さんが秋ごろに辞めると言い出し、林さんが代わりに宮内さんを招聘しようとしたわけです。ただ、宮内さんはすでに86歳（当時）と高齢。だから理事や常務理事として毎日大学に出勤するのには無理があります。そこで顧問になったと聞いています」

日大ホームページの〈顧問紹介〉によれば、宮内は11月5日付で顧問になっている。熊平も同時に常務理事から顧問となり、代わって監事監査事務局長だった村井一吉が常務理事（23年12月辞任）に内部昇格した。先の職員が林体制における薬物事件対応について指摘する。

「林さんのブレーンである宮内さんは、『大麻事件で副学長の澤田のクビを切って人事刷新した形をとれば、所管する文部科学省高等教育局も納得するだろう』と考えたのでしょう。宮内さんは小泉純一郎政権以降、民間人の政府の委員として内閣との交渉をしてきた自負もありますが、作家の林さんにはそこまでの知恵はまわらない。それで林さんにアドバイスし、和田さんが賛同したのだと思います。宮内さんたちが彼女を守ろう、と打ち出した作戦が、澤田副学長切りだった。それが学内のもっぱらの見方です」

事実関係を並べれば、あながち的外れとも思えない。林による澤田切りの始まりは23年9月4日だった。林が理事長室に澤田を呼び出して告げた。

「先週あたりから、文科省に『（澤田）先生の処分はどうなってるか』と言われています。澤田先生にお引きいただくのがいちばんよい方法だと思っています。このままでは補助金不交付の可能性が非常に高い。補助金もほしい。私たちは世間に尻尾を振っていこうと決めたのです」

時事通信がこのときの生々しい音声をすっぱ抜いている。林は澤田の退任を迫った。その後、常務理事だった和田も自らのSNSで澤田を批判した。林対澤田の泥仕合はついに名誉棄損訴訟にまで発展し、学内の混乱は収束するどころか、ますます燃え広がる始末だ。そうして林側についてきた2人の常務理事の和田や村井も大学を去り、林親衛隊の隊列が崩れた。だが、宮内は依然顧問として東京・市ヶ谷の日大本部に居残っている。先の職員はこう憤る。

「職員たちが減給されるなか、顧問料はひと月50万円。本部には個室があり、そこで宮内さんは悠然としています。宮内さんはオリックスの経営から完全に引いているそうですから、日大の顧問料がいい小遣い稼ぎになっているのでしょうが、林さんがいなくなると困る。けれど、大学にとって何の役に立っているのか、さっぱりわかりません」

かつて宮内義彦は政権の後ろ盾となり、規制緩和や行政の民間開放を唱えてきた。本格的に政権とかかわった端緒は、やはり小泉純一郎による構造改革である。

成功のきっかけは航空機リース、規制緩和で築いた金融帝国

オリックスは前身をオリエント・リースという。半年後に東京五輪を控えた１９６４（昭和39）年4月、旧三和銀行が音頭を取り、系列商社である日綿実業、日商、岩井産業の3商社に加え、日本興業銀行など5銀行が出資して設立された。当初の社員はわずか13人、宮内は日綿実業から転籍したそのうちのいち社員にすぎなかった。かなり幸運な経営者と言える。

社長に就任したのは１９８０年12月だ。高度経済成長を成し遂げた日本の産業界が日米経済摩擦という新たな局面を迎えようとしていた。中曽根康弘の民活が始まった時代背景（１７２頁参照）が、オリックスや宮内自身を大きく成長させた。

大幅な貿易赤字にあえぐ米国が、日本政府に輸入拡大による対米貿易黒字の削減という大命題を突きつけた。輸出が産業を牽引してきた日本経済は大きな転換期を迎える。政府内は米製品の輸入や米企業の国内参入を推進する米国同調派と、国内の産業保護を主張する慎重派に分かれた。それはのちに改革派と守旧派と名称を変え、国内で色分けされていく。対米交渉の矢面に立たされ、米国に寄りそっていったのが旧通商産業省（現・経産省）である。

「米国側から輸入拡大の即効薬として突きつけられた要求が、航空機リースの促進でした。それを積極的に進めたのが通産省で、日本のリース会社がボーイング社など米国の航空機メーカーから飛行機を買い、それを日本航空や全日空をはじめとした航空各社にリースした。オリエント・リースはこれに積極的に取り組んで、利益を上げていきました」

そう解説するのは、オリックスのある現役幹部だ。国際航空機の平均的なリース料は、１機あたり１００億円。日本の貿易黒字減らしに大きく貢献する。この航空機の賃貸は米国からサムライリースと称賛された。ときの通産大臣・安倍晋太郎が推し進めた対米政策である。言うまでもなく安倍晋三の父親だ。経産官僚が説明する。

「サムライリースはトータルで１０００億円くらいの規模になったと思います。おかげでオリエント・リースや日本リースが大きな利益を上げることになり、米国交渉の窓口だった通産省、あるいは安倍通産大臣も大助かりでした。したがってオリエント・リースは通産省に貸しをつくったとも言える。以来、宮内さんは通産省の絶大な信頼を得ていきました」

日本は85年のプラザ合意を境にバブル景気に突入していくのだが、皮肉にもこの好景気が対米黒字を膨らませる結果となる。バブル経済が頂点に向かう89年4月、オリエント・リースはオ

リックスに社名変更され、宮内はそのまま経営の舵をとった。

宮内義彦はリース業にとどまらず、さまざまな規制緩和事業にビジネスの手を広げた。オリックス生命、オリックス自動車、オリックス銀行……。国内外に27社のグループ企業を抱える金融コングロマリットに成長させた立役者と言える。わけてもオリックスは小泉純一郎政権時代に飛躍的に成長した。成長の原動力が規制緩和という新自由主義政策である。

小泉－宮内が極秘に話した郵政解散総選挙の戦略

永田町で変人呼ばわりされてきた小泉は2001（平成13）年4月26日、第87代内閣総理大臣に昇りつめた。変人総理と揶揄《やゆ》された裏には、「首相になる器ではない」という永田町雀の嫌味が込められている。実際、山崎拓、加藤紘一、小泉純一郎を文字ったYKKなる永田町の隠語があり、首相候補最右翼のサラブレッドは加藤であった。2番手のダークホースが山崎だ。小泉は大穴程度の議員でしかなかった。が、自民党内の環境の変化が小泉に有利に働いた。

バブル経済崩壊後、閉塞感の漂う90年代後半の日本にあって、ひと桁台の低い支持率に悩む森喜朗内閣に対し、国民は斬新なリーダーの登場を望んだ。そこで、YKKの一角である小泉が森派「清和政策研究会」の会長となり、注目され始める。派閥の領袖《りょうしゅう》は自民党総裁になると会長ポストを派内の幹部議員に譲る暗黙の了解があり、森派では当選回数の多い小泉が会長に選ばれた。派閥会長となった小泉は21世紀初の自民党総裁選に臨んだ。そしてこうぶち上げた。

「自民党をぶっ壊す」

そのひと言のフレーズで国民の気持ちをつかんだ。さらに無派閥の田中真紀子を味方に引き入れた小泉人気は沸騰し、地方（県連）票を得て自民党総裁に就任する。小泉勝利は、3カ月後の01年7月の参院選に小泉内閣で臨もうとした議員たちの思惑が働いた結果かもしれない。小泉は典型的なポピュリズム政治家と言うほかない。

その小泉の自民党を壊すというフレーズの底意は、党の田中支配からの脱却を意味した。そして総裁派閥となった清和政策研究会は、旧田中派に代わり隆盛を極めるようになる。小泉は中曽根康弘が敷いた規制改革のレールに乗り、三公社五現業の民営化事業のうち、郵政民営化を高らかに謳《うた》った。

宮内義彦は小泉内閣発足と同時に内閣府に設置された規制改革会議の議長に就任した。以来、規制改革の旗手と持ち上げられるようになる。

小泉の首相時代、「不機嫌の会」という私的な集まりがあった。小泉の好きな作家・林真理子の小説『不機嫌な果実』から名づけられた首相を応援する懇親会だ。メンバーは6人。林のほかオリックスの宮内、人材派遣会社

「ザ・アール」社長の奥谷禮子、衆議院議員の野田聖子らで、2カ月に一度のペースで小泉を囲み、ワインや食事、クラシック音楽を楽しんだ。日大理事長の林と宮内の2人は、小泉政権のこの頃から親交がある。むろん楽しく飲んで語らうだけではない。

小泉が自ら「郵政解散」と銘打ち、強引に衆院を解散したのは05年8月8日のことだ。後述するが、すでに金融の自由化によるIT・ファンドバブルが崩壊し、規制緩和に反対する党内勢力が声をあげ、郵政民営化は危うくなっていた。

衆院の解散から間もない8月16日午後7時42分、東京・虎ノ門のホテルオークラにあるレストラン「バロンオークラ」で「不機嫌の会」のメンバーが集まった。個人的にもごく親しい顔ぶれだけに、小泉も気が休まったのかもしれない。衆院の解散で多忙を極めるなか、小泉は会のメンバーたちと会うため、わざわざホテルへ駆けつけていた。

しぜん、その日の話題は解散・総選挙となる。話題は衆院の解散に異を唱えようと、森喜朗が首相公邸を訪ねた「小泉・森会談」の一件にもおよんだ。

「寿司ぐらいとってくれるかと思ったけれど、出てきたのは缶ビールと干《ひ》からびたチーズ。これがほれ、また硬くて食べられないんだ」

会談を終えた森は、チーズを手にして記者団を前に憤ってみせた。解散を止めようとする小泉の〝敵役〟を演じたわけだが、実は小泉に対する世間の風当たりを和らげるため、森と小泉が考案した芝居だったとのちに判明する。小泉はホテルオークラで「不機嫌の会」のメンバーである宮内たちにこの話を上機嫌で披露したという。

規制見直しの前倒しの意見書を小泉首相に渡す、総合規制改革会議の議長・宮内義彦（2001年）

なかでも宮内はこの時期、盆の夏季休暇を装い、極秘で小泉と会ってきた。密談場所は軽井沢のある別荘で、小泉が郵政解散による総選挙の戦略を宮内と打ち合わせてきた、と明かす関西在住の政界関係者もいた。こう話した。

「軽井沢の密談における小泉首相のいちばんの目的は、財界に総選挙の支援をとりつけることだったと思います。宮内だけではなく、その場には何人か財界人がいたそうです。あらかじめ用意されていた会談ではなく、突然だったと聞いています」

小池百合子と宮内義彦……〝刺客抜擢〟の隠微な内幕

日本経済団体連合会や経済同友会などの経済団体では、8月になると避暑を兼ねて軽井沢セミナーを行う。宮内もそこに出席するため、軽井沢に滞在することが恒例になっていた、と先の政界関係者が振り返る。

「なにしろ解散直後ですから、宮内たちも、政局について聞きたかったのではないでしょうか。小泉首相もそのつもりのようで、別荘に現れるや、すぐに早口で選挙の展望を説明しはじめたと言います。それが実によくできている。やはり、かなり緻密に計算したうえで解散に打って出たのだな、と宮内はしきりに感心していたようです」

行き当たりばったりのように見えた小泉の郵政解散は、その実、計算ずくだったと言える。郵政民営化反対派議員を自民党から追い出し、選挙区に〝刺客〟を送り込む戦術が話題を呼んだ。その選挙戦術は、解散前からできあがっていたのかもしれない。政界関係者が続けた。

「とくに、軽井沢の会談で宮内が驚いたのは、小池百合子のことだったそうです。その時点では〝刺客〟なんて言葉すらなかったが、宮内は小泉首相から『小池さんを小林興起の東京10区にぶつけるつもりだけど、どうでしょうか』と相談されたそうです。宮内と小池百合子は、彼女がテレビ東京の報道番組『ワールドビジネスサテライト』のメインキャスターをしていた頃からの知り合いです。小池が政界に進出して以降、宮内は東京の小池後援会の会長まで務めてきた。だから、小泉首相も真っ先に宮内に選挙のことを相談したのだと思います」

小池百合子は、小泉が仕掛けた郵政選挙のシンボルでもあった。造反組の小林興起は、彼女の前にあえなく敗れ去った。宮内はそんな郵政解散選挙を裏で支えていたとも言える。

05年の総選挙は、史上稀にみる奇想天外な国政選挙である。参議院の法案否決を受け、衆議院を解散するという荒っぽい手法には、当初、自民不利との予測が流れた。解散当初は、野党圧勝を予測していた政治のプロたちも少なくない。造反組は憲政の常道から逸脱する暴挙だと小泉を非難した。が、蓋《ふた》をあけてみると、小泉のひとり勝ち。造反組の小泉批判も、負け犬の遠吠えに終わる。

なぜ、自民党があそこまで圧勝できたのか。なかでも刺客作戦が功を奏したのは、間違いない。宮内は、その作戦をいち早く知った人物のひとりなのではないか。もとより刺客として小泉の念頭にあったのは、小池百合子だけではない。上智大学の教授だった猪口邦子や料理研究家の藤野真紀子、元財務官僚の片山さつき、エコノミストの佐藤ゆかり。小泉は、目玉になる選挙区の刺客として、彼女たちの出馬を決めていた。軽井沢の別荘では、そこまで披露したという。関西における小池百合子の支援者が次のように語った。

「小泉総理としても、以前からずっと小池百合子をバックアップしてきた宮内さんを無視できなかったに違いありません。宮内さんは、本当に驚いたようです。『あそこまで小泉総理が準備していたとは、考えもしなかった』と、小池百合子の後援者に話していました。そうして宮内さんは、母校の関西学院大学OBの同級生で東京在住の有権者たちに働きかけ、練馬区の一部と豊島区の東京10区での小池の応援をお願いした。そう聞きました」

実際に総選挙で小池の選挙応援をしたという、当の同窓生に聞いてみた。

「関学時代、宮内君は商学部で、私とは学部が違ったので付き合いはありませんでしたが、東京の同窓会に顔を出すようになってから知り合いました。宮内君と小池さんは、かれこれ20年来の付き合いで、ずっと後援会長としての資金面も含めたバックアップをしているようです。彼女は神戸に事務所があり、関学の同窓会の総会で講演をしてもらったりしていた関係で、私もよく知っています。ただし、前回の選挙応援は、宮内君から頼まれるまでもなく、彼女が東京に事務所がないということから、われわれ関学OBでバックアップしようとなったのです」

小泉と親しい財界人は数多いが、宮内ほど近い人物はまずいないだろう。小泉にとって、規制改革の旗手である宮内はそれほど大切な存在だった。

郵政以外の小泉改革は、すべて大臣、実務担当に丸投げ

小泉政権は構造改革を最重要課題に掲げて発足したと言われる。だが、その実態は、政策のほとんどを担当大臣や実務担当者に任せた丸投げでもあった。「本丸は郵政民営化」。壊れたテープレコーダーのようにそう繰り返す変人総理にとって、得意の郵政改革以外は関心がないようにすら見えた。

金融改革しかり、年金問題しかり、道路公団民営化しかり。規制緩和や行政サービスの民間委託といっても、他の分野については、本人の言葉で語るケースが極端に少ない。医療や農業分野の改革も同様だった。それら小泉改革のほとんどの分野を託されてきたのが、規制改革・民間開放推進会議だといっても、過言ではない。そのまとめ役がオリックス会長の宮内義彦だったのである。

小泉内閣で行革・産業再生機構担当大臣を務め、その後も行革推進本部・規制改革委員長となった自民党の金子一義に取材すると、宮内が取りくんできた規制改革をこう評価した。

「宮内さんの規制改革に対する意気込みはもの凄い。とりわけ印象に残っているのが、医薬品のコンビニ販売参入問題でした。もともと、医薬品については薬屋以外で販売すべきではない、と医薬品業界の風当たりが強かった。厚生労働省をはじめ、ときの坂口力厚労大臣も医薬品販売の自由化については、いい顔をしなかった。それを押し切ったのは宮内さんの功績が大きいでしょう」

郵政解散旋風からおよそ1年後、小

泉内閣は幕を閉じる。宮内義彦は政権発足から5年後の06年9月、小泉純一郎のいる首相官邸を訪れ、規制改革・民間開放推進会議議長を辞任する意向を伝えた。安倍晋三政権の発足を前に、自ら議長のポストを降りた。それは規制改革の限界が見え始めたからではないだろうか。

郵政民営化の黒幕、竹中と菅は今なお師弟関係

小泉政権における規制緩和、構造改革における車の両輪と呼ばれたのが、元慶應義塾大学教授の竹中平蔵である。01年4月の小泉内閣発足と同時に、経済財政政策ならびにIT担当大臣に就任した。翌年の改造内閣からは金融担当大臣も兼任するようになり、宮内とともにさまざまな規制緩和を進めた。金融の自由化を謳《うた》い、金融担当大臣として取り組んだのが日本振興銀行の設立である。03年8月に金融庁に提出された日本振興銀行の予備免許申請が金融庁に受理され、翌年に業務を開始できた。それも竹中のおかげだとされる。言うまでもなく、振興銀行の創設者は竹中の盟友として知られた木村剛だ。

東大卒の日銀マンだった木村は金融コンサルタントとして独立したあと、小泉政権時代の02年10月から金融庁の顧問になる。金融改革を謳った竹中チームの一員として、銀行に不良債権処理を迫り、銀行界を震撼させた。そこから振興銀行を立ち上げて会長に就く。が、皮肉にも自ら作成した金融検査マニュアルに違反して金融庁の検査を妨害したとして、10年7月、警視庁捜査二課に逮捕される。

その木村を支えてきたのが竹中であり、この間、竹中自身は04年7月に参議院議員として初当選し、9月には郵政民営化担当大臣、05年10月に総務大臣に就く。このとき総務副大臣に登用されたのが菅義偉で、ここから2人で郵政民営化に臨んだ。大臣と副大臣、2人は文字通り上司と部下の関係となり、その「師弟関係」は今なお続いている。竹中は菅との出会いについて、ノンフィクション作家の塩田潮のインタビューにこう答えている。

「小泉内閣時代、たたかれていた私を応援してくださる5〜6人の政治家の会があり、菅さんはそこにいた。副大臣の座は、総務相の私の指名ではなく、首相官邸から『菅さんでどうですか』と聞かれて、大歓迎ですと申し上げた」（『サンデー毎日』20年10月4日号）

もっとも、菅の副大臣起用には泥臭い裏話がある。元総務省大臣官房審議官の平嶋彰英は、次のように打ち明けてくれた。

「実は郵政民営化を巡っては、総務省内に反発がありました。なかでも政策統括官と審議官が裏で民営化をとめようとしているのではないか、という噂まであり、それを聞きつけた小泉さんが、2人の役人を飛ばす大事件があったんです。それが省内の最初の出来事でした」

05年8月の郵政解散に勝利した小泉政権は、そこから逆風に見舞われていく。98年末から01年半ばまで2年あまり続いたIT・ファンドバブルが弾け飛んだ。それが兆候だった。このあたりから新興企業の粉飾決算が明るみに出て株価が急落し、株式市場はマネーゲームのおかしさに気づき始めた。決定打は06年だ。1月に東京地検特捜部がIT・ファンドバブルの申し子と呼ばれたライブドアの堀江貴文らを証券取引法違反で逮捕し、次いで6月には「村上ファンド」の村上世彰《よしあき》によるインサイダー取引にメスを入れた。

当然のごとくこの間、小泉政権の新自由主義路線が問題視されていった。もともと竹中の前の総務大臣は03年9月に就任した麻生太郎だった。が、すでにIT・ファンドバブルが崩壊し、小泉路線に反対の声が上がるようになっている。自民党内は郵政民営化についてと賛成と反対に二分され、麻生は慎重派と見られた。05年8月の郵政解散に成功したとはいえ、郵政民営化に執念を燃やす小泉にとってはそのまま麻生に総務大臣を続投させれば、民営化が危うくなる。そう感じ取ったようだ。結果、10月の内閣改造により竹中総務大臣が誕生する。平嶋が続ける。

「小泉さんにしたら、麻生さんが総務大臣のままでは郵政官僚の巻き返しに負けちゃうかもしれないと心配したのでしょう。竹中さんが小泉さんにそう囁《ささや》き、小泉さんが麻生さんを総務大臣から外務大臣に横滑りさせ、代わりに竹中さんを総務大臣につけたと見られています。僕らから見たら、麻生さんの外務大臣人事も飛ばされたような感覚でした」

小泉は、菅との関係が取り立てていいわけではない。やはり頼りは竹中だ。そうして総務大臣になった竹中が、副大臣に菅を選んだのだという。平嶋が次のように言葉を足す。

「菅さんが総務副大臣になれたのは郵政民営化に関する自民党部会がきっかけだそうです。『部会は郵政シンパの議員が多いので、反対論ばっかり出る。それで、反対ばかりではおかしいだろ、と発言した。そうしたら、次の郵政部会から菅さん、来てくれと（竹中に）頼まれるようになったんだ』と菅さん本人が言っていました。そして、竹中さんが小泉さんから『誰を総務副大臣にすればいいか』と問われ、菅さんを推薦したのだと思います。以来、菅さんはずっと竹中さんに対する恩義を忘れていないのでしょうね」

宮内と竹中と言えば、小泉純一郎との関係がクローズアップされがちだが、むしろ竹中にとって政界のキーパーソンは菅義偉だと言える。小泉政権時代の看板政策だった郵政民営化について、竹中総務大臣、菅副大臣のコンビで推進し、2人はここから固く結ばれた。

私自身、かつて永田町のキャピトル東急ホテルで官房長官時代の菅にインタビューしたとき、竹中とすれ違ったこともある。次のアポイントが竹中だったと菅は言った。

「竹中さんとは先生が総務大臣になって以降、今にいたるまでいろいろ教えてもらっています。週に一度くらいのペースでここ(ホテル)でお目にかかっているんです」

菅の政策における師が竹中平蔵である。ちなみに小泉政権の竹中・菅の総務大臣・副大臣のコンビは、NHKの民営化に乗り出したこともある。だが、さすがに新自由主義に対する逆風のなか、NHKの民営化どころではなく、引っ込めざるをえなかったのであろう。一方、郵政民営化を巡る総務大臣ポスト争い以降、麻生と竹中は犬猿の仲となり、必然的に麻生は菅とも距離ができた。

竹中―三木谷の蜜月関係と楽天の携帯電話事業参入

オリックスの宮内と同じく、竹中もまた任期を4年も残して06年9月、第一次安倍晋三政権の発足とほぼときを同じくして参議院議員を引退し、総務大臣からも身を引く。そこから竹中は菅に放送と通信の融合政策を授け、NHK改革などを菅に任せた。今にいたるNHK改革の原点もまた、竹中から菅に託された政策だ。民営化をあきらめた菅は逆にNHKの国有化に舵を切るようになる。

菅は晴れて第一次安倍政権で総務大臣に就任する。郵政民営化を完成させるためには、竹中・菅ラインしかないという結論にいたったのであろう。第一次安倍政権は小泉政権時代の規制緩和政策の継承を義務付けられた。竹中に代わって菅が大臣に昇格したかっこうだ。菅は郵政民営化や地方分権改革を兼務した。

だが、そこへ新自由主義が生んだ格差社会批判が起こり、第一次安倍政権は07年9月までのわずか1年足らずの短命に終わった。12年12月に発足した第二次安倍政権は、安倍や菅にとってそのリベンジの場となる。

さすがに小泉政権時代の要だったオリックスの宮内義彦はそこに起用されなかった。宮内は14年6月、オリックスの会長から退き、グループCEOを井上亮に譲った。新設されたシニア・チェアマンに就いたが、経営の第一線から退いている。22年1月にはオリックス・バファローズのオーナー退任を表明し、小泉政権以来から親交の深い林真理子から声がかかり日大顧問に迎え入れられた。

もう一方の竹中平蔵はまだ政界で生き残っている。当初、第二次安倍政権で官房長官に就いた菅から経済財政諮問会議の議員に推される。しかし麻生がそこに反対し、竹中は産業競争力会議（現・未来投資会議）の民間議員に収まった。そこには楽天創業社長の三木谷浩史などもメンバーに加わり、新たな規制緩和、新自由主義的政策の推進役となる。

IT、デジタル分野の規制緩和を訴え続けてきた竹中は、楽天の三木谷と

竹中（右端）と楽天の三木谷（左端）は新自由主義的な政策を推進する産業競争力会議のメンバーに

も懇意にしているが、そのあいだに総務官僚たちを従えてきた菅が存在する。菅はかつて田中角栄が君臨してきた郵政行政に介入する新たな郵政族議員と言える。

三木谷の率いる楽天が携帯電話事業に新規参入できたのも、まさに竹中、菅との連携があればこそだと見ていい。竹中は産業競争力会議から16年9月に名称が変わった未来投資会議でもその中心メンバーとなった。その間、官房長官、首相と昇りつめる菅があっての政府委員人事である。この数年、竹中、菅、三木谷というトライアングルで新規参入ビジネスを推し進めてきたのは間違いない。

失意の竹中を一本釣りして パソナの南部靖之が吸った蜜

竹中が小泉政権時代から取り組んできた規制緩和政策の一つに労働の自由化がある。そこに目を付け、接近したのが人材派遣大手「パソナ」社長の南部靖之だった。2人の出会いはそれほど古くない。小泉政権で総務大臣を退任し、失意の底に落ち込んでいた竹中に南部が声をかけた。06年10月のことだ。自らのブログ11月25日付の「南部靖之の今日も頑張ろう」にこう記している。

〈10月28日に、創業30周年を記念したパソナグループ「職博」を開催しました。テーマは「才能」を活かす！～自分らしく輝くステージを創る～です。才能を発見し活かすためのヒントになるセミナーや、才能を活かせる仕事のご提案、安心して就労していただくための福利厚生サービスのご紹介などをさせていただき、就労を希望する方々に少しでもお役に立ちたいというイベントです。そこに緊急特別講演として、前総務大臣竹中平蔵さんにお越し頂きました〉

やがて竹中はパソナの会長に招かれ、労働分野の規制緩和に力を注いだ。ひと頃政官界への接待で評判になったパソナの迎賓館「仁風林」で司会を務めてきた姿も目撃されている。また、宮内との関係から、オリックスの社外取締役にもなった。オリックスが経営に乗り出した関西新空港をはじめとする空港の民営化事業で旗を振ってきた。

さらに、菅が生みの親と自負する日本維新の会の顧問なども務めてきた。今のところ、現岸田文雄政権では目立った動きを見せないが、虎視眈々と復権を狙っているように思えてならない。

（敬称略）

最後の大物フィクサー&国商

葛西敬之

JR東海元会長が安倍・菅政権を操る怪物になった軌跡

森功▼ノンフィクション作家

国鉄改革3人組として暗躍、革マル派・松崎明とも対決し、ときの政権に〝葛西人事〟で「官邸官僚」を送り込んで意のままにした最後の大物フィクサーの生涯。

安倍晋三から菅義偉に譲り渡された官邸一強の権力は、2021(令和3)年10月に内閣を発足した岸田文雄には引き継がれていない。岸田には頼る官邸官僚が見あたらない。それが、内閣発足以来いまだ岸田政権がふらついている原因であり、政権の弱みと言える。

では、安倍・菅一強政権を支えた官邸官僚は、どのようにして生まれたのか。その疑問を取材していくと、大物財界人に行きあたった。東海旅客鉄道(JR東海)の社長や会長を歴任してきた葛西敬之である。国を舞台にビジネスを展開してきた「国商」だ。

保守団体「日本会議」の代表世話人にして、靖国神社の崇敬者《すうけいしゃ》総代まで務める。葛西は保守陣営屈指の論客として知られた。小泉純一郎政権で国家公安委員となり、それ以降、政府委員としてさまざまな国の審議会に加わり、第一次安倍政権で美しい国づくりを目指して「教育再生会議」を率いた。

葛西は自民党が下野してからも民主党政権下で財務省の財政制度審議会の委員となって、安倍のカムバックを政官界に呼びかけた。日本放送協会(NHK)をはじめとしたメディアへ介入し、第二次安倍政権発足にあたり、官邸官僚たちを送り込んだ張本人が、ほかならぬ葛西である。安倍・菅政権最大の後ろ盾として再軍備を睨《にら》んだ強い国づくりを訴え、原発再稼働や宇宙開発の必要性を唱えてきた。

官邸官僚たちと気脈を通じ、政権を後ろから操る——。

この10年近い長きにわたり、あらゆる政策に葛西の影がちらついてきたと言える。これほどスケールの大きな黒幕は、この先現れないのではないか。そう思えるほど安倍・菅政権に対する影響力があった。

安倍晋三と言葉を交わす葛西敬之。第2次安倍政権に官邸官僚を送り込んだ張本人で、「美しい国」も「官邸主導の忖度政治」も葛西が後ろ盾となった

葛西は22年4月11日に東京・五反田にあるNTT東日本関東病院の特別室に入院した。すでに死を覚悟していたのであろう。入院前には、それまで懇意にしていた知人1人ずつに声をかけ、ときには病気を押して面談した。

「これから入院します。もう戻って来られないと思いますので、あとをお願いします」

ある財務事務次官経験者にそう言い残して死の床についた。安倍晋三は病室に3度も見舞っている。葛西が鬼籍に入ったのは、入院してからひと月半経た5月25日である。

岸田政権の発足から7カ月後、葛西は息絶えた。実は菅から政権が移るその間、葛西は岸田内閣誕生のときでも足跡を残している。葛西の有力なブレーンの1人だった元警察庁長官の栗《く》生《りゅう》俊一が政権の発足と同時に官邸入りし、さらに元経産事務次官の嶋田隆が岸田首相の政務秘書官に就く。

なかでも栗生は岸田内閣の官房副長官に登用され、安倍政権時にスタートした内閣人事局の局長も兼務するようになった。栗生を後継指名したのが、安倍・菅政権で官房副長官を務めた杉田和博であり、その後ろに葛西がいたのは言うまでもない。安倍・菅政権で官房副長官だった時代の杉田については「官邸官僚」の項（202頁参照）で詳述したので、ここでは触れないが、葛西との付き合いはかなり長い。ある警察庁のOBによれば、葛西と杉田の縁は1987（昭和62）年4月の国鉄改革前後にさかのぼるという。

怪物的な保守思想を育てた葛西家のルーツとは？

「葱《ねぎ》買うて枯木の中を帰りけり」

3歳になった葛西敬之は遊びに行った隣家の大人たちに与謝蕪村のこの句を諳《そら》んじて読んで驚かせたという。当人が自らそのエピソードを2015年10月から30回連載された『日経新聞』の「私の履歴書」の2回目に書いている。いかにも自持心の強い葛西らしい。

もとはと言えば、葛西家は新潟県佐渡市で代々医師を務めてきた家柄だった。島で漢学の私塾を開いていた葛西の曽祖父が、息子の千秋を10歳で東京に送り出した。千秋は葛西の祖父にあたる。先の「私の履歴書」に葛西は〈千秋はいまの開成中学・高校で学んだ〉とも書いている。その年齢からすると、開成は旧制中学校時代のことだろう。

出身については東京だと勘違いする向きもあるが、佐渡でも東京でもない。葛西は1940（昭和15）年10月、兵庫県明石市に生まれている。葛西の実父である葛西順夫は、祖父や曽祖父の影響を受けて国語の教師になったようだ。葛西が生まれた頃の順夫は兵庫県立明石中学（現・明石高校）に赴任し、国語・漢文の教鞭をとっていた。明石中学は初代校長に『国民教育之精神』の著作で知られる山内佐太郎を迎え、1923（大正12）年に開校した名門校である。


順夫はそこから東京へ越し、都立高校の国語教師となる。ゆえに葛西は東京で育った。幼くして漢文や古典に親しんだのは、祖父や父親のおかげに違いない。とくに父親からは与謝蕪村や松尾芭蕉の俳句、柿本人麻呂や万葉集の和歌を教わってきた。

実母は旧姓を本荘益世という。本荘家も葛西の人格形成に大きな影響を与えているようだ。わけても母方の祖父にあたる本荘堅宏は、明治時代に大陸にわたって浄土真宗の布教に務めた人物だったという。さらに1904（明治37）年から翌年まで1年続いた日露戦争のときは樺太の海馬島へ渡ってロシア人を追い払った、という伝説を持っているそうだ。真偽のほどは定かではないが、葛西自身が「私の履歴書」にその逸話を披歴している。1世紀以上も前の祖父の言い伝えをひけらかすのは、それが自らの保守思想の原点だと言いたかったのかもしれない。

4歳のときに終戦を迎えた。その年の3月には東京大空襲に見舞われて焼きだされ、一家は先祖代々の郷里の佐渡に疎開している。佐渡では曽祖父や祖父が存命で、漢文の私塾を続けていたという。この漢文塾はのちに佐渡市立羽茂小学校となり、校門に曽祖父の記念碑まであるというから、佐渡ではかなりの名家として知られていたようだ。葛西少年はそこでのんびりと終戦まで過ごし、焦土と化した東京に戻ってきた。

葛西は自らの保守思想を隠さない。怪物的な黒幕に成長させた原点が、父や祖父にあったのも想像に難くない。だが、もとより成長の理由はそれだけではない。

東大時代に心酔したのは明治の元老・山県有朋

葛西自身、幼い頃に戦争を体験してきた半面、大学生の頃には「60年安保闘争」に直面している。51（昭和26）年に締結された日米安全保障条約が60

年1月、岸信介内閣によって改定された。葛西はその前年から巻き起こった学生運動のさなかの59年4月、東大法学部に入学した。

ところが、葛西は安保闘争に目もくれず、1年生の秋に「日本文化研究会・観世会」という観世流の謡曲サークルに入り、古典の世界に没頭した。ちなみに謡のつながりで言えば、前官房副長官の杉田和博も謡を趣味にしている。のちに謡の会に誘い、親しくなったことは前に触れた通りである。杉田は東大時代の葛西の1年後輩にあたる。

葛西がそんな優雅な学生生活を送りながら、知り合った学友の1人が与謝野馨である。1938（昭和13）年8月東京市麹町区（現・東京都千代田区）に与謝野秀と道子の長男として生まれた与謝野は、与謝野鉄幹と晶子の孫にあたる。父親の秀が戦中、戦後の外交官だったことから大学進学が遅れた。葛西より2歳上だが、東大では同期生となる。与謝野は東大野球部に入り、道は違ったが、葛西が生涯で最も信頼した政治家の1人である。のちに葛西の主宰した「四季の会」は安倍晋三の財界応援団として知られるが、もとはと言えば「与謝野馨を総理にする会」であった。

日本の古典に通じてきた葛西の保守思想で言えば、東大4年生のときに入った岡義武ゼミの影響が大きい。心酔する岡の教えについて葛西は「私の履歴書」（4回目）にもこう書き残している。

〈先生はエピソード主義に徹していた。「誰がどこで、どんな状況で、どう考えたか」を積み上げていく。私が小さいころから本を読んで抱いていた歴史のイメージとぴったり重なる。「歴史は思想や科学ではなく物語である」ということを改めて実感した〉

葛西は東大の岡ゼミのことをしばしば親しい友人にも語ってきた。ゼミは現実の歴史の場面として保守のあり様をとらえる訓練の場となったという。葛西は明治以降の名だたる政治家や運動家の研究をテーマにした岡ゼミで、とりわけ伊藤博文のライバルとして知られた明治の元老・山県有朋に惹かれた。安倍晋三に山県を描いた岡の著作『山県有朋　明治日本の象徴』（岩波文庫）を手渡し、山県のような政治家を志すよう諭《さと》したほどである。葛西が師と仰いだ山県は、ライバルの伊藤が暗殺された後、権力を手放す危うさを実感し、生涯、その座に執着した。

そんな葛西が就職先として国鉄を選んだのは、偶然と言ってもいい。大学4年のとき、たまたま学生証と定期券を落とし、中央線沿線の荻窪駅に受け取りに行った。就職は駅の助役から「東大法学部の学生が国鉄に入社すれば10年で部長になれる」と薦められたのがきっかけだという。10年で部長はさすがに言い過ぎだが、63年4月、国鉄に入社した葛西は順調に出世した。そして国鉄改革に遭遇したことから、黒幕としての歩みを始める。

瀬島龍三を後ろ盾に「国鉄改革3人組」として暗躍

国鉄は1987年4月、北海道旅客鉄道（JR北海道）、JR東日本、JR東海、西日本旅客鉄道（JR西日本）、九州旅客鉄道（JR九州）、四国旅客鉄道（JR四国）の旅客6社と日本貨物鉄道（JR貨物）の7社に分割民営化された。当時の中曽根康弘内閣が国鉄時代の累積赤字解消を謳《うた》い、分割民営化に踏み切ったのである。

労働組合問題が国鉄赤字の元凶として批判され続けた国鉄改革は、政治的な色彩も濃かった。改革の旗を掲げた自民党の中曽根は、日本社会党の支持母体である最大労組の国鉄労働組合（国労）の弱体化を目論んだ。国労は日本最大の労働組合であり、戦後の保守政治にとって最も手ごわい相手だったと言える。

終戦半年後の46年3月に開かれた国労の第1回中央大会では、組合員数が50万8656人、組合加入率96％と発表された。中曽根は鈴木善幸内閣時代に設置された「第二臨時行政調査会」会長の土光敏夫を中心にして、日本電信電話公社（NTT）や日本専売公社（JT）、日本国有鉄道（JR）といった三公社五現業の民営化を進めた。首相となったあと中曽根は、全国に展開している国鉄を分解すれば事実上国労を解体できる、と考え、単なる民営化ではなく分割に踏み切ったのである。

そんな国鉄の分割民営化で活躍した若手職員が葛西、井手正敬、松田昌士の通称「国鉄改革3人組」だとされる。3人組のなかで葛西は最も若く、先鋭的だった。81年4月、仙台鉄道管理局総務部長から本社の経営計画室計画主幹と総裁室調査役という肩書を与えられた葛西は、第二臨調のメンバーであり、中曽根のブレーンだった瀬島龍三と知り合う。陸軍大学校を首席で卒業した瀬島は戦中、関東軍の参謀として鳴らし、戦後、伊藤忠商事の会長に就いて、ときの政権を裏から操ってきた。文字通りの中曽根政権の参謀と言える。国鉄だけでなく、JALの民営化でも、幹部人事に力を発揮した。

葛西はこの瀬島を師事し、自らの後ろ盾にした。他の2人に先んじて国鉄の分割論を唱えた。3人組の1人だった井手は経営企画室の筆頭主幹であり、葛西の上司にあたった。こう説明してくれた。

「われわれは分割論にまではなかなか踏み込めなかったのですが、葛西君は真っ先に検討すべきだと言っていました。それも動労の松崎明と組んでね。私は危険だと思ったのですが、葛西君はそうは感じなかったのでしょうね」

動労＆革マル派の松崎明を抱き込んで切り捨てる

葛西の戦略は、国鉄で過激な労働組合運動を展開してきた「国鉄動力車労働組合」（略称動労）を重用し、国労を抑え込もうというものだった。動労を率いた執行委員長の松崎は、活動母体である新左翼過激派「日本革命的共産主義者同盟革命的マルクス主義派」(通称革マル派)の元副議長であり、危険人物と見なされていた。葛西はその動労を抱き込むために松崎と意を通じ、国労解体に向けて奔走した。政治的には三塚博が所管の運輸大臣となり、3人組の残る井手や松田らも加わって分割民営化を進めた。その結果が旅客部門の6社、貨物部門の1社というJRの誕生である。

そして葛西は分割民営化後のJR東海で総合企画本部長に就いた。そこから常務、副社長、社長と駆け上がっていく。国鉄改革3人組の残る2人と同様、分割民営化の時点でJR東海の実権を握ったと言える。

ところが、ここで問題が発生する。葛西はJR東海が誕生する前後、反動労に舵を切った。葛西の動労切りの象徴的な出来事として語られるのが、松崎の腹心中の腹心と呼ばれた佐藤政雄の扱いである。

国鉄には長年、東海道新幹線と山陽新幹線の運行管理をしてきた新幹線総局という部署があり、国労や動労などの各労働組合がそこに地方本部(地本)を置いてきた。動労に限らず、労働組合にとっての新幹線地本は、国鉄収益の中核を担う新幹線事業における活動拠点となる。それだけに組織にとって最も重視されてきた。

佐藤はその動労新幹線地方本部で委員長を務めてきた幹部組合員だ。自分自身は革マル分子ではないと公言してきたが、新幹線地本時代に松崎と行動をともにするようになり、2人はやがて切っても切れない間柄となる。国鉄職員局の元幹部職員が説明してくれた。

「松崎の目に留まった佐藤は国鉄改革のとき、新幹線地本の委員長から動労中央本部の副委員長に抜擢《ばってき》され、メキメキ頭角を現していきました。一方で革マルではないと言ってきた佐藤は、過激な組合活動には加わっていないはずでした。ところが、ある日、内ゲバに巻き込まれて瀕死の目に遭うのです」

葛西たち国鉄改革3人組が主導した国鉄分割民営化に協力し、国労の排除に成功した動労の松崎は民営化2カ月前の87年2月、会社寄りの鉄労や全施労、国労から分派した真国鉄労働組合(真国労)などを抱き込み、全日本鉄道労働組合総連合会(鉄道労連)を結成した。鉄道労連はJR各社の労働組合の連合体と位置付けられ、初代会長には鉄労の志摩好達が就任した。ただし、組織内における松崎の存在感は際立っていた。

そして松崎は民営化後、鉄道労連を動労中心の全国組織「JR総連」(正式名称は鉄道労連と同じ)と改め、そのとき傘下団体として自ら所属する労働組合をJR東日本旅客鉄道労働組合(JR東労組)と改めた。このJR総連を使って国労にとって代わり、全国の労働運動を支配しようと目論んだのである。

その過程では、騒然な内ゲバが頻発した。新幹線地本時代に松崎に見出され、動労中央本部の副委員長として松崎の右腕となってきた佐藤は、鉄道労連の組織化に向けて奔走してきた中心人物だ。まさに鉄道労連を立ち上げたその矢先、ヘルメットに目だし帽姿の6人組に襲われたのである。

鉄パイプで全身を滅多打ちにされた佐藤は、両手両足を粉砕骨折して病院に担ぎ込まれ、辛うじて一命をとりとめる。松崎にとっては自分自身の身体の一部を痛めつけられたような感覚に陥ったに違いない。のちにこの暴行事件は、動労にいながら松崎を信奉せず、革マル派と対立した中核派が犯行声明を出した。このとき中核派はすでに千葉動労として分裂しており、国鉄における労働組合組織の覇権争いから発生した事件だったのは、誰の目にも明らかだった。

民営化後の松崎は自らJR総連の副委員長となり、JR東労組委員長を兼務した。国鉄時代の動労新幹線地本を率いた佐藤をJR東海に送り込んだ。と同時に、佐藤はJR総連傘下のJR東海労組委員長に就き、民営化後の組合運動を担うようになる。

そしてこうした松崎や中核派の動きに危機感を抱いたのが葛西だったのである。葛西は革マル派の拠点となってきた動労と手を切る手段として、先の鉄道労連を使った。

“革マル”松崎対策で警察官僚とのパイプを築く

国鉄が民営化されてわずか3カ月のことだ。鉄道労連の初代会長だった鉄労出身の志摩は松崎のやり方に反発し、JR東日本常務の松田にJR総連から脱退する意向を告げ、さらにJR西日本副社長の井手にも会った。87年6月のことだ。志摩は井手に言った。

「俺たちは松崎と手を切るために、動労との連合をやめて鉄道労連(JR総連)を飛び出したい。鉄産労(旧国労主流派)と組みたいと思う。実はこのことは東日本の松田にも相談し、了解を取ってある。井手さんも賛成してくれないか」

井手は志摩に対し、JR総連にとどまるよう説得した。だが、流れは止まらなかった。旧鉄労系の組合員たちがJR総連から脱退し、新たに日本鉄道労働組合連合会(JR連合)の結成へとつながっていく。元JR東海幹部が述懐する。

「これらの動きにいち早く呼応し、松崎の反対に回ったのが、葛西さんでした。その動きがJR西日本、四国、九州へと広がっていった。この際、動労の連中とは決別しよう、という話になっていったのです」

具体的には鉄労系の色が濃かったJR西労組やJR九州労組、JR四国労組の3組合がJR総連から抜け、JR東海労組では旧動労から独立してJR東海ユニオンが結成された。これらJ

R総連から脱退した組織が、旧国労系で前述の鉄産労の上部組織、日本鉄道産業労働組合総連合（鉄産総連）と合流し、1992年5月18日にJR連合を結成したのである。

葛西はこの反動労、松崎切りの陣頭指揮をとるようになっていった。とうぜん松崎や革マル派と揉《も》めた。

〈この資料はJR東海の社員である小沢三郎氏が同社副社長の葛西氏と直接電話で話したものです〉

そう書かれた文書が、全国のJR各社首脳のところへファクスや速達郵便で届いた。文書の差出人は「JR東海社員有志」となっている。その背後に松崎一派がいた。むろん「小沢三郎」は架空の人物であるが、そこに書かれている事実は存在した。生々しい録音の文字起こしが関係者を驚かせた。電話の相手は次のように葛西に迫った。

「ロビーの前で女性と会って、そこにお入りになった。とぼけたことを言うんなら部屋まで行ってビデオを見せましょうか。うちの社員、5～6人、そこの下にいるんだから、今、行きますよ」

通話時間は40分ほどだ。実際に電話を受けた葛西本人は生きた心地がしなかったに違いない。葛西スキャンダルはJR各社だけでなく、国鉄清算事業団や運輸省の幹部、新聞各社にもばら撒《ま》かれた。葛西は松崎対策のために国の治安機関を頼った。それがのちの警察官僚とのパイプとなり、当人の強力な武器となるのである。

JR東海の天皇として君臨、国家公安委員にも

葛西は警視庁警備局長になったばかりの杉田を趣味の謡曲の会に誘い、親しくなった。内閣危機管理監を最後に退官した杉田の長男がJR東日本の就職試験に落ちたと聞きつけると、親子ともどもJR東海で面倒を見ようとする。杉田をJR東海の顧問に向かえ入れ、長男も東海に入社した。

04年8月から07年8月まで警察庁長官を務めた漆間《うるま》巌もまた、葛西の警察人脈の中心だ。96年8月から務めた愛知県警本部長時代にJR東海社長だった葛西の知遇を得た。杉田の3年後輩にあたる69年入庁だ。

漆間は愛知県警本部長から99年1月に警視庁副総監となり、01年5月警察庁警備局長、02年8月警察庁次長、04年8月警察庁長官と順調に警察キャリア官僚のエリート街道を駆けあがっていった。実父や実兄も同じ警察官僚で、のちに「後藤田正晴2世」と異名をとるほど、政策に影響力があった。小泉政権時代の06年2月、警察庁長官として葛西を国家公安委員に推挙した。

かたや葛西は90（平成2）年6月にJR東海の常務取締役総合企画本部長から副社長に昇進し、95年6月には社長に就く。女性スキャンダルは社長を目前にした頃だ。それを乗り切った葛西は名実ともにJR東海の天皇として君臨していく。04年6月から代表権を

もったまま会長になる。

漆間の推挙により国家公安委員に選ばれた葛西は、そこから11年2月に、みずほフィナンシャルグループ元会長の前田晃伸と交代するまでの5年にわたり、国家公安委員を務めた。警察庁長官と国家公安委員として、葛西と漆間の距離がますます縮まったのは言うまでもない。葛西は国家公安委員のあと、さまざまな政府審議会の委員を務めるようになる。

ちなみに漆間は安倍とも親しい。小泉政権時代に5人の拉致被害者を奪還した訪朝の立て役者の1人である。漆間は小泉政権で政務の官房副長官と自民党幹事長を歴任した安倍を支えてきた。警察庁長官在任期間の後半は、第一次安倍政権時代でもあった。第一次安倍政権末期の07年8月に警察庁長官を退任するが、福田康夫政権を経て翌08年9月に麻生太郎内閣で官房副長官となる。現在、日本最大の住宅メーカー「大和ハウス工業」顧問の漆間本人に会うことができた。漆間は葛西との出会いについて、改めて詳しく説明してくれた。葛西の生前のことだ。

「たしかに私は愛知県警本部長時代から葛西さんとお付き合いが始まり、個人的にも親しくさせていただいています。最初の出会いは平成8(1996)年の夏でした。私が愛知県警の本部長になり、葛西さんはまだJR東海の社長だったと思います。たしか在来線の列車と自動車の事故があり、私が事故処理をめぐってJR東海と県警との調整をしました。その関係があって、別の席で葛西さんとお会いしたのが初対面でした。ふつう県警の本部長と地元財界との付き合いはありませんが、名古屋には市章から由来する『丸八会』という集まりがあり、そこに中部財界のお歴々、警察庁や検察庁の関係者が参加しています。準会員が『なつめ』など夜のクラブのママたちという風変わりな懇親会です。私はその丸八会の世話役をやっていたので、中部財界の方々との交友はありました。ただ、葛西さんは丸八会には入っておらず、言ってみたら私とは個人的付き合いをしてきました。事故をきっかけに知り合い、何度会ったことがあるか、数え切れません」

葛西と漆間の共通の趣味の一つにクラシック音楽がある。音楽を通じ2人の交友は30年近くにのぼってきたという。

「葛西さんはもっぱら聞いているほうで、楽器を演奏している姿はあまり記憶にありません。JR東海には琵琶湖の近くに研修所があって、そこに私の音楽仲間が呼ばれて演奏したりしていました。私自身、バイオリンとかチェロの演奏者とサロンコンサートをやってきましたけど、そこに葛西ご夫妻がいらしたこともありました」

財界人のクラシック好きは珍しくないが、葛西のそれはあまり知られていないかもしれない。葛西はプロの作曲家だけでなく、素人音楽家たちまでバックアップし、ＪＲ東海はさまざまなクラシックコンサートのスポンサーになってきた。国家公安委員時代の葛西について、漆間はこう評価する。

「博覧強記の葛西さんの知見を生かそうと公安委員になっていただきました。葛西さんは国鉄改革3人組の1人として革マル対策をしてこられた。旧国鉄時代には地方の管理局総務部長や職員局次長を歴任し、組織の統率力という観点からも公安委員に適していると考えました。いわゆる鉄道公安という面で国鉄時代から警察とのつながりもあり、警察のこともよく知っておられると思いますし、やってみたいという気があったのかもしれません。私の申し出を二つ返事で喜んで引き受けていただけました。当時の国家公安委員長は沓掛哲男さん。公安委員会はいろいろ意見が出ますから、葛西さんにはそれを非常にうまくまとめていただいた覚えがあります。

　あの頃はインドネシアのバリ島で国際テロ事件が起き、それに対して葛西さんも関心を持っておられた。好奇心の塊みたいな人で、革マル対策など自分の実体験をもとにいろんな場でお話しされる。そのあと安倍さんが総理大臣になりましたが、最終的に公安委員を決めるのは総理で、お2人はよくご存じの間柄ですから、葛西さんがそのまま公安委員を務められたのでしょう」

　葛西は国家公安委員として多くの警察幹部を知るようになる。現官房副長官の栗生俊一や前警察庁長官の中村格《いたる》、そして杉田といった警察エリートたちだ。第一次安倍政権の崩壊後、葛西は警察官僚たちと親交を深めていった。

官邸人事も政策も、葛西に乗っ取られた10年

　なかでもＪＲ東海の顧問だった杉田は、後輩警察官僚の北村滋や栗生俊一、前警察庁長官の中村格といった葛西の警察人脈の中心として機能した。さらに安倍・菅政権後の岸田文雄政権では、杉田の後任として官房副長官に栗生が就き、政務秘書官には元経産事務次官の嶋田隆が就任した。嶋田は経産省きっての原子力発電推進派として知られる。それらもまた葛西人事とされた。原発から生じる核のゴミを宇宙に捨てる。それも葛西の考えだった。

　葛西敬之は首相官邸の中枢と意を通じてきた。鉄道人生の総仕上げとして、リニア中央新幹線を実現させる。それが悲願だった。安倍・菅政権のあと、岸田内閣の要に栗生や嶋田を送り込んだのもそのためではなかったか。ただし、2人が岸田政権で機能しているとは言いがたい。

　死を覚悟して病床に就いた最後のフィクサーは、安倍晋三に自らの夢を託すつもりでいたのであろう。その安倍が凶弾に倒れたのは、葛西の死からひと月後の出来事だった。日本を揺るがせたその激震は、今なお収まらない。

（敬称略）

菅義偉、二階俊博、SBI北尾吉孝の人脈交差点

大樹総研・矢島義也

令和のフィクサー&永田町の政商と呼ばれる男

半田修平▼フリーライター／「アウトサイダーズ・レポート」主宰

芸能事務所経営から政官財界の人脈交差点に。菅、二階、SBI北尾とも親密。落選政治家の“受け皿ビジネス”とも揶揄され、顧問先企業の中には、投資詐欺や不正会計も発覚。

令和の〝政界フィクサー〟〝永田町の政商〟と呼ばれる人物がいる。東京・銀座に本拠を置くシンクタンク「大樹総研」を率いてきた矢島義也（現・大樹ホールディングス会長）だ。

その人脈の広さは、政官界から財界にまで及び、2016年5月に帝国ホテルで開かれた矢島の「結婚を祝う会」の席次表（248頁参照）を見れば、一目瞭然である。

主賓は官房長官（当時、以下同）の菅義偉。来賓には自民党の二階俊博幹事長、遠藤利明五輪担当相、馳浩文科相、後の菅政権で官房長官となる加藤勝信一億総活躍相など、政府与党のトップクラスが並ぶ。菅・二階が乾杯の音頭を取り、安倍晋三総理もビデオメッセージを寄せたという。

野党・旧民主党からも、元首相の野田佳彦、細野豪志、山尾（菅野）志桜里、安住淳といった有力議員が列席。集まった与野党の現職国会議員は60名を超えた。

さらに、トップクラスの官僚も多数参加している。

財務省からは、岡本薫明官房長、福田淳一主計局長、迫田英典理財局長ら10名以上が、経産省からも、後に官房長となる多田明弘（当時、資源エネルギー庁電力・ガス事業部長）ら十数名、さらに法務省からは、安倍官邸一強政権の守護神の1人とも呼ばれた黒川弘務官房長（後に賭け麻雀問題で失脚）や文科省、外務省などの官庁からも官房長クラスが集まった。錚々《そうそう》たる顔ぶれである。

とりわけ矢島が太いパイプを持つのが、安倍政権を支えた菅・二階だろう。矢島が千葉県横芝光町に構えた接待所「大樹庵」の庭に建立された「世界津波の

日」の記念碑には、二階とその側近・林幹雄の名が刻まれている。一方、菅は16年末に開かれた大樹総研の忘年会に駆けつけて挨拶をしていた。

また、SBIホールディングス会長・北尾吉孝との関係も親密で、2020年9月、菅が総理に就任した直後、北尾と面談しているが、大樹総研が間を取り持ったとも言われる。SBIはその後、金融庁が進める地銀再編で主導的立場に位置づけられた。

大樹総研の矢島は、いかにして政官界・財界に草の根を張ったのか。そのバックグラウンドは、エスタブリッシュメントとはほど遠く、大樹総研の顧問先には、不正会計に手を染める医療ベンチャーや再生エネルギー会社なども連なってきた。

矢島義也とはいかなる人物なのか。

芸能事務所経営から、落選政治家の受け皿ビジネスに

1961年、長野県箕輪町に生まれた矢島は、県内の私立高校卒業後、専門学校に進み、父親の会社が始めたゴルフ関連の仕事で、会員権ビジネスを手掛けた。バブルの波に乗って利益を上げて上京。渋谷・神宮前でのバー経営、芸能事務所の設立など派手な業界に身を置くようにもなった。

矢島の名前が初めて世間の耳目に触れたのは、スキャンダル雑誌『噂の眞相』99年8月号に掲載された記事「若手有名俳優たちが毎夜通って来る　秘密乱交パーティを遂に発掘スクープ」。ジャニタレなどのタレントと女性を集めた乱交パーティーの仕切り役として実名が報じられたのだ。

記事によれば、矢島の経営していたバーに通うTBSの社員と親しくなり、ドラマに出演するタレントの息抜きの場として、乱交パーティが企画されるようになったという（矢島は週刊誌の取材に「あれをやったのは僕じゃない」と否定）。

記事によれば、矢島はTBSの編成局にも食い込み、ゴルフコンペを仕切る立場にもなったという。今で言うアテンダーのごとく〝人間交差点〟ぶりを発揮していたのかもしれない。

翌2000年になると、その年の6月に行われた総選挙で民主党から初当選した牧義夫（現・立憲民主党）の秘書の名刺を持って、永田町界隈に出入りするようになった（牧の事務所は後に出入り禁止）。また、松野頼久、松下政経塾出身の鈴木康友（現・静岡県知事）、といった民主党の同期当選組とは、「個人的な付き合い」の関係にあったという。

07年になると、矢島は前述の鈴木康友とともに、大樹総研の前身「S&Y総合経済研究所」を銀座に立ち上げ、10年に大樹総研と商号を改めた。

関連会社の役員には、元神奈川県藤沢市長の海老根靖典や元神奈川県議会議員の勝又恒一郎といった、松下政経塾出身者が目立つ。民主党や松下政経塾のつながりで、政界人脈を広げていったことが見て取れる。矢島は09年、民主党が政権与党になると、「財務大臣　野田佳彦」の名刺を銀座のクラブでちらつかせていたとも言われる。野田は前述の鈴木康友とは、松下政経塾の同期だった。

大樹総研は、研究所・シンクタンクを主な業態としているが、具体的な事業の中身は、外からは見えにくい。

大樹総研は、落選した元政治

家や元官僚を講師に招いた会合を開いてきた。

例えば、自治体トップを集めた「先進自治研究会」。宮城県の村井嘉浩知事、埼玉県の上田清司前知事（現・参議院議員）をはじめ、神奈川県や静岡県内の市長20名弱がメンバーとなり、現役の霞が関官僚や財務省の元事務次官・勝栄二郎などが招かれてきた。この勉強会は定期的に開かれ、中華料理店や寿司店での会食もある。

国会議員がメンバーの「新世代国家研究会」もあり、11年に開かれた第1回の集まりでは、「わが国危機管理の現状と課題　東北関東大震災を踏まえて」と題して、民主党政権で防衛大臣政務官を務めていた長島昭久が、第2回は民主党の議員・樽床伸二、第3回は同原発担当大臣・細野豪志が講師として招かれ、同年11月の第4回の昼食会には、

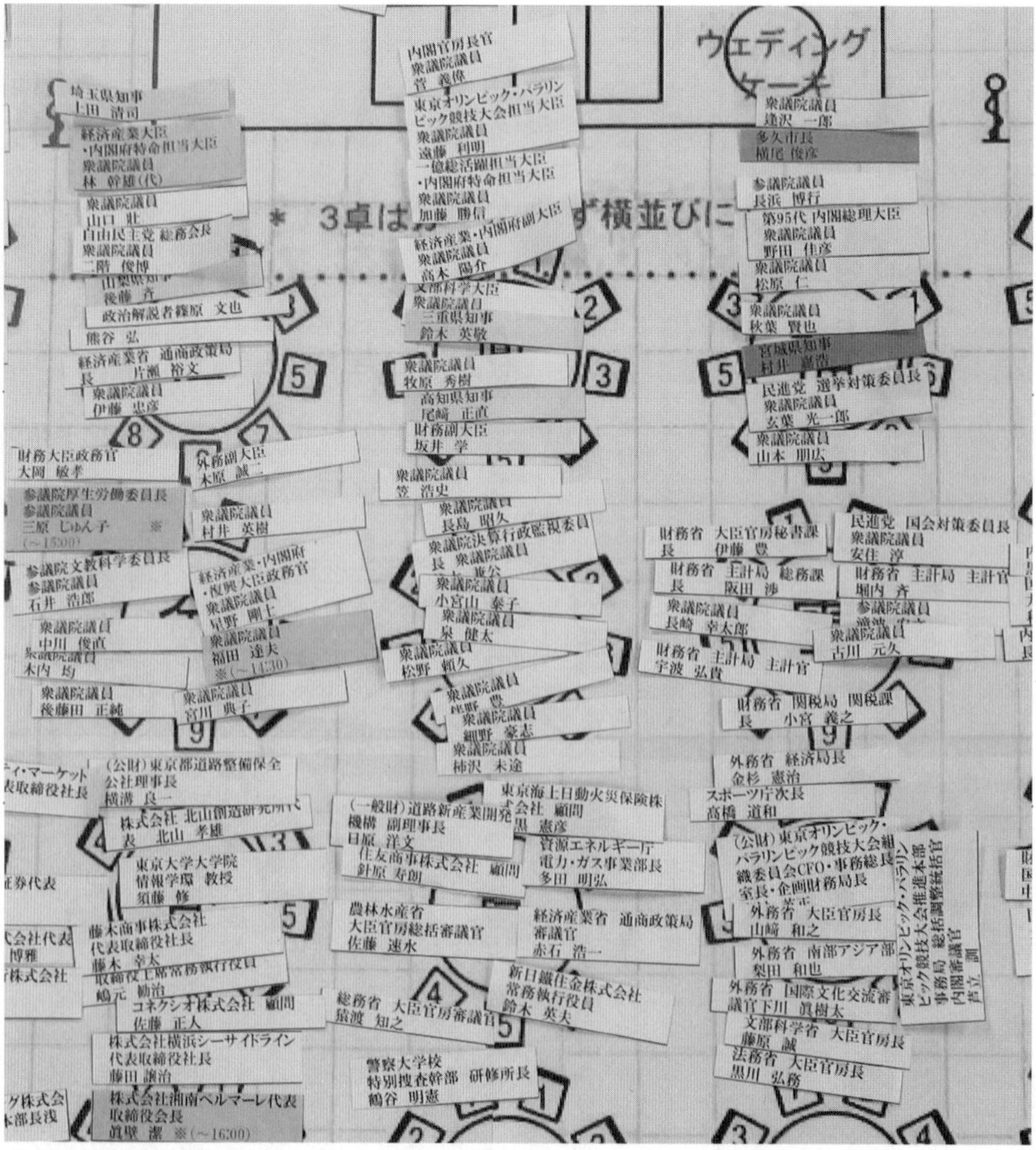

2016年5月に帝国ホテルで開かれた矢島義也の「結婚を祝う会」の席次表（部分）。政官財界の錚々たる顔ぶれ

下野していた自民党の菅義偉がゲストとして招かれた。

こうした会には、SBIグループや新生銀行（現・SBI新生銀行）、外資系金融機関、ゼネコン、広告代理店などの政界や行政と接点を持つ企業の担当幹部や社員も参加してきた。

もっとも、大樹総研の収入の軸はこうした勉強会ではない。企業から得る顧問料である。その金額は月額数十万円から数百万円に上り、例えば新生銀行は16年頃、大樹総研に月額50万円の顧問料を支払うだけでなく、グループ企業の新生フィナンシャル株式会社も100万円を超える顧問料を支払っている。年間顧問料はグループ全体で1000万円を超える計算になる。

大樹総研は、こうして集めた顧問料などを財源にして、落選中で経済的に苦しい元政治家や官僚OBを養ってきた。「客員研究員」「研究員」などの肩書で木内孝胤や田村謙治、伴野豊、山尾（菅野）志桜里ほか、落選経験のある元議員を在籍させてきた。落選中に関連会社の役員に就かせた例もあり、落選政治家の〝受け皿ビジネス〟と揶揄《やゆ》される所以《ゆえん》である。

現役の政治家では、岸田文雄総理の最側近で元財務官僚の木原誠二前官房副長官が、09年の総選挙で落選した際、大樹総研に特別研究員として迎えられ、浪人時代を経て12年の総選挙で国政復帰している。

北尾吉孝のSBIと金融族、金融庁OBとの人脈交差点

矢島にとって幸運だったのは、政官界に足を踏み入れた直後、政権が混迷したことだろう。民主党の政権奪取（09〜12年）と自民党による政権奪還である。

民主党政権下では、知己の松下政経塾出身議員が権力の中枢に入った。一方、下野した自民党議員にも接近し、その後泥船化した民主党との心中も避けられた。さらには、政権中枢との距離をいかして、霞が関の官僚に人脈を張り巡らすこともできた。

前述の自民党・木原誠二が落選中に大樹総研にわらじを脱いだのは、矢島と知己の間柄にあった元財務事務次官・勝栄二郎の紹介だったという証言もある。

かつて大樹総研のクライアントだった企業経営者が言う。

「矢島さんは、『政治家にカネを使う前に、官僚にカネを使え。官僚を止められたら、大抵のことはなんでも止まる』と常々言っていました。政治家は口ばかりでたいして役人を動かせない。だから俺は、いつも官僚をゴルフに連れていって必死に接待しているんだ、と。実際、千葉の大樹庵には、一本何十万円もするワインがあって、それを官僚に持って帰らせる。銀座の女の子を呼んで飲めや歌えのどんちゃん騒ぎをやって、泊まりたい人は泊まっていけるんです」

矢島が接待に多額のカネを使えるのは、前述の通り顧客企業から多額の顧問料を得ているからだ。企業側には、政治や行政の勉強をしたいという純粋な思いがあるのかもしれない。だが年間、数百万円にものぼる多額の顧問料を出す背景には、別の思惑が見え隠れする。

例えば、大樹総研と関係が深いSBIグループは、取締役に野田佳彦政権で内閣府副大臣、内閣府特命担当大臣として金融分野も担った中塚一宏を迎え入れた。他にも、元金融庁長官の五味廣文、元金融庁審議官の乙部辰良、長谷川靖などを続々と要職に就けてきた。セクハラ疑

惑で辞任した元財務事務次官の福田淳一も、今はSBIの取締役に収まっている。

SBIと政官界の人脈の接点は大樹総研と考えられる。矢島は、前述の菅前総理と北尾の面談を仲介しただけでなく、それ以前から金融庁OBとSBIをつなげてきたのだ。

矢島は、野田佳彦が菅直人内閣で財務大臣に就任（10年6月）する前後の時期、金融庁の首脳と定期的に会食していた。その席に頻繁に顔を出していたのが、SBIホールディングスと言われる。

2016年8月「大樹庵」での会食の様子。右から2人目が矢島義也、3人目が二階俊博。SBI北尾吉孝も参加した

SBIが政治家や金融庁OBを受け入れるのは、新興の金融機関として、規制当局である金融庁と親密な関係を築くためだろう。かように、企業側が大樹総研に支払う顧問料は、規制当局に対する「用心棒代」に近しいものとなる。

企業にとっては、大樹総研が政治家や官庁との間に一枚入ることで、必要な時にだけ仲介を頼めるというメリットもある。この点こそが、矢島が〝令和のフィクサー〟〝永田町の政商〟と呼ばれる所以だろう。

投資詐欺で破綻した JCサービスから 5億円の顧問料

大樹総研が注目されるきっかけとなったのが、JCサービス（社長＝当時＝中久保正己、21年10月破産手続き開始決定）という太陽光発電関連の会社との関係だ。過去に倒産歴のある中久保は、銀行から融資を受ける信用力がなく、16年からソーシャルレンディングという金融インフラを通じ、多額の資金を集めるようになった。

ソーシャルレンディングとは、銀行融資やベンチャー投資などで資金調達できない事業者が、インターネットを介し、不特定多数から資金を募集するクラウドファンディングの一種だ。クラウドファンディングは当初、慈善事業や稀少性の高い伝統工芸品に対する支援目的が大半で、資金提供の見返りは、物品でのお礼や事業報告が中心だった。

ところが、低金利下の日本で、クラウドファンディングは変異する。投資家への見返りを「金利」とする融資型クラウドファンディング＝ソーシャルレンディングが注目を集めるようになったのだ。数十万から数百万円の小口投資から始められる手軽さ、「金利収入」が得られる安心感から、カネ余りの日本で膨張。ソーシャルレンディングの市場規模は、数年間で数千億円にまで拡大した。

そしてその投資対象は、太陽光発電所建設のための地上げなど、既存金融が手を出さないリスクの高い案件ばかりとなった。

この「ソーシャレバブル」に躍ったのが、金融業者・瀧本憲治が創業したmaneoマーケットだ。maneoは、投資家と資金を求める業者を仲介するサイトを運営。最盛期には、1000億円を超える資金を集めていた。

JCサービスは、このmaneoを通じ、10％超の金利を謳《うた》って資金調達を開始し、2年後の18年には募集総額が200億円を超えた。maneoの募集実績の約2割はJCサービスの旺盛な資金需要に支えられていた。

だが、JCサービスの実態は、元利金の返済に別の投資家から集めた資金を充てるだけの自転車操業、いわゆるポンジ・スキーム（投資詐欺）だった。筆者は18年4月、JCサービスに取材を申し入れ、翌月ウェブサイト「アウトサイダーズ・レポート」でその実態を記事にした。そして翌6月下旬、maneoに関東財務局の検査が入る。

さらに6月末、全国メディアにこの問題が波及。17年10月に行われた衆院選の投開票日3日前、JCサービスの子会社・JC証券が、細野豪志（17年9月に民進党を離党し希望の党設立）に5000万円を提供していたことが発覚。『朝日新聞』がそれを報道し、騒ぎが大きくなった。

そして同年12月、関東財務局がJC証券に対し、細野への資金提供について報告徴求命令を出すと、細野は翌18年2月、5000万円を「借入」扱いにするため、政治資金収支報告書の訂正を行っている。

一方、maneoには同年7月に行政処分が下され、JCサービスのファンドは募集停止、百数十億円に上る投資家への返済は凍結となった。

JCサービスで多数の投資家が被害に遭うなか、同社から多額のカネを受け取っていたのが、矢島義也の大樹総研である。

大樹総研のグループ各社は、17年頃からJCサービスと相次いでコンサルティング契約を締結。業務委託料として、合計約5億1000万円もの資金を吸い上げていたのだ。

契約時に委託された業務内容は、〈バイオマスプロジェクト総合コンサルティング事業に関連するキーパーソンとの折衝〉や、〈関連する官公庁との折衝若しくは面談の調整〉、〈関係各所へのロビー活動〉など。さらにJCサービスは、大樹総研と関係の深い元議員や元官僚などを顧問や嘱託として雇い、カネを支払っていた。

内部文書からいくつか例を挙げると、財務省出身の元議員・和田隆志は、JCサービスの社長室に勤務し、月97万2000円の給料を得ていた。

また、鳩山由紀夫内閣で内閣府大臣政務官を務め、大樹総研の執行役員となっていた田村謙治も月54万円の給料を貰っていた。2人はJC証券の取締役にもなっている。

ほかにも、民主党の元職では、元環境大臣政務官の大谷信盛、「小沢ガールズ」として注目を浴びた太田和美、国会経験はないが細野豪志の元秘書で元環境省職員の松尾勉、元郵政官僚で日本維新の会国会議員団国会対策委員長などを務めた石関貴史、日本維新の会国会議員団幹事長などを務めた松浪健太。さらに16年に財務省を退官し、21年の衆院選に熊本2区から出馬した西野太亮……彼らも月々10万～30万円の顧問料をJCサービスから受け取っていたと記されている。

またJCサービスは、大樹ホールディングスと大樹リサーチ&コンサルティングの2社に対して、毎月合計で172万8000円の顧問料も支払っていた。

細野豪志は矢島と昵懇《じっこん》の間柄にあり、JCサービスをつないだのも大樹総研だろう。しかしなぜ、JCサービスは大樹総研に多額のカネを支払ったのか。

不正会計に手を染めた再エネ事業者の〝転売先〟に

ＪＣサービスは、前述の通りｍａｎｅｏを通じて、２００億円を超える資金を調達。多額の資金を集められた理由は、11～13％という高い利回りを約束していたからだ。

だが、これだけの金利を投資家に支払うには、売電価格の高い太陽光発電所の開発案件を安く買い取り、できる限り低コストで土地を造成し、高値で転売する必要がある。

ところがＪＣサービスは、１つの案件をネタに何度も資金を回す「自転車操業」に陥っていた。こうなると、膨らんでいく金利を清算できない。そこで、政治の力を借り、ミラクルを起こそうと考えたのではないか。

ＪＣ証券が細野に５０００万円を提供した頃、ＪＣサービスは福島県で大規模な太陽光発電所の建設計画を進めていた。

だが、開発地域周辺で福島大学が希少生物ゲンゴロウの研究を進めていたため、開発計画の変更を迫られる危険が生じた。そこで、野田政権下で環境大臣も務めた経験のある細野に資金提供することで、環境アセスメントを所管する環境省に掛け合ってもらおうという思惑があったと指摘されている。

しかし結局、環境省が手心を加えることはなく、ＪＣサービスは破綻に追い込まれた。

加えて、財務・金融人脈に強い大樹総研に多額の顧問料を支払っても、関東財務局もＪＣサービスを追及した。果たして、大樹総研に支払った5億円のコンサル料や細野への５０００万円の資金提供に意味はあったのか。事情に疎い企業が、法外なカネを落としただけではないか。

ＪＣサービスに限らず、大樹総研と親密な関係にある会社は、不祥事を抱えていることが多い。

筆者が大樹総研を取材するようになったのは、前述した18年のＪＣサービスの問題がきっかけだが、実はその数年前から、企業不祥事の裏側で大樹総研の影はちらついていた。

14年末、再生可能エネルギー事業を展開する東証マザーズ上場の企業・エナリスに不正会計が発覚した。エナリスは一時、東証上場銘柄の中で、最も売買高が高かった日（14年1月16日の売買代金はソフトバンクの2倍）もあるほど、人気の銘柄であった。

創業社長の池田元英は、松下政経塾出身で、90年代の半ばに国会議員の中田宏（現・自民党参院議員）の秘書を務めていた。04年に再生可能エネルギー事業を標榜するエナリスを設立。10年頃までは、売上は1億円に満たなかったが、東日本大震災後に急成長し、売上は同年10月期約15億円、12年51億円、上場後初の決算となった13年は１０２億円を計上。時価総額は一時、１０００億円を超えていた。

しかし急成長の一方で、営業キャッシュフローは2期連続の赤字で、売掛金の回収期間が長期化していた。加えて、純資産６０００万円、純利益わずか50万円程度の会社を20億円で買収するなど怪しい兆候があった。

また、売上を１００億円の大台に乗せた決め手となったのが、10億円のバイオディーゼル発電設備の売却だった。しかし売却先は、実態不明の会社。売掛金回収の見込みがない相手に売上を計上することは、会計基準では認められていない。

筆者は14年10月にこの疑惑を、ウェブサイト「東京アウトローズ」で記事にした。直後に株価は2日連続のストップ安になり、エナリスは事実無根と主張して徹底抗戦してきた。だが、11月になると、第三者委員会が設置され、年末に公表された報告書では、記事で指摘された発電設備取引をはじめとした数々の不正会計が明るみに出たのである。

エナリスは「東京アウトローズ」に対する反論の中で、売掛金は回収できると主張。実態不明の会社が、問題の10億円の発電設備を別の会社に転売することで、回収できると反論したのだ。そして、この転売先の取締役に就いていたのが矢島だった。

エナリスが、いったん実態不明の会社に販売した発電設備をさらに転売することを目論んだのは、回収不能による損失を公表することで、不正な売上計上が表沙汰になるのを防ぐためだったのだろう。

新型コロナ治療薬の偽情報開示で株価20倍のテラ社も

大樹総研のこうした取引先はエナリスだけではない。09年にジャスダックNEOに上場し、その後不正会計が発覚した医療ベンチャーのテラ（22年に倒産）も、大樹総研が親しくしてきた会社の一つである。

東京大学医科学研究所出身の矢﨑雄一郎が設立し、樹状細胞ワクチン療法というがん治療法を、医療機関に提供する事業を行っていた。矢﨑は矢島の「結婚を祝う会」にも出席しているだけでなく、16年に関連会社を大樹総研に売却している。しかし同社も、上場前から不正会計に手を染めていた。

テラは著名な投資家の後押しを受けていた。ベンチャーキャピタル「東京大学エッジキャピタル」が上場前に投資し、資産運用会社「レオス・キャピタルワークス」の藤野英人が第三者割当増資を引き受けるなど、市場関係者からの信用は厚かった。

ところがテラは18年6月、タックスヘイブン（租税回避地）のラブアン島に所在する資金提供者不明のファンドに第三者割当増資を行う。

取材を進めると、収益源の大部分を占める医療法人が慢性的な赤字となっており、売掛金の回収が滞留。営業キャッシュフローの赤字も続いていた。テラが上場するジャスダックでは、営業利益・営業キャッシュフローが4期連続赤字となる場合、1年以内に赤字を解消できないと上場廃止になる。テラは営業利益が継続的な赤字で、14年から16年の決算まで営業キャッシュフローの赤字も続いていたため、上場廃止基準の一歩手前まで追い込まれていたのだ。

ところが17年に、テラは赤字体質の医療法人から多額の売掛金を回収。営業キャッシュフローの黒字をぎりぎり維持。このタイミングで、矢﨑が保有するテラ株を時価の3分の1程度の価格で相対取引により売却するなど、奇妙な動きがあった。

筆者は18年8月、株式売却や売掛金回収の疑惑について「アウトサイダーズ・レポート」に記事を発表。その数日後、テラでは第三者委員会が設置され、同年9月の報告書で上場前から続く不正会計が明らかになった。

テラは不正発覚後も上場を維持していたが、20年に矢﨑とレオス・キャピタルワークスは、竹森郁という人物に持ち株を売却する。竹森は10年に東松山市の市長選に出馬したという経歴の持ち主だが、詳しい背景事情は不明だ。矢島とも交友関係があり、テラと竹森の接点となったのは大樹総研と考えられる。

竹森はテラの実権を握ると、当時、世界で蔓延していた新型コロナウイルスの治療薬に関する虚偽の情報をテラに開示させ、短期間で株価を20倍に高騰させた。高値圏で売り抜け、多額の売却益を得たとされる。

加えて、竹森は20年10月、大樹総研の関連会社から香川県内の太陽光発電所の開発権を15億円で取得している。テラ株売買で得たカネが大樹総研に流れたのである。

大樹総研が買い取った疑惑の太陽光発電所開発計画

この香川県の太陽光発電所も疑惑の案件である。

もともとは、前述のＪＣサービスが、香川県の溜め池の上に太陽光パネルを浮かべるという計画ありきの開発権だった。大樹総研は、件《くだん》のポンジ・スキーム報道後、実質的に経営破綻したＪＣサービスからこの開発権を取得している。

だが、そもそもＪＣサービスはカネを集めただけで、地元の合意形成といった実務はほとんど行っていなかった。まさに絵空事だったのだ。

その頃、経済産業省が再生可能エネルギーの固定価格買取制度（ＦＩＴ）の見直しに着手していた。ＦＩＴの仕組みができたのは12年。この年から15年の間に認定を受けた発電所計画は、1キロワットアワー当たり30円～40円で電力会社に売電する権利を与えられている。しかし、権利を持ったまま未着工、開発許可を得ずに、計画だけが売買される案件が多く出回っていた。経産省はそうした「未稼働案件」への対応として、19年8月末までに工事着工の申し込みがない案件は、売電価格を現在の水準に戻すという規制を導入した。

大樹総研が手にした香川県の太陽光発電所の売電価格は32円だったが、仮に19年8月までに着工の申し込みが間に合わない場合、価格は16円と半減してしまう。売電価格が半分になれば、その太陽光発電所の総売電収入も半分になり、発電所の価値は大幅に下落する。だが、地元住民の理解を得るには時間がなさすぎた。

そこで代替案が浮上する。当初予定された溜め池から数キロほど離れた場所に、大江戸温泉物語が運営するレジャー施設「レオマワールド」がまとまった土地を持っていた。駐車場の上や空き地、溜め池にパネルを敷設すれば、最大出力16メガワットの発電所を敷設できる、という案だった。

大樹総研は大江戸温泉物語に接触。一方、発電所の名義会社が、経産省の窓口・四国経済産業局に「系統連系工事着工申込書」を提出したのは、提出期限直前の19年8月29日だった。その後、大江戸温泉物語側と土地の賃貸借契約を締結した。

大樹総研の利益のみを追求した大幅な計画変更かつ、急ごしらえの申請だったが、計画は受理された。だが、さらなる課題が浮上する。太陽光パネルを敷設できる面積が当初予定よりも縮小してしまったのだ。

8月末、名義会社が四国経済産業局に提出した工事着工申込書では、１枚当たりの出力が３７０ワットの太陽光パネルを４万３３０４枚敷設し、最大出力１万６０２２キロワットの発電所を作ると記されていた。用地が縮小すると、パネルは約３万８０００枚しか敷設できず。最大出力が減少してしまう。しかし、工事着工申込書はすでに提出されている。最大出力を下げる計画変更を行えば、原則的には、売電価格が下がってしまう。

発電能力の高いパネルを採用すれば、用地が縮小しても最大出力を維持できるが、経産省は、パネルの変更は着工申請書の提出前しか認めていない。売電価格がすえ置きのまま安いパネルを使うと、太陽光発電事業者が暴利を得ることになるからだ。

大樹総研はこの難局とどう対峙したのか。大樹総研は、経産省に新たな変更申請をせず、8月末に提出した工事着工申込書の一部を「差し替え」た。つまり、最大出力は1万6022キロワットのまま、太陽光パネルの枚数とパネルの出力を変更することに成功したのだ。

ソシャレ〝胴元〟の自殺、偽計取引疑惑で特捜部が捜査

経産省は20年6月8日、発電所の名義会社に変更認定通知書を交付している。それによれば、パネルの枚数は3万8609枚、パネル1枚当たりの出力は430ワットとなっている。変更の理由はなく、19年8月末の工事着工申込書を受けて、とされているだけで、差し替えの事実は一切記されていない。

また、大江戸温泉物語側との協議に使われた資料によると、20年1月頃までは、パネルの枚数は4万3000枚で調整されていたが、同年2月頃から3万8000枚の計画に変貌していた。新型コロナウイルスの感染が拡大し始めたこの期間に、「差し替え」があったと思われる。

「文書の差し替え」で実質的に規制逃れをするというのは、役人が考えそうなやり口である。経産省をはじめ政官界にパイプを持つ大樹総研だからこそ、こうした抜け穴を見つけられたのではないか。

この発電所の開発権は、竹森が取得した後の21年1月、前述のｍａｎｅｏマーケット元社長・瀧本の関連会社に再度転売された。この頃から、大樹総研の周囲が一気に騒がしくなる。

21年2月、証券取引等監視委員会が、テラの関係先をインサイダー取引の容疑で強制調査に入った。4月には東京地検特捜部が、ＳＢＩソーシャルレンディングから多額の資金を引き出していたテクノシステムの関係先に融資詐欺容疑で家宅捜索に入り、翌月に同社社長を逮捕した。

テクノシステムはＪＣサービスから引き継いだバイオマス発電所を融資詐欺の舞台装置に利用していただけでなく、香川県の発電所の買い手候補にもなっていた。

そうした中、6月には瀧本が日比谷公園の多目的トイレで変死体となって見つかる。関係者によると、ドアにカギを掛け、切った手首を洋式トイレの便器に突っ込んだ状態で見つかり、自殺として処理されたという。

特捜部は22年2月、竹森を偽計取引容疑で逮捕するとともに、大樹総研の事務所などにも家宅捜索に入った。大樹総研へメスが入るかと思われた。

ところが同年7月、安倍晋三元総理が選挙演説中に銃撃され死亡。その翌月、特捜部は東京五輪を巡る談合事件に着手。23年末には安倍派の裏金疑惑を追及するなど、堰《せき》を切ったように安倍政権の暗部に手をつけはじめた。

一方、大樹総研に関しては事件化される案件は今のところなく、鳴りを潜めており、矢島は危機を乗り切ったのかもしれない。

（敬称略）

誰も書けなかった日本の黒幕

2024年7月1日　第1刷発行

著者
森功
伊藤博敏
岩瀬達哉
高橋篤史
黒井文太郎
児玉博
西岡研介
ほか

発行人
関川誠

発行所
株式会社宝島社
〒102-8388
東京都千代田区一番町25番地
電話：営業 03(3234)4621
　　　編集 03(3239)0927
https://tkj.jp

印刷・製本
サンケイ総合印刷株式会社

PRINTED IN JAPAN
ISBN 978-4-299-05240-7

著者プロフィール

石井謙一郎｜いしい・けんいちろう
1961年、東京都生まれ。早稲田大学第一文学部東洋哲学科卒業。出版社勤務を経て、92年から2011年まで『週刊文春』特派記者。統一教会、オウム真理教、幸福の科学、千乃正法などの新宗教やカルト取材に携わる。13年から20年まで『文藝春秋』契約記者を務めた後、フリーライター。著書に『「週刊文春」vs統一教会の30年』(花伝社)。

伊藤博敏｜いとう・ひろとし
ジャーナリスト。1955年福岡県生まれ。東洋大学文学部哲学科卒。編集プロダクションを経て84年よりフリーに。経済事件などの圧倒的な取材力に定評が。著者に『黒幕 巨大企業とマスコミがすがった「裏社会の案内人」』(小学館)、『同和のドン 上田藤兵衛「人権」と「暴力」の戦後史』(講談社)など。

岩瀬達哉｜いわせ・たつや
1955年和歌山県生まれ。編集プロダクション勤務を経て1983年からフリーランスとして活動を始める。2000年『われ万死に値す ドキュメント竹下登』(新潮文庫)で「編集者が選ぶ雑誌ジャーナリズム賞作品賞受賞、2004年『年金大崩壊』で講談社ノンフィクション賞受賞。2020年『裁判官も人である 良心と組織の狭間で』(講談社)で日本エッセイストクラブ賞受賞。

尾島正洋｜おじま・まさひろ
埼玉県出身、早稲田大学政治経済学部卒。1992年産経新聞社入社。主に社会部で事件取材を続け、警察庁記者クラブ、警視庁キャップ、司法記者クラブなどを担当。2019年退社。著者に『総会屋とバブル』(文春新書)、『山口組分裂の真相』(文藝春秋)等がある。

小和田三郎｜おわだ・さぶろう
全国紙の司法担当記者、社会部デスクなどを経て、現在、編集局幹部。事件取材だけでなく永田町にも情報網をもち、検察、公安から政治問題まで幅広くカバーしている。

金賢｜キム・ヒョン
1972年東京生まれの在日韓国人3世。大韓金融新聞東京支局長。大学卒業後、朝鮮総連での勤務を経てフリーライターに。2021年から現職。李策のペンネームで著書『激震！朝鮮総連の内幕』(小学館文庫)、『板橋資産家殺人事件の真相「日中混成強盗グループ」の告白』(宝島社)など。

黒井文太郎｜くろい・ぶんたろう
1963年福島県生まれ。講談社編集者、『軍事研究』特約記者、『ワールド・インテリジェンス』編集長を経て国際政治評論家・ジャーナリスト。著書に『謀略の昭和裏面史』(宝島社新書)、近刊に『工作・謀略の国際政治』(ワニブックス)など。『週刊アサヒ芸能』にて「黒幕たちの極秘調査ファイル」連載中。

児玉博｜こだま・ひろし
1959年生まれ。大学卒業後、フリーランスとして取材、執筆活動を行う。第47回大宅壮一ノンフィクション賞を受賞。著者に『堤清二 罪と業 最後の「告白」』(文春文庫)、『堕ちたバンカー 國重惇史の告白』(小学館)、『トヨタ 中国の怪物 豊田章男を社長にした男』(文藝春秋)等多数。

高橋篤史｜たかはし・あつし
1968年愛知県生まれ。93年早稲田大学教育学部卒業。日刊工業新聞社を経て、98年から東洋経済新報社記者。2009年に同社退社。現在はフリーランスのジャーナリストとして『FACTA』『文藝春秋』等に寄稿。著書に『創価学会秘史』『亀裂 創業家の悲劇』(以上、講談社)など。

西岡研介｜にしおか・けんすけ
ノンフィクションライター。1967年大阪市生まれ。90年同志社大学法学部卒、91年神戸新聞社入社。98年『噂の真相』編集部に移籍、その後『週刊文春』『週刊現代』編集部を経てフリーランスの取材記者に。『マングローブ――テロリストに乗っ取られたJR東日本の真実』(講談社)で第30回講談社ノンフィクション賞受賞。

半田修平｜はんだ・しゅうへい
フリーライター。情報サイト「東京アウトローズ」で東証マザーズ上場のエナリス、脱毛サロン最大手・ミュゼプラチナムの粉飾決算事件を取材。2016年6月に「アウトサーダーズ・レポート」を開設。

牧久｜まき・ひさし
ジャーナリスト。1941年大分県生まれ。64年日本経済新聞社入社。東京本社編集局社会部に所属。89年東京・社会部長。その後代表取締役副社長を経てテレビ大阪会長。著書に『昭和解体――国鉄分割・民営化30年目の真実』(講談社)、『暴君――新左翼・松崎明に支配されたJR秘史』(小学館)など。

森功｜もり・いさお
1961年福岡県生まれ。岡山大学文学部卒。ノンフィクション作家。伊勢新聞社、『週刊新潮』編集部等を経て執筆活動に。2018年『悪だくみ「加計学園の悲願を叶えた総理の欺瞞」(文春文庫)で第2回大宅壮一メモリアル日本ノンフィクション大賞受賞。著書に『許永中　日本の闇を背負い続けた男』(講談社+α文庫)、『国商 最後のフィクサー葛西敬之』(講談社)など多数。